Karl Schollmayer

Neuer Schmuck

ornamentum humanum

Verlag Ernst Wasmuth Tübingen

Abbildung Seite III:
Ebbe Weiss-Weingart.
Brosche. Haliotis splendens,
Gold und Rubin. 1969

Alle Rechte vorbehalten
© 1974 by Verlag Ernst Wasmuth Tübingen
Klischees Meyle & Müller Pforzheim
Druck und Einband Passavia Passau
Printed in Germany

ISBN 3 8030 5027 8

INHALT

VORWORT

Seit Jahren steigt das Interesse vieler Menschen am Schmuckhaften in unserer Umweltgestaltung in gleicher Weise wie das Verlangen nach Schmuck im engeren Sinne. Oberflächliche Beobachter sehen darin nur ein Zeichen für die gesteigerten Ansprüche einer übersättigten Wohlstandsgesellschaft. Im Grunde aber äußert sich in der stärkeren Hinneigung zum Schmuckhaften oder allgemein zum Ästhetischen eine elementare Reaktion auf die Verunsicherung des Menschen durch die in der Massengesellschaft zwar notwendige Technisierung, vor allem aber durch die mit Besorgnis zu beobachtende Eskalation einer autonomen Technokratie. Dies gilt um so mehr, als die zunehmende Freude am Schönen und die Höherbewertung des Zweckfreien häufig und vor allem bei der jüngeren Generation begleitet werden von einer deutlichen Aversion gegen konventionelle Vorstellungen und einer ebenso klaren Umwertung der überkommenen Wertungen im Schmuck. Ein in greifbare Nähe gerückter, die Grundlagen der Humanität bedrohender Kulturverlust wird so zum mindesten gebremst und die Hoffnung auf ein menschenwürdigeres Leben in der Zukunft möglich.

Unter vielen anderen Erklärungen und Rechtfertigungen des Schmucks in unserer Zeit scheint der Befreiung zur Humanität die bedeutendste und unanfechtbarste Stellung zuzukommen.

Aufgrund einer jahrzehntelangen praktischen, theoretischen und gestaltungspädagogischen Beschäftigung mit dem Phänomen Schmuck halte ich es für berechtigt, ja notwendig, den Schmuck der Gegenwart in seiner Gesamtheit als „ornamentum humanum" zu bezeichnen. Vorliegendes Buch über den „Neuen Schmuck" will das ungemein farbige Bild seiner Entwicklung in einer Epoche von kaum fünfzig Jahren so lebensnah wie möglich aufzeichnen. Das Phänomen wird deshalb mit den Porträts von einunddreißig Schmuckkünstlern dokumentiert, deren Schaffen ganz dem Schmuck gewidmet ist. In der an sich kurzen Zeitspanne zeichnen sich deutlich die verschiedenartigen Auffassungen von vier Generationen ab, und innerhalb jener wiederum die der einzelnen Künstlerpersönlichkeiten. Bei aller Unterschiedlichkeit läßt sich, so scheint mir, ein einheitliches Phänomen „Neuer Schmuck – ornamentum humanum" klar erkennen.

Ich hoffe, dies Buch trage dazu bei, die Gesamterscheinung zu klären, die Leistungen der hier Porträtierten lebendig zu belegen und damit zugleich eine Basis für die Betrachtung der sicher interessanten Weiterentwicklung zu bilden.

Den Künstlern danke ich herzlich für die Bereitstellung des Bildmaterials und vor allem für die bereitwilligen und offenen Aussagen in eigener Sache. Ebenso danke ich den Fotografen, deren gute Arbeit viel zum Gelingen der in diesem Falle besonders notwendigen Bebilderung beigetragen hat, und allen, die als Übersetzer der Originaltexte ausländischer Künstler für deren sinngemäße Wiedergabe mir unentbehrliche Hilfe leisteten.

Dem Konradin-Verlag Robert Kohlhammer, Stuttgart, danke ich sehr für die Überlassung vieler farbiger Klischees.

Großer Dank gebührt dem Verleger, Herrn Ernst Wasmuth, für das Wagnis zu dieser Publikation und für sein Verständnis meiner Arbeit gegenüber. Der gleiche Dank geht an dieser Stelle auch an alle seine Mitarbeiter.

Pforzheim, zwischen den Jahren 1973/1974   Karl Schollmayer

EINLEITUNG

Um die Jahrhundertwende, in jener Belle Epoque, erfaßt die progressive Kreativität ein Gebiet der Gestaltung, das in einem Dornröschenschlaf dahinträumte. Das Schmuckhafte wird mit enthusiastischer Vehemenz zum Mittelpunkt des Formwillens und der Schmuck zur bestimmenden Motivation des gestalterischen Ausdrucks. In dramatischer, fast hektischer Expansion erreicht diese neue Bewegung sehr bald alle Kulturländer der Erde. Überall entlädt sich die dynamische Stauwelle und wird offensichtlich freudig aufgenommen. Die Bezeichnungen sind verschieden: Jugendstil in Deutschland, Art Nouveau in Frankreich, Sezession in Österreich, Stile floreale in Italien, Modern Style in England, Liberty in Amerika sind die wichtigsten; gemeint ist das gleiche: ein neuer, von Tradition und Historie unabhängiger Formwille mit ausgesprochen ornamentaler Tendenz, der sich sowohl in der freien als auch in der angewandten Kunst dokumentiert.

Es ist nicht verwunderlich, daß diese Bewegung ihren Anstoß erhält, wo sich Industrialisierung und Frühkapitalismus am stärksten auf die Umweltgestaltung ausgewirkt hatten. Die Engländer Ruskin und Morris legen den Grundstein zum neuen Gebäude, ohne eigentlich zu ahnen, was daraus werden wird. Ruskin beschwört die Welt in seinen „Laienpredigten" und mahnt mit sozial-religiösem Unterton zu einer Humanisierung der menschlichen Arbeit und ihrer Produkte; William Morris setzt die Ideen in die Praxis um, begründet Werkstätten, in denen sich mittelalterlich anmutende Formvorstellungen, gotisierendes Ornament und Gediegenheit handwerklicher Arbeit als Grundlage für sorgfältig hergestellte Einzelobjekte auswirken können. Aber die puritanische Sozialethik und die restaurierend erscheinende Handwerkskunst bleiben lediglich Ausgangsstellungen zu einer Antwort auf die „häßlichen und geistlosen Industrieprodukte" jener Zeit. Kreativ und stilbildend werden die „freien" Künstler, vornehmlich Maler und Bildhauer, die in der Dokumentation des Schönen eine Art Religionsersatz sehen. Sie wollen der neuen Welt der Maschinen wenigstens äußerlich den Stempel der Schönheit aufdrücken. Sie bleiben nicht bei gemalten Bildern oder Statuen in Marmor und Bronze, sie wenden sich den angewandten Künsten zu, die die Dinge des täglichen Lebens „verschönern". Dabei kommt es zu einer umfassenden Ornamentalisierung der Umweltgestaltung ohnegleichen. Ein ungeheurer Nachholbedarf wird befriedigt, aber nicht mehr mit historischen Nachbildungen, sondern mit neuen, eigenständigen Formen, zu denen die neu entdeckte Natur – die ersten Mikrobilder von Ernst Häckel in seiner Veröffentlichung „Kunstformen der Natur" sind damals wahre Offenbarungen – den Anstoß gibt. Das Kunstgewerbe wird zum Ausdruck all dieser Bestrebungen, die die Naturformen „entfunktionalisieren" und „entmaterialisieren" (um es mit heutigen Schlagworten zu sagen), ohne die Nähe zum Naturobjekt aufzugeben. Die Fassade des Hauses „Elvira" (München 1896 – auf Befehl Hitlers als „entartet" abgerissen), das „Theater für eine Tänzerin" (Paris) und selbst der Eiffelturm, das Wahrzeichen der neuen Ingenieurkunst, deuten an, was gemeint ist.

Aber die „Verschönerung" bleibt ein Überzug, eine ästhetisierende Beigabe zu Funktionsformen, die dem damaligen Geschmack zuwider, weil zu „nüchtern" sind, und verwischt damit das Grundsätzliche des Schmuckhaften. Schmuck entsteht nicht unmittelbar aus der Konzeption des Gestalters, sondern aus der Spekulation auf stilistische Bereicherung der Umwelt durch die Bemühungen freier Künstler, die darin eine

Verantwortung sehen. Es bleibt auch bei der Zweiteilung von Entwurf und Ausführung, wobei ein hohes Einfühlungsvermögen des Ausführenden in die Formensprache des Entwurfs als Wunschbild gilt. Der Bruch jedoch, der seit der Renaissance zwischen Kopf und Hand besteht, kann nur notdürftig verklebt werden. Das trifft auch für das eigentliche Gebiet des Schmucks zu: Er wird von Malern (wie z. B. von Wilhelm Lucas von Cranach) entworfen und von Goldschmieden mit sehr hohem handwerklichen Niveau ausgeführt.

Schon der Jugendstil-Schmuck ist ohne das kreative Werk einzelner Künstlerpersönlichkeiten nicht denkbar. Das belegen Namen wie Fabergé, Lalique und Beaudoin, Van de Velde, Riemerschmidt, Riegel, Kolo Moser, Carl Otto Czeschka, Ferdinand Hauser, Julius Müller-Salem, Cranach, Tiffany, Charles Rennie Mackintosh, Ch. R. Ashbee, Jos. Hoffmann und Dagobert Pesche. Festzuhalten bleibt auch, daß die Bestrebungen des Jugendstils bei aller relativen Befangenheit in der Thematik und der Hochschätzung überkommener Handwerkstechniken dem „Neuen Schmuck" auf eine andere Weise den Weg gebahnt haben. Die Freude an der Schönheit, der ästhetische Wert etwa eines Materials werden erstmalig seit der Verdrängung der magischen und geistigen Bezüge zu Form und Stoff, neu entdeckt, unabhängig von ihrem kommerziellen Wert und von der allzumächtigen Tradition der Goldschmiedekunst.

Anlaß zu diesem Band gab die Eigenständigkeit des Schmucks als ästhetisches Phänomen, die sich gründet auf der Eigenständigkeit der Schmuckgestalter. Idee, Entwurf, Komposition und Ausführung liegen nun im wesentlichen in einer Hand. Schmuckgestalter oder Schmuckkünstler sind ebenso eigenständig wie es Maler, Bildhauer oder Architekten von jeher waren. Der Schmuck hat in der Gegenwart eine derartige Bedeutung erhalten, daß seine Gestaltung als Lebensaufgabe gesehen werden muß. Der Bruch, an dem nicht nur der Schmuck seit dem ausgehenden Mittelalter leidet, ist damit überwunden.

Es erscheint deshalb berechtigt und notwendig, das Phänomen und seine Entwicklung im Porträt einzelner Künstler aufzuzeichnen. Die individuellen Auffassungen der verschiedenen Schmuckgestalter ermöglichen eine besonders wünschenswerte Breite und Variabilität in Konzeption und Form, die den Neuen Schmuck vor jeder stilistischen Uniformierung bewahren. Trotzdem darf von einem einheitlichen Phänomen gesprochen werden, wenn man es in Relation zu der langen Geschichte des Schmucks setzt. Eine bestimmte Auswahl war unerläßlich. Hier wurde sie nach dem Gesichtspunkt der Generationsfolge getroffen und entzieht sich nicht dem Vorwurf der Subjektivität.

Der Neue Schmuck beginnt im wesentlichen erst mit der Produktivität derer, die um jene Jahrhundertwende geboren wurden, die für den ersten Schmuck-Boom des 20. Jahrhunderts so wichtig ist. Da für die meisten der Erste Weltkrieg einen Einschnitt in Ausbildung, Entwicklung und Realisationsmöglichkeit darstellt, liegen nur relativ wenige der vorgestellten Arbeiten noch in der ersten Hälfte unseres Jahrhunderts.

Die hier porträtierten Schmuckgestalter haben wir in vier Generationen gegliedert: die Klassiker, geboren zwischen 1900 und 1920; die Meister, geboren zwischen 1920 und 1930; die Heutigen, geboren zwischen 1930 und 1940; die Jungen, geboren nach 1940.

Die Klassiker mußten mehr oder weniger Pionierarbeit leisten, die Heutigen und vor allem die Jungen haben den Vorteil, bereits aufbauen zu können. Die Gliederung nach Jahrgängen hat zwei Gründe: Bei der Darstellung der jeweiligen Anliegen einer Gruppe soll sich erweisen, ob diese Aufgaben von allen dieser Gruppe Zugehörigen erkannt wurden oder individuelle Unterschiede bestehen; ob überhaupt Gemeinsames betrieben wurde und welche Richtungen speziell für diese Gruppe aktuell sind. Da die älteren Jahrgänge schon über eine längere Schaffensperiode hinaus wirken, wird interessant sein, was der einzelne in der Blüte seiner Tätigkeit erarbeitet hat, was er davon weitergeführt, was er abgelegt und was er neu hinzugenommen hat.

Darüber hinaus wird sich aus dem Vergleich der Generationsgruppen zeigen, wie es sich mit grundsätzlichen Gestaltungsproblemen verhält, bzw. in welchem Zusammenhang sie zu den Generationen stehen. Interessant ist ferner festzustellen, welche Erscheinungen und Motivationen von der nächsten, welche von der übernächsten und welche gar nicht weitergeführt werden. Es soll sich zeigen, wie lange ein Problem Aktualität behält, wie das gleiche Problem von verschiedenen Generationen aufgefaßt und interpretiert wird, und welche Prognosen für eine Weiterentwicklung gestellt werden können. Die nachfolgenden kurzen Charakteristiken der vier Gruppen können und sollen keine Antwort vorwegnehmen. Das eigentliche Bild der jeweiligen Epoche wird sich erst aus den einzelnen Porträts und dem Vergleich ergeben.

Um die Porträts lebendig und nach Möglichkeit unabhängig von der Meinung des Verfassers zu machen, kommen die Künstler häufig selbst zu Wort. Und auch dort, wo sie nicht wörtlich zitiert werden können, stützen sich die Ausführungen des Verfassers oft und gern auf Gespräche, Interviews und andere persönliche Kontaktnahmen.

Die als „Klassiker" bezeichneten Schmuckkünstler haben zum mindesten in ihrer Jugend noch bewußt oder unbewußt die Auswirkungen des Jugendstils, des Ersten Weltkriegs und der berühmten Zwanziger Jahre erlebt und sind mit Vorrang Goldschmiede, die ihre handwerkliche Ausbildung unter mehr oder weniger konservativen Meistern und Lehrern absolvierten. Zugleich ist es die Generation der Jugendbewegung, deren wesentliche Merkmale in heutiger Sicht nicht einfach Romantik und Naturschwärmerei, sondern sozialrevolutionäre Lebensreform und Bereitschaft zu geistiger Erneuerung waren. Der idealistischen Grundhaltung der Studenten von 1914 und den jungen Rebellen der Nachkriegszeit stehen sie näher als dem beginnenden Wohlstandsdenken der Protzen und Kriegsgewinnler. Damit ist bereits eine gewisse Gemeinsamkeit ihrer künstlerischen und gestalterischen Auffassungen angedeutet. Die meisten von ihnen sind auch die ersten Schmuckgestalter, die ihre Ideen und Entwürfe entwickelten und auch selbst realisierten. Allein darin ist der Kontakt zu jenen Epochen verständlich, in denen es die seit der Renaissance übliche Trennung von Entwurf und Ausführung nicht gab. Für die elementare gestalterische Kraft dieser „Klassiker" spricht, daß alle auch in ihren Jugendwerken trotzdem stilistisch und formal keinen historisierenden, sondern vielmehr bereits eigenständigen Schmuck aufzuweisen haben.

Für die zweite Gruppe wurde die Bezeichnung „Meister" gewählt. Damit soll darauf hingewiesen sein, daß es sich hier um jene Schmuckgestalter handelt, die heute allesamt richtungweisende Bedeutung haben. Ihre Ausbildung ist bereits unter progressiven Aspekten erfolgt. Die direkte Auseinandersetzung mit dem Historismus blieb ihnen infolgedessen ebenso erspart wie die Bedrängnis rein traditioneller Auffassungen im Handwerk. Ihre Ausbildung als solche ist unterschiedlich: Einige kommen aus dem Handwerk, andere von der Technik, wieder andere aus der freien Kunst. Ihre Jugend ist mehr oder weniger überschattet von den Schrecken des Zweiten Weltkriegs. Sie beginnen bewußt und produktiv zu gestalten in einer Zeit, die einen kulturellen Tiefstand darstellt, als der Kampf um die Lebenserhaltung heute kaum mehr vorstellbare Formen annahm. Wieviel innerer Antrieb gehört dazu, in einer solchen Situation, in der selbst in Kunstschulen oft die primitivsten äußeren Voraussetzungen fehlen, sich ausgerechnet dem nutzlosen und anscheinend überflüssigen Schmuck zuzuwenden. Aber gerade deshalb und durch die vielfach enge und freundschaftliche Verbindung zwischen Lehrenden und Lernenden wurde aus der Arbeit ein wirklicher Neubeginn.

Die Bezeichnung Meister soll auch auf die Tradition des Bauhauses hinweisen, an dem die Lehrer statt des Professorentitels die stolze und für die Arbeit programmatische Bezeichnung „Formmeister" trugen. Wer das Werk der einzelnen Meister dieser Gruppe unvoreingenommen betrachtet, wird jedoch merken, daß hier nicht die formale Nachfolge des Bauhauses gemeint ist. Es sind die Meister, die, im Sinne Goethes, wirklich „etwas ersannen".

Wenn die dritte Gruppe unter der Bezeichnung die „Heutigen" zusammengefaßt wird, so soll damit natürlich nicht gesagt sein, daß die Klassiker und die Meister heute nicht mehr als produktive und aktive Schmuckgestalter anzusehen seien. Jede bedeutende Ausstellung beweist, wie aktuell die neuesten Arbeiten der Künstler jener Jahrgänge sind. Zum Neuen gehört neben der Erkenntnis, daß Schmuck nicht nur den neuen Kunstentwicklungen folgen und dabei seine eigenen Formprinzipien beachten muß, auch die Bereitschaft, zu den sich ständig verändernden Formen menschlicher Existenz immer neue Entsprechungen zu suchen. Die Nationalität der hier Porträtierten zeigt bei weiter Streuung ein Überwiegen der Ausländer. Die Deutschen stehen stellvertretend für eine fast homogene Gruppe deutscher Schmuckgestalter dieser Jahrgänge, die aus gleichen Schulen und Richtungen kommen und deren Arbeiten von gleicher, ja zum Teil höherer Qualität sind.

Bei den folgenden Porträts wird deutlich, welch erfreuliche Ausweitung die Grunderkenntnisse des Neuen Schmucks inzwischen erfahren haben. Diese Jahrgänge konnten auf der Meisterschaft ihrer Lehrer und Wegbereiter aufbauen. Ihre neuen Erkenntnisse beruhen vornehmlich auf der Entdeckung neuer Materialien und Techniken, neuer schmuckhafter Wirkungen überhaupt und einer erfrischenden Unbekümmertheit, die den großen Leistungen der Älteren doch nicht respektlos gegenübersteht. Ihre Arbeiten und besonders ihr Schmuck zeichnen sich durch lange vermißten Charme (Kodré-Defner), durch vitale Lebensfreude (Eshel-Gershuni), durch Ursprünglichkeit (Ackermann), elementare Einfachheit (Kodejs), geistvolle Zeichensetzung (Cepka, Seibert) und fast überreiche Kompositionen (Lechtzin) aus. Welche Spannweite innerhalb einer Gestaltergruppe! Erstaunlich ist dabei die bereitwillige Weiterführung der als organisch und emotional bezeichneten Gestaltungsauffassungen, während das Konstruktive, Rationale in dieser Gruppe kaum einen namhaften Vertreter findet.

Dies scheint vor allem der Gruppe der „Jungen" vorbehalten, jener Schmuckgestalter, deren älteste Vertreter gerade dreißig Jahre alt sind. Als sie noch zur Schule gingen, begannen sich die äußeren Verhältnisse in Europa entscheidend zu bessern. Die neue Wohlstandsgesellschaft wandte sich bald schon in breiter Front den Genußmitteln und dem Luxus zu, der nun nicht mehr Privileg bestimmter Klassen ist und sich sehr viel weniger exklusiv, kommerziell und in der Absicht der Wertanlage äußert. Die Befreiung von überkommenen Vorurteilen, Bindungen und Tabus bringt in wachsendem Maße ungehemmte Lebensfreude als Grundhaltung menschlicher Existenz.

Die Jungen, die von allen bisher aufgeführten Gruppen die relativ wenigsten Widerstände von außen zu überwinden haben, verfügen über die freiesten Möglichkeiten ihrer formalen Entwicklung. Es stehen ihnen Meister, Lehrer und Schulen in vielgestaltiger Weise zur Verfügung (und, wenn sie wollen, auch hilfreich zur Seite); von überkommenen Vorstellungen und Belastungen sind sie endgültig befreit. Ihre Antwort darauf ist in ihren Arbeiten ebenso frisch und hoffnungsvoll wie vielfältig und eigenartig gegeben. Das Gemeinsame liegt infolgedessen natürlich auch bei ihnen nicht im Formalen oder in der Aussage. Es ist, wenn überhaupt, vor allem in der Unbekümmertheit, der Freiheit und der Ehrlichkeit zu sehen, mit denen sie ihre Arbeit auffassen. Der Nüchternheit der jungen Generation entspricht sicher auch die nunmehr begeisterte Aufnahme konstruktiver und rationaler Konzepte. Dem gleichzeitigen

Drang nach einer neuen Art von Romantik ist sowohl die Vorliebe zu lebensnahen Emotionen als auch die fast kindliche Freude am Umfunktionieren aller gefestigten Vorstellungen von Nur-Zweckmäßigem, Nur-Funktionellem, Nur-Gehaltvollem. Daß hinter all dem auch ein sehr ernst zu nehmender Wille und eine mit harter Energie betriebene Entschlossenheit steckt, das von den vorhergehenden Gestaltergenerationen so gut gelöste Schmuckproblem nun mit eigenen Mitteln und in eigener Verantwortung zu bewältigen, berechtigt zur Hoffnung auf eine gute Weiterentwicklung.

Es erscheint notwendig, schließlich noch zwei Probleme kurz zu beleuchten, die alle vier Gruppen und innerhalb dieser jeden einzelnen Künstler betreffen.

Da ist zunächst die verschieden gehandhabte Bezeichnung Gestalter oder Designer. Wenn man nicht nur dem jeweiligen Zeitgeschmack, der sich ja auch im Gebrauch von Fachausdrücken bemerkbar macht, folgen will, so muß doch vermutet werden, mit der unterschiedlichen Bezeichnung der Künstler solle eine verschiedenartige Grundauffassung ihrer Tätigkeit, bzw. ihres Arbeitsbereiches angedeutet werden. Dies zum mindesten ist die Absicht des Verfassers.

Angesichts der Probleme um die Jahrhundertwende besteht kein Zweifel darüber, daß es sich damals ausschließlich um die Realisierung von Ideen für Einzelschmuck handelte. Nach „Künstlerentwürfen" hergestellte Schmuckstücke waren immer Unikate. Daß Serienschmuck, in gewissem Sinne wenigstens, seine eigenen Formgesetze befolgen muß, wurde nicht beachtet. Nur ganz zaghaft begannen bedeutende Künstler, sich mit diesem Problem zu beschäftigen. Wenn trotzdem bereits in den neunziger Jahren des vorigen Jahrhunderts hie und da Kollektionen der Serienschmuckfabrikation auftauchten (wie z.B. bei den als Fahrner-Schmuck bekannten Objekten), so scheinen sie in ihrer Eigenart der allgemeinen Auffassung weit voraus gewesen oder in ihrem Eigenwert gar nicht erkannt worden zu sein; denn sie sind Einzelerscheinungen geblieben. Der Neue Schmuck ist zunächst ausschließlich Unikat-Schmuck. Hier sind infolgedessen Schmuckgestalter am Werk; Gestalter deshalb, weil das Wesen des Neuen in der Einheit von Idee, Konzeption und Realisation, kurz von Entwurf und Ausführung in der Hand einer Person besteht. Und eben das ist das untrügliche Kennzeichen der Gestaltung. Das Ergebnis ist das Unikat, das die unverwischbare Handschrift des Autors trägt.

Selbstverständlich bestehen nicht nur Zusammenhänge zwischen der echten Unikat-Gestaltung und den Formproblemen des Serienschmucks, sie müssen sogar gesehen werden. Aber dies geht nicht, ohne die Wesensunterschiede zu beachten. Schmuck-Designer ist derjenige Schmuck-Schaffende, der nach seiner Formvorstellung den Prototyp eines Schmuckstücks schafft, der dann unbeschadet seiner Loslösung vom Autor in Serie gefertigt werden kann.

Dieser Hinweis an dieser Stelle gehört, so will es scheinen, zum Bild der Entwicklung des Neuen Schmucks und der Formprobleme der gegenwärtigen Schmuckschaffenden.

Das andere Problem, das am Schluß dieser Darlegungen erwähnt werden soll, ist das Verhältnis der Schmuckkünstler zur freien Kunst. Eine Reihe vor allem der jüngeren Schmuckgestalter oder -Designer neigen dazu, sich neben ihrem eigentlichen Arbeitsgebiet – meistens mit nicht geringerem Eifer und Können – der freien Malerei oder Bildhauerei zu widmen. Es ist der umgekehrte Vorgang wie bei den Jugendstilkünstlern im Verhältnis von „freier" zu „angewandter" Kunst. Das ist jedoch nicht neu. Durch die Neigung gegenwärtiger Schmuckkünstler zu freiem Schaffen wird lediglich der Beweis erbracht, daß es keine grundsätzlichen Unterschiede hinsichtlich der Spezies der Kunstobjekte geben kann oder sollte.

Eine Erscheinung, die damit in engem Zusammenhang steht, bedarf jedoch einer näheren Betrachtung. Es fällt auf, daß einige jüngere Schmuckkünstler in zunehmendem Maße das Ergebnis ihrer Arbeit als „Schmuck-Objekt" bezeichnen. Bei aller Unterschiedlichkeit der Auffassungen ist diesen Schmuck-Objekten gemeinsam, daß sie eine Integrierung des eigentlichen Schmuckstücks in ein Relief oder eine Freiplastik von entsprechenden Maßen darstellen. Zugrunde liegt meistens die Überlegung, daß ein Schmuckstück viel zu selten in Aktion ist, eben nur dann, wenn es getragen wird (was bei anspruchsvollen Stücken selten sein kann) und sonst zur Passivität in irgendeinem Behälter verurteilt ist. Je größer aber die ästhetische Realität eines Schmucks ist, um so mehr verlangt sie danach, wirksam zu sein. Das soll ermöglicht werden, indem das Schmuckstück zum Element einer anderen, größeren Komposition wird. Als solches muß dieser Schmuck zugleich eigenständig gestaltet sein, wie man es von einem Stück verlangt, das von Menschen getragen wird, und die große Gesamtkomposition darf ohne das Schmuckelement keine spürbaren Mängel zeigen. Durch diese Auffassung von Schmuck-Objekten wird das Nebeneinander von freier und angewandter Gestaltung zu einem echten Miteinander.

Herbert Zeitner

1900	geboren in Coburg aufgewachsen in Hanau lebt in Lüneburg
1914–21	Besuch der Zeichenakademie in Hanau
1921	Gesellenprüfung als Graveur
1921–24	selbständig
1924	Meisterprüfung als Goldschmied
1924–39	Lehrtätigkeit; Vereinigte Staats- schulen für freie und angewandte Kunst, Berlin
1935	Professur
1939–45	Preußische Akademie der Künste, Berlin, Leiter eines Meisterateliers; Mitglied des Senates
seit 1946	freischaffend in Lüneburg

BETEILIGUNG AN AUSSTELLUNGEN:
an allen großen einschlägigen Ausstellungen
im In- und Ausland, u.a. Weltausstellungen,
Triennalen, Modern Jewellery, London 1961,
Sao Paolo, Cincinnati, Florenz, Stuttgart, München

EIGENE AUSSTELLUNGEN:
Berlin, Düsseldorf, Pforzheim, Hanau, Köln,
Oberhausen, Hamburg, Lüneburg

AUSZEICHNUNGEN:

1943	Ehrenring der Gesellschaft für Gold- schmiedekunst
1952	Olympia-Medaille Helsinki
1954	Silbermedaille Triennale Mailand
1958	Weltausstellung Brüssel
1962	Dritter Preis „Die silberne Maske"
1967	Niedersächsischer Staatspreis für das gestaltende Handwerk

ARBEITEN IM BESITZ FOLGENDER
MUSEEN:
Schmuckmuseum Pforzheim
Neue Sammlung München
Märkisches Museum Berlin
Museum für Kunst und Gewerbe Hamburg
Museum of Modern Art New York
Städtisches Museum Lüneburg

Die Begabung eines Jungen muß stark und deutlich sein, wenn er bereits als Vierzehn-
jähriger und noch dazu bei Kriegsausbruch 1914 ein Stipendium für eine gestalterische
Ausbildung erhält. Herbert Zeitner hatte dazu noch das Glück, an eine Schule zu gelangen, die, seit langem in besonderer Weise auf den Schmuck ausgerichtet, den
neuen Impulsen, die vom Jugendstil ausgingen, offen war. So schien der junge Zeitner
in doppelter Weise begünstigt: Er lernte zugleich die Techniken und die Entwicklung
einer Form und begann seine Ausbildung, als die Probleme des Art Nouveau gelöst,
die Forderungen des Werkbundes bekannt und die Zeitumstände ganz danach waren,
beides zur Grundlage neuer drängender, revolutionierender Ideen werden zu lassen.
Mit dem Wellenschlag des deutschen Expressionismus, der auch die kleine Stadt
Hanau erreichte, wuchs Zeitner auf und in Formvorstellungen hinein, die er durch sein
langes Leben als Künstler immer aktuell und überzeugend zu realisieren fähig war.
Das Werk des nun schon über Siebzigjährigen gleicht somit jener neuen philosophi-
schen Deutung der Arbeit des Sisyphos, der sein Leben darauf verwendet, dem rohen
Stein stets neue und glänzendere Facetten zu geben, wodurch der Zauber seines
Inneren immer geheimnisvoller wird.
Obwohl sein Werk auch profanes und sakrales Gerät einschließt, ist der Kern, seinem
Wesen entsprechend, der Schmuck. „Er ist die beste Möglichkeit, mich künstlerisch
auszudrücken," sagt er heute selbst und fügt hinzu, „ich sehe keinen Unterschied
zwischen Schmuckgestaltung und bildender Kunst."
Der glückliche Zeitner blieb ein Leben lang ein Zauberer, der wahre *homo ludens*.
Nicht umsonst begegnet man immer wieder in seinem Werk Masken, geheimnisvollen,
lächelnden, lockenden. Er fand eine ihm ganz eigene Weise der Realisation des Schönen, das er mit Liebe und Freude offenbart, immer aber geheimnisvoll, im sorgfältig
geordneten Labyrinth verzweigter Konturen, die sich durch diffizile Flächen winden
und ihr fröhliches, heiteres, neckisches und doch auch so tiefgründiges Versteckspiel
nur für den lösen, der es lange genug betrachten oder, besser noch, mitspielen kann.
Jedoch noch einmal zurück zum Lernenden. Wie ungewöhnlich sein Ausbildungsweg
war – Schule statt Handwerkslehre – wie neu die Art des Lernens selbst – Durchdringung des Technischen und Formalen in einer nicht zu trennenden Einheit – darin zeigt
sich der erste Niederschlag des Neuen. Und wie gut Zeitner diese Chance nutzte, beweist der frühe Wandel vom Lernenden zum Lehrenden. Daß Bruno Paul den frisch
gebackenen Goldschmiedemeister Zeitner als Lehrer an die Vereinigten Staatsschulen
für freie und angewandte Kunst nach Berlin berief, war ebenso neu, mutig, vertrauens-
voll wie klug. Ein neuer Weg kann nur von jungen, überzeugten wie überzeugenden
Menschen fortgesetzt werden. Die Lernenden einem Nicht-Perfektionierten, sich selbst
täglich mit neuen Problemen Konfrontierenden anzuvertrauen, dessen schöpferische
Potenz ihn nicht nur befähigt, sondern drängt, selbst immer Lernender zu bleiben,
war damals ungewöhnlicher als heute. Aber Zeitner hat das in ihn gesetzte Vertrauen voll erfüllt: Er selbst ist daran gewachsen, stets Schüler um sich zu haben, die
ihn auf dem Weg zu immer wieder Neuem begleiteten, bis sie selbst ihre Richtung
fanden. Nochmals glücklicher Zeitner, dem keine Laufbahnbestimmungen den Weg
verbauen konnten. Der Goldschmiedemeister wurde Professor und Mitglied des Sena-
tes der Preußischen Akademie der Künste in Berlin und führte dort ein Meisteratelier!
Von den Grundlagen, die er aus dem Jugendstil und dem Werkbund empfing, hat Zeitner zeit seines Lebens beibehalten den außerordentlich gut ausgebildeten Sinn für
feinste Nüancierungen von Oberflächen, Dimensionen und Akzentuierungen, die Anerkennung von zweckgebundenen und funktionellen formalen Forderungen und zugleich die Unmittelbarkeit und Unvoreingenommenheit, die Freiheit und Freude am
Neuen und Blühenden. „Ich verfolge eigentlich *drei* persönliche ‚Stile'. Streng und
funktionell, wo es der Zweck verlangt, figürlich-goldschmiedisch-plastisch, *pour rester*

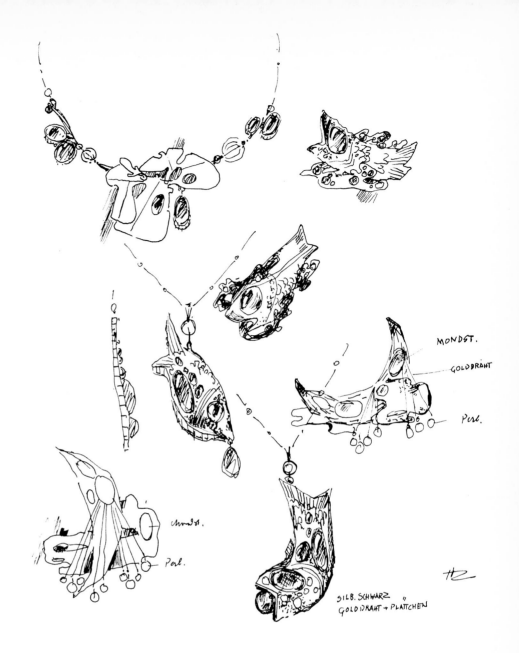

MONDST.

GOLDDRAHT

Perl.

Mondst.

Perl.

SILB. SCHWARZ „
GOLDDRAHT + PLÄTTCHEN

1 Entwurfsskizzen 1959

le rang', wie Rodin sagte, und dann die ganz freien und spielerischen Gestaltungen, zu denen mich Vorstellungen und das vor mir liegende Material anregen."

Mit diesem klaren und deutlichen Selbstzeugnis Zeitners gehen ergänzend konform seine Bemerkungen zu Material und Technik: „Ich bevorzuge kein Material, einmal reizt mich dies, dann jenes. Es kommt auf Zweck und Idee an … Techniken bedeuten mir nur soviel wie etwa die Kostüme dem Schauspieler."

Was heute allen so geläufig klingt, hat er, der Undogmatische, bereits sehr früh erkannt, hat es selbstkritisch und zugleich mit Humor immer wieder untersucht („Ich selbst blicke, wie eh und je, mit heiterer Skepsis ins starre Auge der Zukunft – und meiner lieben Kollegen …") und durch neue Arbeiten unter Beweis gestellt.

2 Abendmahlskelch. Silber vergoldet, Bergkristall. 1967

Durch alle Epochen hindurch bis in die Gegenwart ist Zeitners Schmuck dem Figürlichen verbunden, zumeist auch noch in bestimmter Thematik. Seine Stellung dazu ist
so eindeutig, früher wie heute, daß sich eine Interpretation erübrigt. Um so wichtiger
erscheint es, darauf hinzuweisen, welchen überragenden Platz Zeitners figürliche
Gestaltungen in der Geschichte des Neuen Schmucks einnehmen. Ob er sie linear,
flächig oder plastisch auffaßt, immer sind Figur und Thematik bildnerisch vollkommen
bewältigt. Wie bereits gesagt, stellt Zeitners figürliche Schmuckgestaltung damit die
Grundlage für viele heutige Bemühungen dar, ohne daß er sich jemals eines bestimmten Schemas oder gar Dogmas in dieser Beziehung bediente.

3 Brosche „Nixe". Gold, Türkis, Mondstein
und drei Perlen. 1949

4 Anhänger mit figürlichen Motiven. Silber
mit Korallen. 1922

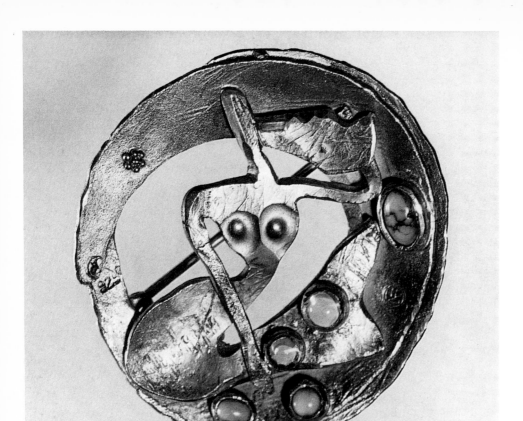

5 Brosche „Nixe". Silber vergoldet, Türkis, Mondstein. 1950

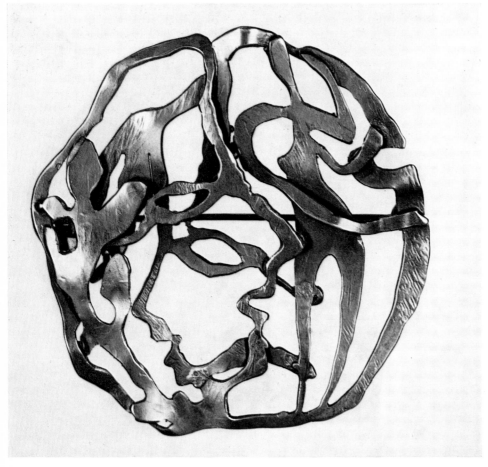

6 Brosche „Traumgesicht". Silber vergoldet. 1950

6

7 Brosche „Orpheus und Eurydike". Silber
  vergoldet, 60×70 mm. 1950

Ein weiteres für Zeitner so charakteristisches Merkmal ist die Spannung, die jedem
seiner Schmuckstücke innewohnt. Dabei erzielt er diese am wenigsten mit sog. ge-
spannten Linien, Flächen oder Formen. Es ist vielmehr das geheimnisvolle, stets auf
minimale Maße gebrachte Zu- und Gegeneinander von Linie zu Fläche (wobei Linien
ebenso Drähte wie Konturen sein können), von positiven zu negativen Flächen (deren
Wirkkraft noch durch geringste Raumstufen erhöht wird), von Fläche zu Kontur (die
nie nur Außenkontur bleibt, sondern auch das Innere der Fläche aufbricht und aktiviert), von Fläche zu Raum und von Metall zu Stein oder anderen schmuckhaften Mitteln. („Schmucksteine liebe ich alle, genau wie die Blumen. Am liebsten habe ich sie
als Cabochon.")
Seine Fantasie blüht, ist lebendig und voller Kraft geblieben, auch im Alter. Noch einmal glücklicher Zeitner!

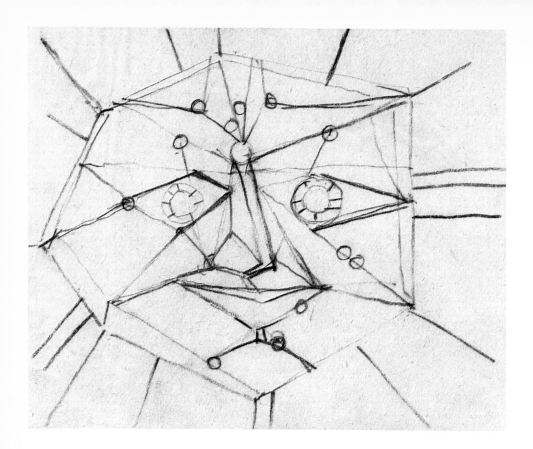

8 Entwurfsskizze 1962

9 Brosche. Silber und Gold

8

Da in der Hauptsache von seinem Schmuck die Rede ist, noch ein Wort zu seinem Verhältnis zum Schmuckträger. „Ich ‚will' keine soziale Schicht besonders ansprechen. Es hat sich aber gezeigt, daß Ärzte, Lehrer und Industrielle sich von meinen Arbeiten besonders beeindruckt zeigen … Persönlichkeiten suchen die Beziehung zu meinem Schmuck … Das Kleid, das zum Schmuck paßt, muß nachgearbeitet werden."

„Seit ich lebe und arbeite, habe ich meine Spiele um *der* Menschen willen gemacht, die Spaß daran haben und – mich leben lassen. Wenn in einigen Arbeiten Kunst spürbar wurde, gab's die umsonst. Kunsthandwerk und Schaustellerei liegen fatal nahe beieinander. Beides aber muß fleißig betrieben und gekonnt sein, dann ‚kann' man hoffen, auch von wesentlichen Leuten geliebt und gelobt zu werden. Wobei mir das erstere immer das liebere war! Ich darf mich nicht beschweren."

Bedarf es noch des Hinweises, daß unter der ersten Gruppenbezeichnung „Klassiker" keine Abwertung verstanden werden darf? Zeitner steht dabei für alle anderen und folgenden. Er ist heute wie immer aktuell, was für ihn besonders ehrenvoll ist, da er Aktualität weder im Modischen sucht, noch sich um ihretwillen ihm fremder Ausdrucksmittel bedient. Das aber hat er auch gar nicht nötig.

10 Maske „Morpheus". Silber graviert und
gepunzt, Mondstein in Goldfassung. 1962

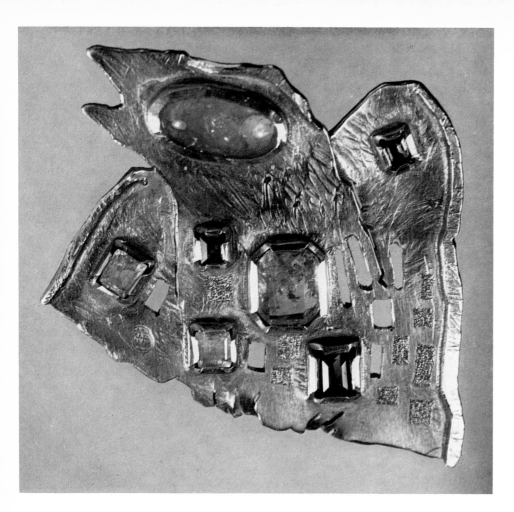

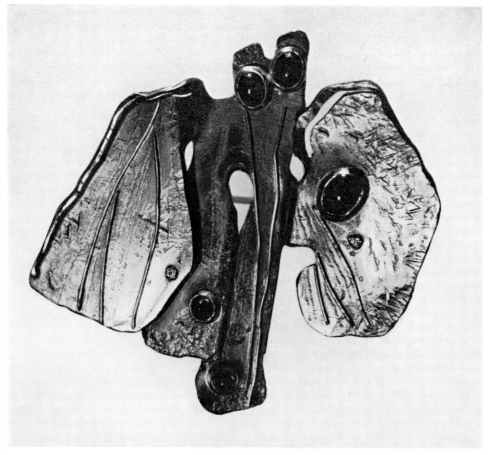

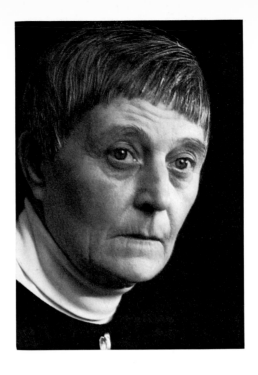

Hildegard Risch

1903	geboren in Halle/Saale
1910–20	Lyzeum der Franckeschen Stiftungen in Halle
1922–28	Ausbildung in der Metallklasse der Burg Giebichenstein bei Karl Müller; Bearbeitung unedler Metalle; Studium: Gefäßgestaltung, Design für Beleuchtungskörper u. dgl.
1929	Gründung einer eigenen Werkstatt zusammen mit Eva Elsäßer (nach einer Studienreise nach Holland und eingehendem Selbststudium von Goldsammlungen, besonders im British Museum London) Erste Experimente mit Schmuck
1931	Gesellenprüfung im Goldschmiede-Handwerk
1936	Meisterprüfung als Goldschmiedin
1963	Übersiedlung in die Bundesrepublik lebt in Wesseling bei Köln

BETEILIGUNG AN AUSSTELLUNGEN:

1928/29	Ausstellung bei Professor Breuhaus Düsseldorf, als Designer u. a. für Beleuchtungskörper
seit 1929	regelmäßige Beteiligung an den Ausstellungen für Kunsthandwerk im Grassi-Museum Leipzig
1969	Internationales Kunsthandwerk Stuttgart, Landesgewerbeamt

AUSZEICHNUNGEN:

1969	Auszeichnung des Landesgewerbeamtes Stuttgart

MUSEUMS-ANKÄUFE:
Schmuckmuseum Pforzheim, goldener Halsschmuck mit Perlen und Smaragden

Hildegard Rischs Bedeutung als Künstlerin und Wegbereiterin für den Neuen Schmuck geht wenig in die Breite – dafür um so mehr in die Tiefe. Das hängt ebensosehr mit äußeren Umständen wie mit ihrer Wesensart zusammen.

Äußerlich ist da zunächst ihre Ausbildung: Sie lernt zwar von Grund auf den Werkstoff Metall kennen, besonders Kupfer und Messing, dazu noch in Verbindung mit den damals unbestritten avantgardistischen Bestrebungen der Leute an der Burg. Aber es blieb bei Geräten und Gefäßen, zu deren Gestaltung sie eine der elementaren Metalltechniken anwendet und sich deshalb ganz zu eigen macht: Schmieden und Treiben. Die Arbeit mit dem Hammer ist lange Zeit typisch für ihre gesamte Gestaltungsweise geblieben.

Aber das von ihr später so geliebte Gold muß sie ganz allein ergründen, seine Eigenart erforschen, mit seiner Gestaltung auf eigene Faust experimentieren. Gewiß, da war die gemeinsame Werkstatt mit Eva Elsäßer (s. d.) und auch deren Vater, der traditionsreiche Juwelier. Aber Hildegard Rischs Formvorstellungen waren für die damalige Zeit so ungewöhnlich und un-goldschmiedisch, daß sie von der handwerklich-traditionellen Seite her wenig Hilfe erwarten konnte, sie wohl auch nicht wollte (obwohl doch gerade ihre Arbeit als die eines Gold-Schmiedes bezeichnet werden muß, ein Beweis dafür, wie abgegriffen die überkommene Berufsbezeichnung ist und wie wenig sie in der Regel der Realität entspricht!). Äußerlich ist auch die Einengung durch die schwierigen Verhältnisse in Halle nach dem Kriege. Zu der lange „luxus-verdächtigen" Schmuckarbeit kam der Mangel an Werkstoffen, natürlich besonders an Gold. Auch nach der Übersiedlung in den Westen hat Hildegard Risch einen schweren Kampf um den Aufbau ihrer Existenz zu bestehen.

Innerlich aber gleicht sie eher einem Hieronymus im Gehäus. Sie ist im besten Sinn introvertiert. Ihr nach außen so wenig und selten in Erscheinung tretendes Bemühen um eine neue Form, ja um eine neue Wesenheit des Schmuckes gelangt in der Zurückgezogenheit zu Lösungen von absolut eigenartigem, eigenständigem Rang.

Am Anfang ihrer Schmuck-Experimente, in der Kleinschmiede in Halle, stehen ihr alte und neue Paten zur Seite. Die alten: die Goldarbeiten der Etrusker und der Inkas, die Granulationen und geschweißten Gebilde, die schon durch die Eigenart der Bearbeitung (durch die Technologie, möchten wir heute sagen, womit jedoch das Geheimnis der alten Arbeiten nicht annähernd erklärt ist) dem Gold zu der magischen Erscheinung verholfen haben, von der sich ein Mensch wie Hildegard Risch in besonderer Weise angezogen fühlen mußte. Hier wurden ihr die Ausführungen von Marc Rosenberg („Geschichte der Goldschmiedekunst auf technischer Grundlage") ebenso zur willkommenen Hilfe wie die Bemühungen von Michel Willm und Elisabeth Treskow um deren Realisierung in der praktischen Schmuckgestaltung. Gewiß hat auch Hildegard Risch bisweilen granuliert – und sie hat es gut gemacht – aber der notwendige Schmelzvorgang beim Gold brachte sie schon früh dazu, das Metall zu schweißen, um ihm die Ausdruckskraft zu verleihen, die ihren Formvorstellungen entsprach. Da waren die neuen Paten unsichtbar zur Stelle: die bedeutenden zeitgenössischen Künstler, von denen sie wenigstens einige während ihrer Studienzeit auf der Burg aus der Nähe kennenlernen durfte.

Welch mutiger Gedanke, in den dreißiger Jahren Schmuck aus geschmiedetem und schwarzgebranntem Eisen und geschweißtem Gold mit Brillanten zu besetzen. Das war schon in der Idee unerhört neu. Hier half die scheinbar so daneben geratene Grundausbildung, die Bearbeitung des Metalls zu großen Formen und in enormen Dimensionen mit dem Hammer und im Feuer mehr und besser als alle goldschmiedische Tradition.

13 Brosche. Silber und Gold, geschmiedet
und gestaucht, Chrysopras. 1939

14 Brosche, Pferdekopf. Silber getrieben.
1946

15 Brosche, Widderkopf. Gold getrieben.1944

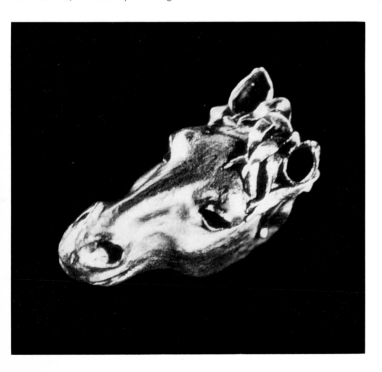

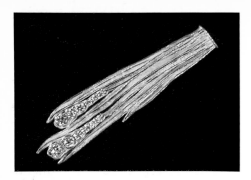

16 Brosche. Gold mit Brillanten, siehe auch
Farbtafel I 67

17 Halsschmuck. Eisen geschmiedet und
geschwärzt, Gold. 1943

Das Eigenartige an Hildegard Rischs Schmuck ist, daß er wie von einem Mann gestaltet erscheint und erst nach langem Vertrautsein frauliche Anmut und Intimität offenbart. Doch dazu soll die heutige Hildegard Risch selbst Stellung nehmen:
„Als Frau hat man eine andere Beziehung zur Gestaltung von Schmuck als der Mann. Diese Beziehung ist, nach langer Entwicklung sublimiert, vom uralten, biologisch begründeten Trieb, sich zu schmücken, geprägt. Heute will die Frau sich nicht nur schmücken *lassen*. Sie hat die Gestaltung ihres Schmucks selbst in die Hand genommen: eine echte und sinnvolle Emanzipation!
Dürfen wir nicht wie mit Blumen mit schönen Steinen und Metallen spielen und dabei auch Edles und Unedles souverän vereinen? Etwa mit schwarz brüniertem Eisen einem Brillanten besondere Leuchtkraft verleihen oder mit Gold eine interessante Farbverbindung herstellen? Auch der Perle gibt dieses Eisen einen eindrucksvollen Rahmen. Für den Goldschmied hat Eisen technische Grenzen. Aber Grenzen sind immer fruchtbar, zwingen sie uns doch zu neuen, bisher nicht bekannten Lösungen. So kann der Goldschmied das Eisen nicht löten, und wenn er an dünnem Gold einen Rand anstauchen will, muß er ihm erst Festigkeit verleihen. Hat er jedoch derartige Lösungen gefunden, entdeckt er, wie gut sie auch bei Gold oder Silber anzuwenden sind.
Die Narrenfreiheit, die ich als Frau zu haben glaubte (und glaube), erlaubt mir manch unübliches Verfahren: etwa zwei Halbkugeln ohne Lot zu einer Kugel zusammenzuschweißen. Damit war zugleich eine sehr anziehende Oberflächenstruktur entdeckt, die geeignet ist, organische Bildungen darzustellen, ohne naturalistisch zu werden. Einmal schmorte ein Blechrand an. Diese Panne erwies sich dann als so schön, daß von da ab mit gezielter Absicht Ränder angeschmolzen wurden.

14

18 Zwei Armreifen, 1970. Links: Gold, getrieben und ziseliert, zwei rote Turmaline.
Rechts: Gold, getrieben, ziseliert und ge-
lötet, schwarzer Opal. Siehe auch Farbtafel I 69

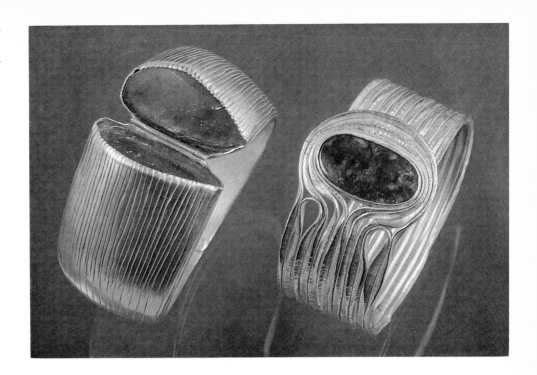

Wir schmücken uns immer dann wirklich, wenn wir das rechte Maß treffen, das unserer
Erscheinung dienlich ist. Schmuck soll die ästhetische und intellektuelle Aufmerksam-
keit am Gegenüber wecken und zu näherer Betrachtung einladen, um weitere Ent-
deckungen zu machen, etwa die Schönheit eines Steins oder einer Arbeit. Die
Trägerin, die ihre Wahl gut trifft, trägt durch sich selbst das Ihre sowohl zur Originalität
des Schmucks als zu ihrer eigenen Erscheinung bei.
Im intimeren Bereich tut ein wenig Zuviel der Erscheinung einer Frau leicht Abbruch.
Die Größe der Steine oder die Menge des Goldes ziehen jene Grenzen, die ein guter
Geschmack immer respektieren muß. – Grenzen jeder Art sind mir immer zum Vorteil
geworden, so oft ich sie auch verwünscht haben mag."
Manches an diesen freimütigen Ausführungen von Hildegard Risch mag vielen Heuti-
gen selbstverständlich erscheinen, manches sogar überholt. Sie sollten jedoch be-
denken, daß hier eine Frau als „Klassiker" spricht, die zu Beginn ihres Schaffens sich
dies alles selbst erarbeiten mußte und trotz oder wegen ihres mehr verborgenen als
öffentlichen Wirkens unbedingt auch heute noch zu den wesentlichen Pionieren des
Neuen Schmucks gezählt werden muß.
Deshalb ist es wichtig, auf die letzten Arbeiten Hildegard Rischs hinzuweisen: Das
Gold blüht aus unverminderter innerer Strahlkraft, die Steine glühen in immaterieller
Farbigkeit und, wo zu gegenständlichen Motiven gegriffen wird, ist die Umsetzung ins
Schmuckhafte mit der Sicherheit einer alles verwandelnden Zauberin gelungen.
Schmuck einer Frau für Frauen, Schmuck einer Zauberin als Hilfe bei der Suche nach
dem eigenen Wesen.

19 Brosche „Schmetterling". Gold getrieben und geschweißt, rote Turmalinscheiben, siehe auch Farbtafel I 68

20 Brosche. Gold getrieben und geschweißt, zweifarbige Turmalinscheiben. Bergkristalle. 1971

Max Fröhlich

Max Fröhlich

1908 geboren im Kanton Glarus
6 Jahre Primar-, 3 Jahre Sekundar-
schule, 4 Jahre Lehre als Silberschmied in Genf
1923–25 Ecole des Arts Industriels Genf
1925–28 Kunstgewerbe-Schule Zürich
1928–45 im Beruf tätig, teils als Angestellter,
teils selbständig
1934–45 teilweise,
seit 1945 hauptamtlich als Lehrer und dann
als Direktor-Stellvertreter an der
Kunstgewerbe-Schule Zürich tätig

BETEILIGUNG AN AUSSTELLUNGEN:
Schweizerischer Werkbund
in Zürich (mehrfach)
Schweizerischer Werkbund
in Baden-Baden
Kirchenkunst-Ausstellung des
Evangelischen Kirchentages
München
Sonderschau Form und Qualität,
Handwerksmesse München
(mehrmals)
1960 „Neuzeitlicher Schmuck" Zürich,
Kunstgewerbe-Museum
1961–63 Wanderausstellung Artist-Crafts-
men of Western Europe, USA
1963 Ausstellung im Museum für Kunst
und Gewerbe Hamburg

EIGENE AUSSTELLUNG:
1966/67 Galerie „objekt" Zürich

AUSZEICHNUNGEN:
1966 Ehrenring der Gesellschaft für Goldschmiede-Kunst Hanau; Goldmedaille der Handwerksmesse
München

MUSEUMSANKÄUFE:
Kunstgewerbe-Museum Zürich:
silberne Schale
Schmuckmuseum Pforzheim: Silberschmuck

ARBEITEN IN DER ÖFFENTLICHKEIT:
Profane und sakrale Arbeiten in Zürich, Kilch-
berg, Bonnstetten, Adliswil, Mettmenstetten,
Bern, Reconvillier, Moutier, Wila im Tösstal,
Lausanne, Berlin

PUBLIKATIONEN:
Über Schmuck, Schmuckgestaltung, Ausstel-
lungen; Buchbesprechungen und technische
Probleme in verschiedenen einschlägigen
Fachzeitschriften

Max Fröhlich zeichnet im folgenden ein für seine Person als Mensch, Künstler und Lehrer so charakteristisches Selbstporträt, daß wir es hier wörtlich wiedergeben möchten:

„Um meine Arbeit – oder meine Einstellung zu irgendeiner meiner bisherigen Tätigkeiten – zu illustrieren, müßte ich mit einem sehr frühen Jugenderlebnis beginnen, das wahrscheinlich ein schönes Stück vor meine erste Erfahrung in einer ländlichen Schulstube zu verlegen ist. Aus mir nicht bekannten Gründen nahm mich meine Mutter als kleines Bürschchen mit zu einem Besuch in die Kantonal-Glarnerische Schwachsinnigen-Anstalt. Da sah ich Kinder – oder erschienen sie mir nur als solche? – am Boden hockend Weidenkörbe flechten. Ich war gefesselt, sowohl von der Tätigkeit als solcher, wie auch von der Tatsache, daß diese – buchstäblich – offensichtlich geistig Benachteiligten solche Arbeit tun konnten und wie sie dazu angeleitet wurden. Ich erinnere mich genau, daß ich mir wünschte, mit diesen Kindern zusammensein zu dürfen.

Wie ich dann in meine Ausbildung als Silberschmied hineinrutschte, ohne je einen Silberschmied oder Goldschmied an der Arbeit gesehen zu haben, wäre ein Kapitel für sich, in dem wieder meine Mutter eine gewichtige Rolle im Hintergrund spielte. Könnte ich von vorne beginnen, ich würde denselben Beruf wählen – sie hat mich anscheinend gut gekannt, vielleicht darum, weil ich in jungen Jahren das Sorgenkind der Familie war.

Ich habe meine Lehre im ausgehenden Jugendstil in Genf begonnen. Wenn ich sehr empfindlich auf Charme reagiere, so mag ein väterliches Erbteil (der Vater befaßte sich mit Textilien) seine Finger – oder Gene – mit im Spiel haben und Genf in seiner französischen Art in den zur Persönlichkeitsformung so eminent wichtigen Entwicklungsjahren das Seinige dazu beigetragen haben.

Ob meine Arbeiten einen Ausdruck dieser Empfindsamkeit aufweisen, möchte ich beinah bezweifeln, tut man doch gerne das, was einem zur Ergänzung seiner Arbeit selbst fehlt. Ich schaffe mit Vorliebe einfache Dinge, einfach im Sinne der Überschaubarkeit. Mich fasziniert das Plastische in straffen Oberflächen, zum andern die Struktur und Eigenart des Materials.

Als Silberschmied arbeitete ich hauptsächlich in den Gesellenjahren und viel später dann – schon im Lehramt – speziell Kultgerät für protestantische Kirchen und hier im besonderen für kleine Gemeinden, was bedeutet ‚zu möglichst niedrigem Preis‘. Dies schien mir stets eine lohnende Aufgabe, der Verpflichtung zu äußerster Reduktion in den anzuwendenden Mitteln und Materialienwegen, mit der implicite gegebenen Forderung verbunden, ein Optimum an formalem und, sagen wir, künstlerischem Gehalt mitzugeben.

In der Schmuckgestaltung tastete ich mich gegen Ende der dreißiger Jahre langsam zu meiner Art vor, gestatteten mir die Krisenjahre doch nur selten die Realisation wahrhaft origineller Ideen. Man mußte sich durchschlagen und reparierte auch Gebisse. Darum wurde ich auch relativ spät und mit verhältnismäßig wenigen Dingen bekannt. Bekannter eigentlich eher durch schriftliche Äußerungen zu allerlei fachlichen und gestalterischen Problemen. Meine Arbeitsweise ist die, daß ich in der Regel ein Formproblem in einer Serie von Varianten angehe. So gibt es bei mir ziemlich genau abgrenzbare Werkperioden, auch was die Materialauswahl betrifft. Zum Gold, wie ich es heute verwende, kam ich spät. Lange Jahre konnte ich mich nicht vom Silber mit seinem herrlichen schmiegsamen Weiß lösen, das viel vom Mondlicht in sich hat. Auch schien mir Silber als weniger teures Material für unsere Jugend erschwinglicher zu sein – nur fand ich nie einen Fabrikanten, der meine als Prototypen gedachten Schmuckmodelle in Serie herzustellen bereit gewesen wäre. Anscheinend ist Silber und sind meine Dinge nicht im Speziellen verkaufsinteressant genug – oder waren es seinerzeit noch nicht. In den letzten Jahren habe ich Schmuck nur noch gegossen,

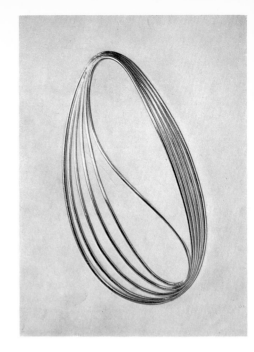

21 Brosche (Modell). Gelbgold. 1945

22 Brosche. Silber. 1952. Bei gleicher Grundform wie Abb. 21 verschiedene Lösungen durch die Verwendung von Golddraht und Silberschalen, die sich durchdringen

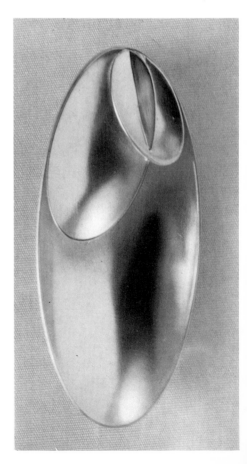

wobei besonders beim Silber die Oberfläche durchwegs nachträglich überarbeitet wird, so daß sie makellos straff erscheint. Eine Fläche ist für mich eine Fläche, ob flach, gewölbt, gewellt usw., und muß als solche eindeutig sein. Freiheiten erlaube ich mir dann in der Kontur, im äußersten Grenzbezirk, der zur Person, womöglich zur Haut, überleitet, zum Organischen. Der Mensch, die Person, ist ja immer der Hintergrund und dem sollte doch eigentlich die Form schmiegend und schmeichelnd entgegengehen. Und da wären wir wieder beim Charme angelangt, der für mich das Agens bedeutet, das mich zum Schmuckmachen verleitet. Ich betrachte mich hier absolut als Diener an diesem Faktum, dem ich mit Vergnügen meine Zeit – wenn sie mir geschenkt ist – widme.

Seit 1934 bin ich auch noch Lehrer, erst neben-, dann seit 1945 vollamtlich.

Hier betrachte ich mich nie als Meister, der vorbildlich, d.i. nachahmenswert arbeitet, sondern als Förderer von Persönlichkeiten, so gut mir das gegeben ist. Ich weiß, daß ich es vielen meiner Schüler damit, daß ich nicht diktiere, nicht leicht mache.

Gezeichnet habe ich selten und wenn, waren es hingeworfene Ideen, um sie zu fixieren und nicht zu verlieren, oder Dutzende von nuancierenden Korrekturen zu einem speziellen Produkt. Werkzeichnungen ja, für Geräte, mit allen notwendigen Maßangaben, Schnitten usw. für den Drücker u.a. Im übrigen modelliere ich, schneide positiv, noch lieber negativ, in Gips und forme direkt in Wachs.

Fachgeheimnisse habe ich keine und freue mich auf die Zeit, wo ich, ledig aller administrativen Aufgaben, die einem die Mitverantwortung in einer Schulleitung auflädt, mich wieder, nach geschenkten Kräften, formgestalterischen Problemen ganz zuwenden kann."

23 Halsschmuck, Armreif und Ringe aus
    kunststoffbeschichteten Drähten, siehe
    auch Farbtafel II 70

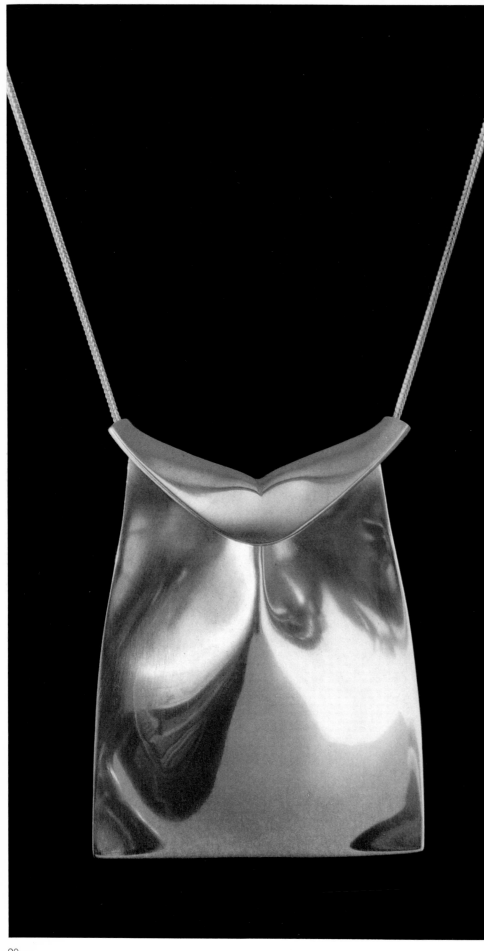

24 Anhänger. Silber modelliert und gegossen. 1971

25 Anhänger. Gold, zweiteilig, halbkreisförmige Flügel beweglich, gegossen in „forme perdue". 1970, siehe auch Farbtafel III 71

26 Brosche. Gold, plastisch modelliert, gegossen in „forme perdue". 1970, siehe auch Farbtafel III 72

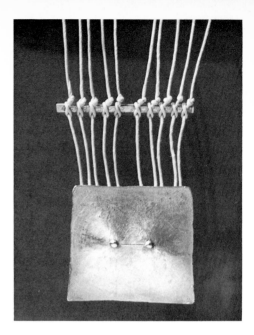

28 Anhänger. Silber mit Glastropfen. 1969, siehe auch Farbtafel III 73

29 Anhänger. Silber mit rotem Glasfluß. 1969, siehe auch Farbtafel III 74

30 Anhänger. Gold, an Schnüren hängend, gegossen. 1969, siehe auch Farbtafel III 75

Hier spricht ein Mann, dessen persönliches Verantwortungsbewußtsein mit der Ethik, wie sie der frühe Werkbund für Gestalter und Gestaltung forderte, vollkommen konform geht. In Max Fröhlich ist der Geist Pestalozzis lebendig, der überhaupt für die Umweltgestaltung, wie sie in der Schweiz seit langem betrieben wird, soviel Maßgebliches und Grundlegendes beigetragen hat. Den Ausführungen Fröhlichs ist kaum etwas hinzuzufügen, sagt er doch selbst so überzeugend – und bescheiden – alles. Er, dessen Arbeiten vom Standpunkt des Neuen Schmucks im besten Sinne als klassisch zu bezeichnen sind, ist Beispiel dafür, daß „Klassik" nicht Steriles und allzu Perfektes bedeutet, vielmehr Sicherheit und Reife, die zu immer neuen, überzeugenden Leistungen gelangen kann. Das Können besteht nicht in Virtuosität und Anwendung des Gelernten allein, sondern in der ehrlichen Bereitschaft, jedem neuen Problem unvoreingenommen und mit dem Aufbieten aller schöpferischen Kraft zu begegnen.

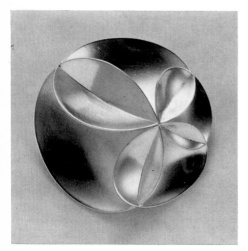

31 Brosche. Silber, Durchdringung von vier spitzovalen Schalen. 1953

32 Brosche. Silber, Durchdringung von drei ovalen Schalen. Ceylon-Saphire. 1951

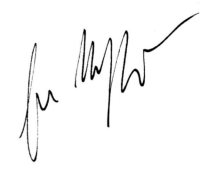

Eva Mascher-Elsäßer

1910 geboren in Halle/Saale
1926–28 Werkstätten der Burg Giebichenstein Halle
1928/29 Kölner Werk-Schulen, Gold-
schmiede-Klasse
1934 Gesellenprüfung als Goldschmiedin
1949 Meisterprüfung als Goldschmiedin
1949–50 selbständig tätig in Halle
1950–62 selbständig tätig in Göttingen
seit 1962 selbständig tätig in Braunschweig

BETEILIGUNG AN AUSSTELLUNGEN:
1930–35 Leipziger Messe (Grassi-Museum)
1954 Triennale Mailand
1961 Schmuckmuseum Pforzheim
1963 Kunstkreis Hameln, Gesellschaft für
Goldschmiede-Kunst
Sonderschau Frankfurter Messe
Sonderschau Bozener Messe
Wanderausstellung des
Auswärtigen Amtes (Kanada)
1964 Sonderschau Frankfurter Messe
Sonderschau Handwerksmesse
München
1965 Handwerksmessen in Frankfurt und
München
Weihnachtsausstellung des Kunst-
handwerks Niedersachsen
1967 Wanderausstellung des
Auswärtigen Amtes (Frankreich)
1968 Sonderschau Handwerksmesse
München
Sonderschau Frankfurter Messe
1969 Kunstkreis Hameln, Gesellschaft für
Goldschmiede-Kunst
Internationales Kunsthandwerk
Stuttgart

EIGENE AUSSTELLUNGEN:
1962 Galerie Ralfs Braunschweig
1965/66 Firma Bissen Hannover

AUSZEICHNUNGEN:
1965 Niedersächsischer Staatspreis
Hannover
1968 Bayerischer Staatspreis
(Goldmedaille) München
1969 Baden-Württembergischer Staatspreis Stuttgart

MUSEUMSANKÄUFE:
1931 Grassi-Museum Leipzig:
Silberservice
1961 Schmuckmuseum Pforzheim:
Schmuck

Eva Elsäßer stammt aus einer alten Goldschmiede-Familie. Im Juni 1970 war die Firma 150 Jahre lang ununterbrochen im Familienbesitz. Lange Zeit hindurch führte Vater Elsäßer in Halle/Saale ein angesehenes Juweliergeschäft in Kleinschmieden, wie die Straße bezeichnenderweise heißt. Sie ist also, was die Goldschmiederei und den Umgang mit Gold und Silber, mit Edelsteinen und Preziosen betrifft, erblich belastet.

Bald nach der Heimkehr von den Lehr- und Wanderjahren richtete ihr der Vater in Kleinschmieden eine eigene Werkstatt ein, in der sie zeitweilig zusammen mit ihrer Freundin Hildegard Risch ihre ersten eigenen Formvorstellungen von Gerät und Schmuck verwirklichen konnte. Wie beachtlich diese von Anfang an waren, zeigt die schon frühe Beteiligung an den Ausstellungen des Kunsthandwerks im Grassi-Museum in Leipzig, die in den Jahren zwischen den beiden Weltkriegen große Bedeutung hatten. Dort ausstellen zu dürfen, war immer ein gewisser Qualitätsbeweis und besonders für die Jungen ein guter Start.

Es spricht für das fortschrittliche Denken des Juweliers Elsäßer, die Tochter nicht zur Lehre in der Familien-Werkstatt zu zwingen. Sie hatte das Glück, ihre ersten handwerklichen und formalen Unterweisungen in den Werkstätten der Burg Giebichenstein zu erhalten. Diese Schule zählte damals neben den Kölner Werkschulen und dem Bauhaus zu den Institutionen, an denen bedeutende Lehrer (auf der „Burg" lehrte damals auch Gerhard Marcks) jungen Talenten im neuen Geist, dem sie selbst noch als Pioniere zum ersten Durchbruch verholfen hatten, richtungsweisende Wege zeigten. Der Widerstand gegen die perfektionierte Handwerkstradition war groß; handwerkliches Können wurde einer anderen Wertung unterzogen als in der Meisterwerkstatt. Gewiß blieb so manches unvollkommen. Aber gerade darin lagen die Ansätze zu neuer Gestaltung.

Eva Elsäßer, wohl vom Vater mehr auf Schmuck und Goldschmiedearbeit hingewiesen (beides trat auf der Burg hinter der Gerätgestaltung zurück), wechselte von Halle nach Köln über.

Dort hatte Richard Riemerschmidt, der Mitbegründer des Werkbundes, kurz zuvor die Leitung der Kunstgewerbeschule übernommen und sie unter dem Namen Kölner Werkschulen von Grund auf neu gestaltet. Hier traf Eva Elsäßer nun auf zweierlei: die mit unerhörter Konsequenz von berühmten Lehrern wie Riemerschmidt, Böhm, Wissel, Riegel, Treskow, Ahlers-Hestermann u. a. vertretene und gelehrte Formenwelt und die von einem wirklichen Könner betriebene Goldschmiederei.

Es war dies der selbst aus einer alten Goldschmiede Familie stammende Hermann Schiedhuber, dem alle, die bei ihm lernten, viel zu verdanken haben. Als enger Mitarbeiter von Jos. Hofmann und vor allem von Dagobert Pesche war er lange Zeit Leiter der Wiener Werkstätten in Zürich, ehe ihn Riemerschmidt nach Köln rief. Die Kölner Jahre konnten somit grundlegend für Eva Mascher-Elsäßer werden und ihr die ersten Erfolge im Grassi-Museum sichern.

Heute, als Großmutter, steht sie eigentlich erst so richtig auf der Höhe ihrer Arbeit, unerhört produktiv im Geistigen und in der realen Schmuckarbeit. Ihre Erfolge, besonders in den letzten zehn Jahren, sind die wohlverdiente Frucht intensiver Bemühungen um eine eigenständige Formensprache.

In ihrer geistigen Grundhaltung verbinden sich strenge ethische Forderungen, wohlgeschult an Nietzsche und seinen späten Jüngern, mit einer tiefgründigen Liebe für Harmonie und Wohlklang. Ihre große künstlerische Begabung – auch als Sängerin und Cellistin war sie erfolgreich – konzentriert sie später ganz auf ihren Schmuck. Er ist immer gekennzeichnet von einer gewissen Schwere und inneren Fülle, eher streng als fröhlich. Aber Strenge ist hier nicht Härte und Schwere nicht Last. Ohne historische stilistische Bindung ist ihr Schmuck immer den Epochen früher Erhabenheit näher als etwa manierierten Spätzeiten. Sie liebt hochkarätiges Gold in Verbindung mit Steinen

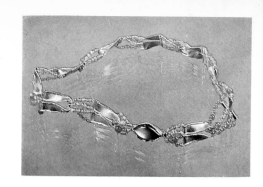

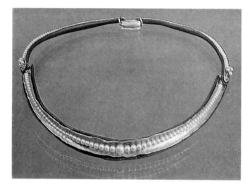

33 Halsschmuck. Goldene Bänder und Perlenreihen im Wechsel, Verschluß mit spitzovalem Labradorit, siehe auch Farbtafel IV 78

34 Halsschmuck. Dreiteilig, Eisen geschmiedet mit Feingold und Perlen, siehe auch Farbtafel IV 77

35 Halsschmuck. Eisen geschmiedet mit Feingoldbändern

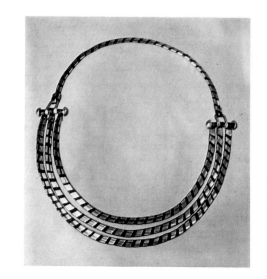

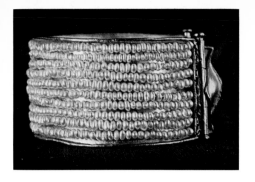

36 Armreif. Gold mit Perlenreihen

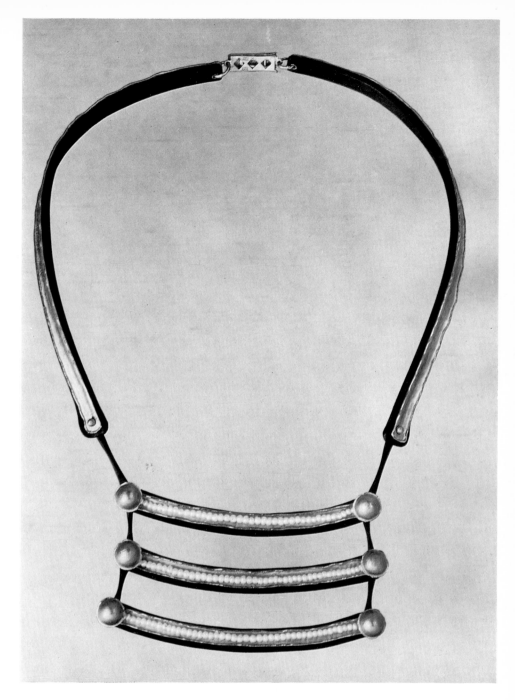

37 Halsschmuck. Eisen geschmiedet mit Feingold und Perlen

aber auch mit geschmiedetem Eisen; sie weiß Reihungen zarter Perlen in gekehlte
Goldformen zu ordnen und mit schwarzgebranntem Eisen zu kontrapunktieren.
Ihre frühe Ausbildung in Halle und besonders in Köln und die Wiederbelebung der
Granulation durch Michel Willm und Elisabeth Treskow ließen sie zusammen mit
Hildegard Risch dem Geheimnis etruskischer Goldschmiedekunst nachgehen. Dies
brachte sie nicht oder nur ganz vorübergehend zur Granulation, wohl aber schon bald
zu der Entdeckung, welchen Einfluß eine gewisse Körnung der Oberfläche auf die
Goldfarbe hat und welche elementaren Möglichkeiten in der Formung des Goldes im
Feuer liegen. Die Verwendung „echter" Materialien (Gold, aber auch Eisen; Steine,

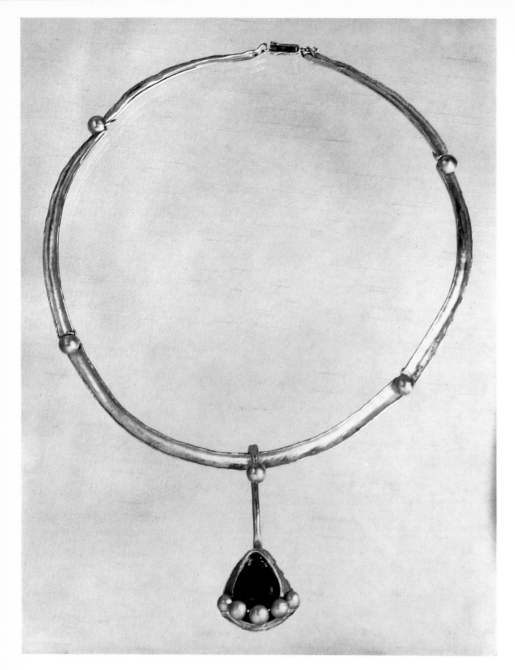

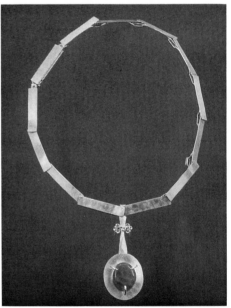

38 Halsschmuck. Gold, Anhänger mit Perlen
und rotem Turmalin

39 Halskette. Gold, Kettenglieder plastisch
getrieben, Ränder verstärkt, ohne weiteres
Kettenelement ineinander gehängt

40 Halsschmuck. Gold, Kette aus Bändern
mit verdeckter Bewegung, Anhänger mit
Smaragd und Brillanten, siehe auch Farbtafel IV 76

aber auch Perlen) und Grundtechniken wie Schmieden und Schweißen entspricht der
Tiefe ihrer Vorstellungen, in der Beständiges und Gültiges noch ehrliche Berechtigung
haben.
Eva Mascher-Elsäßers Schmuck ist echtes Handwerk von allerbester Art und hoher
künstlerischer Qualität. Er ist darum auch immer Unikat. Serien-Probleme sind ihr
natürlich nicht fremd, aber sie berühren sie nicht; in der Verwendung von Kunststoff
als Schmuck sieht sie „ein Gebiet, welches große Möglichkeiten in sich birgt", aber
für sie selbst und ihren Schmuck bleiben Gold und Eisen, Steine, Korallen, Elfenbein
und vor allem Perlen von fast magischer Kraft.

Sigurd Persson

1914	geboren in Hälsingborg/Schweden Handwerkliche Ausbildung in der väterlichen Werkstatt
1937	Gesellenprüfung danach Studienjahre: Akademie der Bildenden Künste, München (Professor Jul. Schneider, Professor Franz Rickert) Kunstfachschule Stockholm
1942	Gründung des eigenen Ateliers und der Werkstatt in Stockholm; seitdem dort tätig
1943	Meisterbrief

BETEILIGUNG AN AUSSTELLUNGEN:
seit Jahren an vielen Ausstellungen des In- und Auslandes u.a. Australien, USA, Brasilien, Holland, Deutschland, Italien, Schweiz, Belgien, Frankreich, Portugal, Island, Finnland, Dänemark, Norwegen

EIGENE AUSSTELLUNGEN:

1950	Erste Ausstellung, Stockholm
1956	Havanna/Cuba
1960	„77 Ringe" NK, Stockholm
1961	„68 Ringe" Libertys, London
1963	„7 x 7 Armband" NK, Stockholm „Silberne Leuchter" Hantverket, Stockholm
1964	„The eloquent Jewels of Sigurd Persson" bei Georg Jensen Inc., New York „Der Ohrschmuck" NK, Stockholm
1965	„Der Halsschmuck" NK, Stockholm
1966–68	„Sigurd Persson Design", Wanderausstellung in acht Museen in Schweden
1968	„Skal" Hantverket, Stockholm
1969	„Skal" Goldsmiths' Hall, London
1970	„25 Silberkannen unter 33 Jahren" Stockholm

AUSZEICHNUNGEN:

1951	Ehrendiplom, Triennale Mailand
1954	Silbermedaille, Triennale Mailand
1955	Ehrenring der Gesellschaft für Goldschmiedekunst
1957	Silbermedaille, Triennale Mailand
1958	„Gregor Paulssen Statuette"
1960	Silbermedaille, Triennale Mailand
1961	Schwedische Form – Gute Form
1964	Goldmedaille und 2 Ehrenauszeichnungen, Biennale Ljubljana
1966	2 Ehrenauszeichnungen, Biennale Ljubljana
1969	„St. Eligius-Preis" des Schwedischen Juwelier- und Goldschmiede-Verbandes
1970	„Eugen-Medaille" vom schwedischen König verliehen
1963–68	Mitglied des Kulturrates der schwedischen Regierung
1964	Ehrenmitglied „The Worshipful Company of Goldsmiths" London
1965	Kulturstipendium der Heimatstadt Hälsingborg
1967	Mitglied des staatlichen Komitees für Planung der höheren künstlerischen Ausbildung in Schweden Inhaber der Künstlerbelobigung des schwedischen Staates (garantiert indexreguliertes Einkommen – heute 38000 Schwedische Kronen bis zum Tode)

Perssons Sonderstellung unter den Klassikern des Neuen Schmucks erweist sich auf den ersten Blick. Er ist – nicht nur unter diesen, sondern wohl überhaupt – der erste Schmuck-Designer.

Das Gesamtwerk seines Schaffens umfaßt gleichermaßen Schmuck und Gebrauchsgerät. Letztere Bezeichnung trifft auch für seine Sakralgeräte zu, die fast ausschließlich vom Gesichtspunkt des Gebrauches, der Handhabe gestaltet sind.

Sein Schmuck ist von Anfang an das Ergebnis seiner Bemühungen um klare, überschaubare, wenn man will nüchterne Formen. Dem entsprechen Material und Techniken. Silber überwiegt. Wenn Gold dazu kommt, verwendet er es meistens mit glatten, glänzenden Oberflächen. Farbige Akzente durch Steine oder andere Möglichkeiten findet man sehr selten bei ihm. Brillanten und schwarze Perlen unterstützen seine Vorliebe für Nüchternheit, für geometrische Dynamik und Perfektion.

So sieht es jeder auf den ersten Blick. Aber – ist dies wirklich Perssons eigentliches Anliegen, auch im Schmuck wie im Gebrauchsgerät optimale Lösungen anzustreben, die perfekte Gestalt zu finden? – Um gerade bei ihm nicht der Gefahr persönlicher und damit eventuell falscher Interpretation zu verfallen, erscheint es richtig und notwendig, ihn selbst zu zitieren.

„Erst in unserem Jahrhundert sind die psychologischen Aspekte des Schmückens entdeckt worden. Eigentlich ist dies ganz selbstverständlich, denn die psychologische Wissenschaft und ihre Entdeckungen vom menschlichen Verhalten, dem Zusammenspiel der Geschlechter, dem sexuellen und erotischen Benehmen usw. haben ja erst in unserem Jahrhundert begonnen.

Für mich ist es heute einigermaßen klar, daß diese Kenntnisse Anregung bieten zu einem Schmuckschaffen, das nicht bei ererbten Formen und Typen von Schmuck halt macht. Man entdeckt die Freiheit und daß eigentlich alles möglich ist. Mit einer Ausnahme: Schmuck als Hilfsmittel, um das zu unterstreichen, was wir Schönheit nennen oder auch um eine Individualität hervorzuheben, führt zu bestimmten Begrenzungen. Die Hauptsache ist nämlich, daß der Schmuckkünstler sich demjenigen, der geschmückt werden soll oder geschmückt werden will, unterordnet. Ich meine, daß man daneben schießt, wenn die Dinge, mit denen man schmücken will, in erster Linie laut schreien: ‚Ich bin von Herrn oder Frau so und so gemacht worden und wir haben ein kleines Kunstwerk gestaltet – ein kleines Bild, das man um den Hals hängen kann oder auf dem Busen placiert!' Diese Tendenz verbreitet sich. Meines Erachtens muß man es bedauern. Eine Blume hinter dem Ohr schmückt bedeutend besser als ein noch so intrikat gestaltetes Bild! Wir haben es ja mit dem Maßstab des menschlichen Körpers zu tun und mit den Abständen, die überbrückt werden sollen – rein konkret und auch geschlechtlich. Wenn der Schmuck nicht dazu beiträgt, die körperlichen Vorzüge zu unterscheiden, nicht behilflich ist, schöner zu machen, dann ist er nur ein Ding – egal was, ein Miniaturgemälde, eine Miniaturplastik.

Darum will ich in diesem Sinne weitermachen und mich denen zur Verfügung stellen, die den Wunsch haben, eine Melodie zu finden, die im Spiel Frau–Mann, Individuum–Individuum, Individuum–Kollektiv zu finden ist.

Schmuck so zu arbeiten, daß er ein bereicherndes Moment im menschlichen Zusammensein wird, ist eine sehr ausgiebige Geschichte – nicht wahr?"

Es ist gut, so scheint es doch, daß sich diese Stimme bereits im Kreise der Klassiker äußert, daß derartige Grundsatzüberlegungen zum Neuen Schmuck von jemandem gemacht werden, der mit seinem Werk, mit einem umfangreichen, hochangesehenen und oft ausgezeichneten Werk Zeugnis für ein solches Programm abgelegt hat, ehe er es formulierte. Daß die Realisation eines solchen Manifestes so kühl ausgefallen ist, hängt mit der bewußten Zurückstellung des immer nach Emotionen verlangenden Persönlichen des Gestalters zusammen.

41 Ring. Silber mit Goldbelötung. 1960

42 Ring. Gold mit Rauchquarz. 1960

43 Ring. Gold mit Rauchquarz. 1960

44 Ring. Weißgold mit Brillanten. 1960

Perssons Sprache ist der von Max Bill verwandt. Wie bei diesem gründet sie im Rationalen und Intellektuellen … Ist das ein Negativum für Schmuck, für Neuen Schmuck, für Menschen des 20. Jahrhunderts, dem wissenschaftlichen Zeitalter der Industriegesellschaft? Sicher nicht! Daß Perssons Schmuck auch dann noch Schmuck bleibt, wo er sich anscheinend völlig konstruktiver Formen bedient, zeigt, daß er im Grunde den Zauber bejaht; nur verlegt er ihn nicht ins Transzendente, sucht ihn nicht im Spirituellen. „Rein konkret" sind ihm die Bereiche der Spannung zwischen und sicher auch im Menschen. Er entspricht ihnen mit Linien und Kurven, mit Akzentuierungen und Kontrasten, mit Brillanz und Spiegelung, die als eigenständige Realitäten bereitwillig den Gegebenheiten der menschlichen Situation, der körperlichen wie der seelischen, „untergeordnet" werden, wie er sich selbst unterzuordnen jederzeit bereit ist.

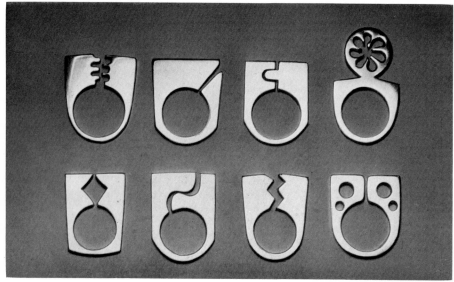

46 Acht Ringe. Silber

47 Armreif. Silber mit Goldbelötung. 1962

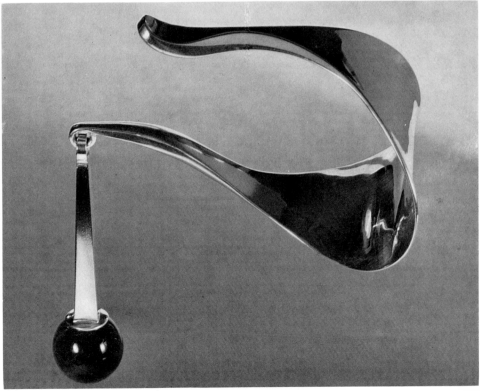

48 Armband. Silber mit Amethystkugel. 1958

Dies macht die besondere Stellung Perssons innerhalb der Klassiker aus, daß er erstmalig Schmuck zu einem Design-Problem macht. Er löst ihn damit sowohl aus der
Tradition des Goldschmiedischen als auch der Feudalvorstellungen. Aus der Zusammenstellung seiner eigenen Ausstellungen kann man leicht zweierlei ersehen: er erarbeitet eine Schmuckgattung, etwa Ringe oder Armband (77 Ringe, 7 × 7 Armband)
denkerisch und gestalterisch als Typenreihen und – er stellt diesen Schmuck erstmals
im Warenhaus aus. Er reiht seinen Schmuck ein in das Angebot der Konsumgüter
und betont damit die Notwendigkeit des Schmuckes für jedermann.
Wenn von „Schmuckgestaltung als soziales Problem" gesprochen wurde, so hat
Persson mit seinen überindividuellen Ringreihen, die alle Möglichkeiten der Variation
einer Grundidee erproben und dem Schmuckwilligen damit eine breite Basis für die
eigene Entscheidung bei der Wahl nach individuellen Gegebenheiten oder Vorstellungen anbieten, Wesentliches dazu beigetragen.

50 Halsschmuck. Gold mit verschiedenen
   Steinen. 1965, siehe auch Farbtafel V 79

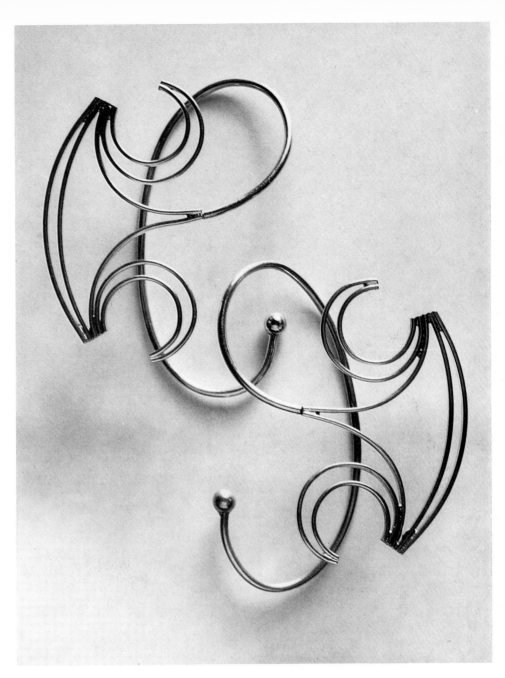

51 Ohrschmuck. Silber. 1964

52 Ring. Gold und Silber mit Brillant. 1964

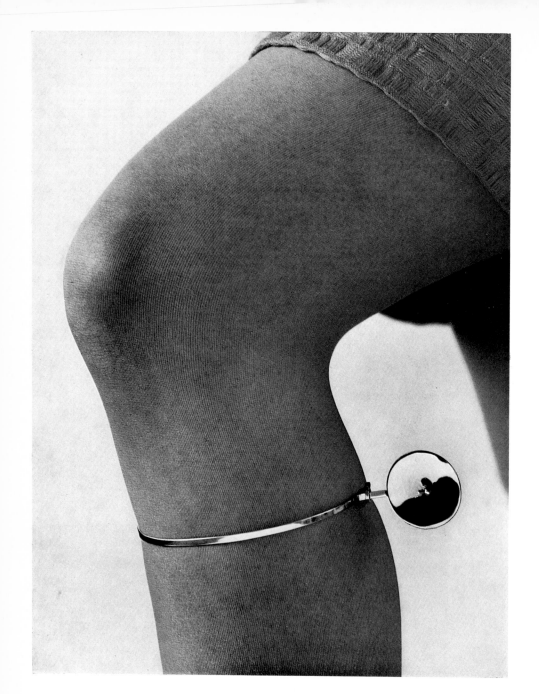

54 Ring. Silber. 1970

Die Untersuchungen Perssons richten sich aber nicht nur auf die Variationsmöglich-
keiten einer Formidee. Er studiert gewissermaßen wie ein Anatom den menschlichen
Körper und sucht unter Einbeziehen der psychologischen Hintergründe, wo er
Schmuck als Signale, Blinkzeichen oder Blickpunkte aufstellen bzw. anbringen kann,
ohne sich an „ererbte Formen und Typen" zu halten.
Dies ist wirklich „eine sehr ausgiebige Geschichte". Sie ist nicht nur ergiebig für den,
der sich intensiv genug mit diesen Problemen beschäftigt (und es sollten es sehr viele
tun), sondern sie ist auch im großen Rahmen der Umweltgestaltung im 3. Jahrtausend
von eminenter Bedeutung.

Mario Pinton

1919 geboren in Padua
Lehre als Graveur in der väterlichen Werkstatt
Fachliche Weiterbildung und künstlerische Bildung:
a) Istituto d'Arte di Padova, Gold- und Silberschmiedekunst
b) Istituto d'Arte di Venezia, Gold- schmiedekunst und Bildhauerei
c) Istituto superiore delle Arti decorative di Monza, Silber
d) Accademia di Belle Arti di Brera (Mailand), Bildhauerei
Abschlußexamen aller Kurse
Freischaffend tätig als Goldschmied und Bildhauer; 5 Jahre Leiter der Klasse Goldschmiedekunst am Istituto Statale d'Arte di Padova, gleichzeitig unterrichtet er dort in darstellender Geometrie und im Entwurfszeichnen für Gold- schmiede

seit 1969 Direktor des Istituto d'Arte di Padova; Professur

BETEILIGUNG AN AUSSTELLUNGEN:
Seit 1950 an vielen in- und ausländischen Ausstellungen, u.a. in Venedig, Vicenza, Triennale Mailand 1957, Turin
1953 Schwäbisch Gmünd, Internationale Silberschmied-Ausstellung
1959 Goldschmiede-Kunst Leiden
1960 Padiglione Italiano alla Fiera di Parigi ICE; ebenfalls in Helsinki
1961 Italienische Kunst Köln
Internationale Schmuck-Ausstellung London
1962 Internationale Handwerksmesse München, Abteilung Form und Qualität
Italienische Kunst Lausanne
1964–66 Internationale Handwerksmesse München, Form und Qualität
1968 Internationale Schmuck-Ausstellung „Jablonec 68" CSSR
1969 Internationale Ausstellung für Goldschmiede-Kunst Tokio

EIGENE AUSSTELLUNGEN:
Padua (1954), Venedig (1955), Treviso (1955), Palermo (1955), Abano Terme (1955), Mailand (1956), Abano Terme (1957), Rom (1958), Bologna (1959), Vicenza (1960), München (1967)

AUSZEICHNUNGEN:
1935 Premio nazionale ai Littorali di sbalzo (erster Preis)
1955 Erster Preis für Schmuck an der Mostra nazionale in Vicenza
Zweiter Preis für Silberschmiede- kunst an der gleichen Ausstellung
Auszeichnung für Schmuck der Galleria Montenapoleone in Mailand
Goldmedaille des Istituto Veneto Venedig
1957 Goldmedaille, Triennale Mailand
1961 Goldmedaille, Gubbio
1963 Erster Preis Biennale Venedig

ARBEITEN IM BESITZ FOLGENDER MUSEEN:
Victoria und Albert-Museum London
Schmuckmuseum Pforzheim

ANKÄUFE:
Privatsammlungen in Paris, New York, Singapur, Caracas, Stuttgart, München, London, Holland

Die Verbindung von Schmuckgestaltung und Bildhauerei in einer Person ist heute durchaus nicht selten, sie ist es nie gewesen. Die großen Goldschmiede der Vergangenheit waren oft zugleich Bildhauer, auch wenn sie sich selbst nicht so bezeichneten. Gegenwärtig kann man leicht mehrere Bildhauer aufzählen, die nicht nur nebenbei Schmuck machen, sondern zugleich Goldschmiede sind. Mario Pintons berühmter Landsmann Pomodoro ist nur einer davon. Aber den heute von Bildhauern gestalteten Schmuck möchte man nach Form und Dimensionen meist als verkleinerte Großplastik bezeichnen, so z.B. bei Arp, Filhos, Krbalek, Martinazzi, Penalba, Pomodoro, Georg Seibert. Diese Charakterisierung – die keine Wertung ist – trifft für Pinton nicht zu. Sein Schmuck ist immer zart, feingliedrig, von geringsten Ausmaßen und sensibelsten Proportionen.

„Die ersten Unterweisungen habe ich von meinem Vater, dem Graveur, erhalten," berichtete Mario Pinton über sich. „Bei ihm habe ich den Werkstoff Metall (materia metallica) kennen und bearbeiten gelernt – und dieser Tatsache messe ich eine besondere Bedeutung bei.

Das ästhetische Prinzip meiner Goldschmiedekunst beruht vor allem auf dem Spiel der Teile, aus denen sich das Schmuckstück zusammensetzt. Für äußerst wichtig halte ich das Größenverhältnis (criterio dimensionale) des Kunstgegenstands: wichtigster Bezug zwischen Schmuck und Mensch. Von ebenso grundlegender Bedeutung ist für mich die Behandlung des Werkstoffs, die der Ausdruckskraft des Wortes entsprechen soll: es kommt darauf an, ‚wie‘ es ausgesprochen wird und in welchem Zusammenhang es steht. Zum Bereich des Wertes der Proportion zähle ich auch das ‚Maß‘ (misura) des verwendeten Materials, das bei so kostbaren Werkstoffen wie Gold und Edelsteinen auf die kleinstmögliche Menge beschränkt werden sollte; und dies mit der Absicht, eben die Kostbarkeit zu unterstreichen. Also: wenig Gold und wenige Steine, besser einzelne Steine, um sie zur höchsten Wirkung zu bringen. Der mehrfache Gebrauch gleichartiger Steine führt nach meiner Auffassung zur Aufhebung ihrer Wirkung. Es ist besser, nur zwei Steine von verschiedener Größe einander gegenüberzustellen, um somit eine Steigerung ihrer Wirkung durch Größe und Kostbarkeit zu erreichen.

Je leichter und feiner ein Schmuckstück gearbeitet ist, um so poetischer wird es erscheinen. Wie ich zu einer Beschränkung des Materials neige, so glaube ich, die Bearbeitung des Schmuckstücks und die Behandlung des Materials selbst müssen ebenso ausgewogen sein. Meiner Meinung nach muß man erreichen, daß der fertige Schmuck so aussieht, als wäre er gleichsam aus sich selbst entstanden.

In der Beziehung zwischen dem Künstler und dem Schmuckträger muß die jeweilige Bestimmung des Schmuckstücks berücksichtigt werden: Der Schmuck soll der Persönlichkeit des Trägers entsprechen. Oft muß er sich auch seiner physiologischen Form anpassen. Damit meine ich z.B. gewisse Halsketten, die nach den gegebenen anatomischen Maßen der Auftraggeber geformt werden. So entsteht dann ein ganz persönlicher Schmuck.

Aber man kann sich auch einen Typ von nicht-anatomischem Schmuck vorstellen, der sich trotzdem Körperbau und Persönlichkeit einer Trägerin anpaßt. Dann ist es die Trägerin selbst, die einem solchen Schmuck durch ihr eigenes Fluidum jene persönliche Note gibt."

Offensichtlich hat die Lehre beim Graveur-Vater ebensoviel Einfluß auf Mario Pinton gehabt und sich ein Leben lang in seiner Grundhaltung bewährt wie das Erbe der Antike auf den Italiener. Daß das Minutiöse, geschult in der differenzierenden Arbeit mit dem Stichel, und zugleich dieser ausgeprägte Sinn für Dimensionen und Proportionen, bezogen auf den Schmuck selbst, aber auch auf den Menschen als Schmuckträger, von Anfang an bis heute als Grundtenor seiner Gestaltung wirksam sind, macht

Pinton zu einem echten Klassiker. Er hat damit Gültiges zum Problem des Neuen Schmucks beigetragen und hat es in einer so eigenen und überzeugenden Weise getan, daß nur oberflächliche Kritiker ihm ein Fernhalten von der Aktualität des Tages vorwerfen können. Wie ähnlich ist Pintons Grundauffassung jener von Persson – und wie verschieden entsprechen beide ihr. Damit ist eine der großen Spannweiten aufgezeigt, die im Bereich des Neuen Schmucks liegen.

Pintons Aktualität erweist sich auch darin, daß junge Gestalter seiner Richtung folgen und in eigener Weise weiterführen. So geht vom Istituto d'Arte von Padua unter Pintons Leitung eine deutlich erkennbare und sich seit einigen Jahren auf vielen Ausstellungen bewährende Strömung aus, deren Hauptvertreter der 1937 geborene in Padua lebende Francesco Pavan ist.

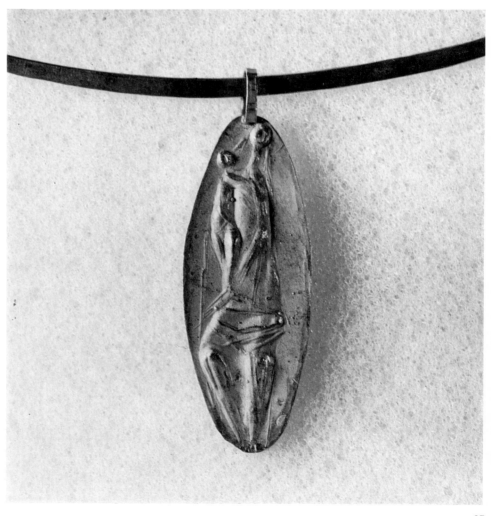

55 Anhänger. Gold ziseliert

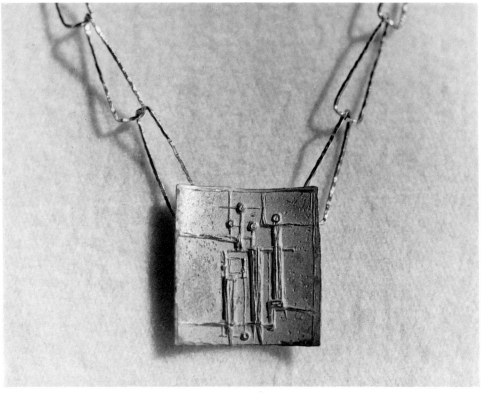

57 Halsschmuck. Gold getrieben und ziseliert

58 Anhänger. Gold ziseliert

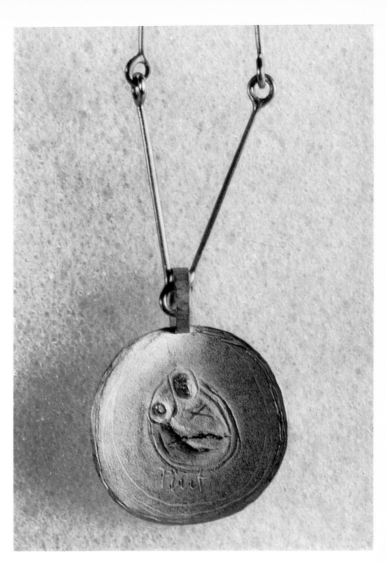

59 Anhänger. Gold ziseliert

60 Halsschmuck. Gold mit Turmalinen, siehe auch Farbtafel VI 80

61 Brosche. Gold ziseliert, siehe auch Farbtafel VI 81

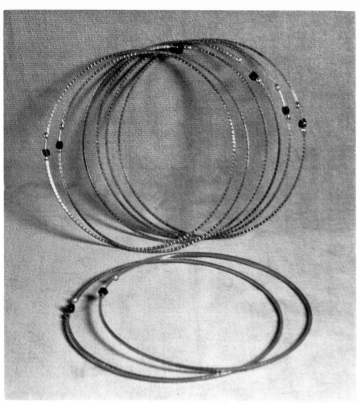

62 Armschmuck. Gold mit Steinen

63 Brosche. Gold ziseliert mit rotem Turmalin

64 Halsschmuck. Gold mit Perlen

65 Manschettenknöpfe. Gold ziseliert

66 Ring. Gold mit Rohkristall

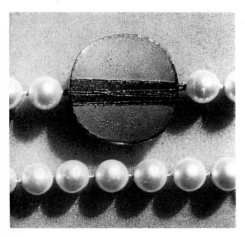

40

67 Hildegard Risch. Brosche, Gold mit
Brillanten

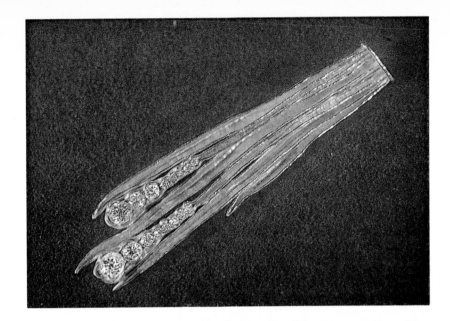

68 Hildegard Risch. Brosche „Schmetterling", Gold mit roten Turmalinscheiben

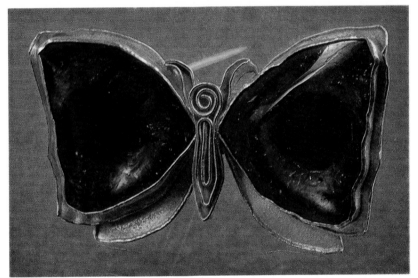

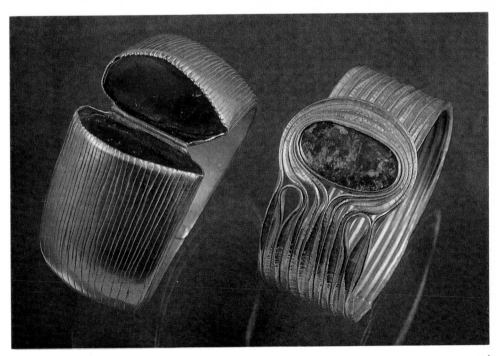

69 Hildegard Risch. Zwei Armreifen, Gold,
Turmaline, Opal

70 Max Fröhlich. Halsschmuck, Armreif
und Ringe aus kunststoffbeschichteten
Drähten

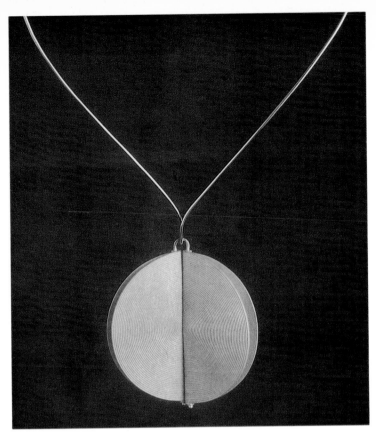

71 Max Fröhlich. Anhänger, Gold

72 Max Fröhlich. Brosche, Gold

73 Max Fröhlich. Anhänger, Silber mit Glastropfen

74 Max Fröhlich. Anhänger, Silber mit rotem
Glasfluß

75 Max Fröhlich. Anhänger, Gold

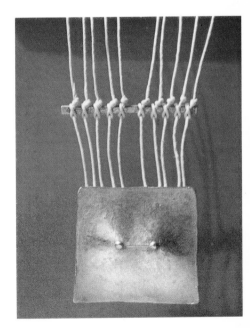

III

76 Eva Mascher-Elsäßer. Halsschmuck, Gold, Anhänger mit Smaragd und Brillanten

77 Eva Mascher-Elsäßer. Halsschmuck, Eisen mit Feingold und Perlen

78 Eva Mascher-Elsäßer. Halsschmuck, Gold, Perlenreihen, Verschluß mit Labradorit

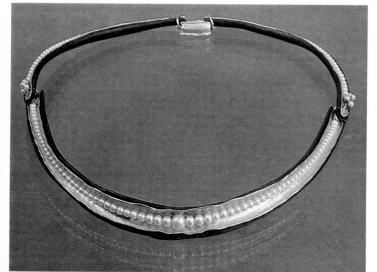

IV

79 Sigurd Persson. Halsschmuck, Gold mit
verschiedenen Steinen

80 Mario Pinton. Halsschmuck, Gold mit
   Turmalinen

81 Mario Pinton. Brosche, Gold

Reinhold Reiling

1922	geboren in Ersingen bei Pforzheim lebt in Pforzheim
1936–40	Lehre als Stahlgraveur und Ziseleur
1939–41	Studium an der Kunstgewerbeschule Pforzheim
1941–45	Kriegsdienst bei der Luftwaffe
1946–53	Studium an den Kunstgewerbeschulen Pforzheim und Dresden Schüler von Professor Wende
seit 1954	Lehrer an der Staatlichen Kunst- und Werkschule Pforzheim (seit 1971 Fachhochschule für Gestaltung), Leiter einer Klasse für Schmuck-Gestaltung
1969	Professur

BETEILIGUNG AN AUSSTELLUNGEN:
Seit 1955 an vielen in- und ausländischen Ausstellungen wiederholt beteiligt, u. a. Triennale Mailand, Weltausstellung Montreal 1967, New York, Brüssel, Bozen, Prag, Salzburg, Internationale Handwerksmesse München, Berlin, Stuttgart, Internationales Kunsthandwerk Tokio

EIGENE AUSSTELLUNG:
1968   Brüssel

AUSZEICHNUNGEN:
Seit 1955 viele Preise bei Schmuck-Wettbewerben; Preise bei Wettbewerben für Gerät: „Dose mit Email" 1955, Gesellschaft für Goldschmiede; „Der silberne Spiegel", Gesellschaft für Goldschmiede; „Sportpreis" der Firma Remington

MUSEUMS-ANKÄUFE,
ARBEITEN IN DER ÖFFENTLICHKEIT:
Schmuckmuseum Pforzheim: 6 Schmuckstücke; Goldsmiths' Hall London: 1 Armband; Altarkreuz und -leuchter in einem Krankenhaus Pforzheim; Altargerät evangelische Stadtkirche Pforzheim.

PUBLIKATIONEN:
Beiträge über Schmuck-Probleme verschiedener Art in Fachzeitschriften (gold + silber, Deutsche Goldschmiede-Zeitung), Kataloge, Tageszeitungen, Illustrierte, Fernsehen.

Die Stahlgraveur- und Ziseleur-Lehre ist die handwerkliche Grundlage, die in der Schmuck-Industrie lange Zeit hindurch als *der* Ausgangspunkt für die spätere Gestaltung von Serienmodellen galt. Viele Chefs großer Unternehmen waren diesen Weg gegangen, offensichtlich mit Erfolg.

Bei Reinhold Reiling wurde das ganz anders. Zu seinem Glück kam er nicht aus einer traditionsbelasteten Fabrikantenfamilie und mußte sich selbst seinen Weg suchen. Er führte zunächst in die Badische Kunstgewerbeschule, wo er, wieder zu seinem Glück, auf Theodor Wende traf, der sein Lehrer wurde und ihm die Richtung wies: die Gestaltung eines Schmucks von Grund auf aus einer Idee zu entwickeln. Das war etwas anderes als die Ideen anderer zu übernehmen, sie nach den Belangen eines auf bestimmte Kundschaft eingestellten Betriebs abzuwandeln und formal zu variieren, bis es keine Schwierigkeiten wegen der Urheberschaft mehr geben konnte. Dies grundsätzliche Entwickeln einer Formidee bei engstem Kontakt mit den allgemeinen künstlerischen Strömungen der Zeit ist symptomatisch geblieben für Reilings Schaffen.

Zunächst wurden seine Studien bei Wende allerdings durch den Krieg unterbrochen. Wie sehr ihn aber die Problematik der Gestaltung gepackt hatte, zeigt die sofortige Fortsetzung seiner Ausbildung an der Kunstgewerbeschule in Dresden, zu der er zeitweilig freigestellt wurde. Aus dem zerstörten Dresden in das kaum weniger zerstörte Pforzheim zurückgekehrt, ist er gleich wieder Schüler bei Wende. Gezwungenermaßen muß er gleichzeitig eine Tätigkeit ausüben, zu der er sich durch seine Lehre und Gesellenprüfung das Rüstzeug erworben hatte. Jedoch wurde nun der Stahlgraveur Reiling alsbald zum Entwerfer, der damit die Diskrepanz zwischen Ideal und Praxis zu spüren bekam. Anderseits konnte er wertvolle Erfahrungen für die Realisierung formaler Vorstellungen sammeln.

Wende empfahl wohl seinen Schüler, der inzwischen begonnen hatte, eigene Wege zu gehen, als Lehrer für Schmuck-Gestaltung an der Kunst- und Werkschule. Es hat sich gelohnt, für Reiling selbst und für die Schule. Die Verbindung seiner gestalterischen Bemühungen – bis heute sehr erfolgreiche, fruchtbare Bemühungen, die aufgrund seiner Erfahrungen und seiner Aufgeschlossenheit gegenüber der Wirklichkeit des künstlerischen Lebens von der steten Bereitschaft zur Selbstkritik und zur Aufgabe des bereits Erreichten zugunsten neuer Erkenntnisse getragen werden – mit verantwortungsbewußter kunstpädagogischer Arbeit ist eine große Belastung. Aber diese Last bringt zugleich Positives für den, der beide Tätigkeiten ernsthaft ausübt.

Denn gerade das Aufgeben eines Weges, auf dem man genügend erreicht zu haben glaubt oder dessen Zielsetzung nicht mehr interessant oder aktuell genug erscheint, und der Beginn in einer anderen Richtung, ohne etwa vorherige Auffassungen in Frage zu stellen, wird erleichtert, wenn die Existenz gesichert ist und Schüler den Meister begleiten.

Damit ist Wesentliches über Reilings Gestaltungswege und pädagogische Methoden gesagt. Ihm, dem Schmuck ein Medium ist, um seinen Formvorstellungen Gestalt zu geben, liegen „Gold und Silber wegen ihrer guten und vielseitigen Verarbeitungsmöglichkeit…" Er sieht in der Technik immer „ein Mittel zum Zweck", indem er sich immer *der* Technik bedient, mit der er seine formalen Vorstellungen verwirklichen kann. Er liebt Schmucksteine als „Farbelemente" dann am meisten, wenn sie „nicht vielfarbig oder amorph sind". Aber er ist auch der Verwendung von Kunststoffen zugänglich, wobei er mit Recht betont, „es kommt auf das Wie an".

Der in der industriellen Fertigung von Schmuck Erfahrene sagt nüchtern, daß die „Großserie ein wirtschaftlicher Faktor" und „die Kleinserie ein Mittel ist, um mit vorgetäuschtem Idealismus Geld zu verdienen". Er weist damit deutlich auf die Notwendigkeit hin, die eigenständigen Gestaltungsprobleme bei der Serie zu erkennen, denn noch immer besteht die Gefahr der serienmäßigen Nachahmung unikater Stücke.

Deshalb billigt er auch nur „dem künstlerischen Schmuck einen ursächlichen Zusammenhang mit der Bildenden Kunst" zu.

Seinem lebendigen Suchen nach neuen Gestaltungswegen, neuen schmuckhaften
Mitteln und Wirkungen, die ihn zu neuen Formvorstellungen anregen, entspricht es,
daß er „nur ab und zu" Beziehungen zur Trägerin seines Schmucks sucht. Wie sich
nach vielen Ausstellungen erwiesen hat, entdeckt meist die Trägerin den „Reiling-
Schmuck" und wünscht ihn zu besitzen, weil sie sich in gewisser Weise mit ihm identifiziert. Nach Reilings Meinung sehen die meisten Schmuckkäufer den höchsten Wert
eines Schmuckstücks im Materiellen. Daher arbeitet er „am liebsten für Intellektuelle",
offensichtlich in der Annahme einer besseren Bewertung seiner künstlerischen Leistung.

Betrachtet man das Werk Reilings (soweit es die Schmuckgestaltung betrifft), so zeichnen sich, von den Tastversuchen seiner frühen Zeit abgesehen, deutlich zwei Epochen ab. Die erste Epoche (bis etwa 1966/67) ist gekennzeichnet von stark emotionalen
Vorstellungen: Fülle des warmen Goldes, lebendige Oberfläche, freie Konturen, innerer Reichtum an Farbigkeit durch die Verwendung von Schmucksteinen, meist in Ca-
bochonschliff. Er bevorzugt in dieser Zeit Kompositionen, die auf Akzentuierungen

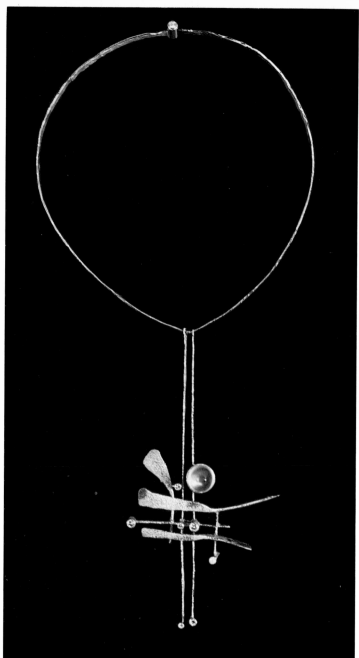

83 Halsschmuck mit Anhänger. Gold,
   Brillanten, Perle. 1964

84 Brosche. Gold mit Saphiren, Mondstein,
   Rauchquarz, Perlen. 1965

85 Armreif. Gold mit Mondsteinen, Saphiren,
   Brillanten, Perlen. 1967

durch farbige Steingruppen beruhen, auf Kontrasten, die sowohl in der Konfrontie-
rung der Materialien (etwa Metall-Stein) als auch der Gegensätzlichkeit von Fläche
und Punkt, Flächigen und Räumlichen und freien rhythmischen Gliederungen, die
sich in aufgebrochenen Formen ebenso äußern wie in zarten Bildungen, die an vor-
überhuschende Insekten erinnern.
Als Zwischenspiel zwischen dieser und der zweiten Epoche findet man dann 1967 jene
Schmuckgebilde, in denen sich die – neue – Hinwendung zum Gegenstand durch
Einsetzen realer Autotypien von Porträts dokumentiert. An den beiden abgebildeten
Beispielen ist deutlich zu erkennen, wie sich die Formvorstellungen vom Informellen
zum Geometrischen hin wandeln.

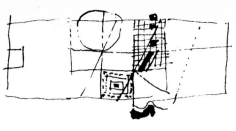

86 Schmuckzeichnung

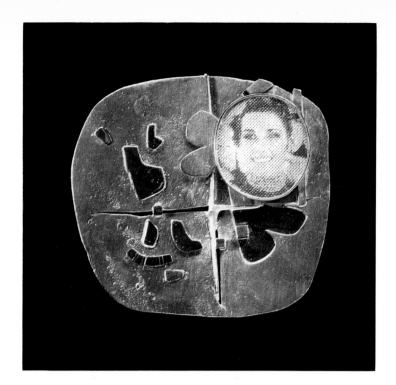

87 Brosche. Gold mit Rasterklischee (Porträt). 1967

88 Anhänger. Gold mit Rasterklischee und Steinen

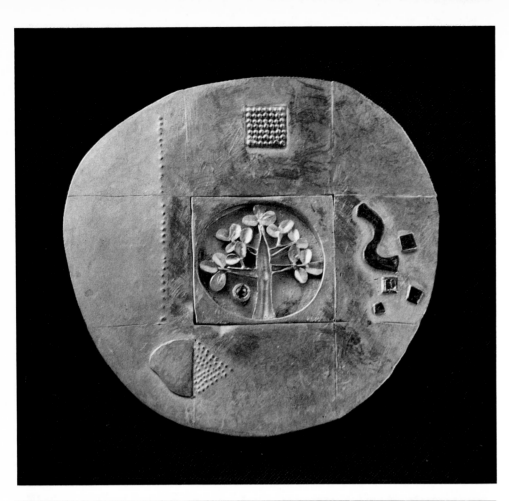

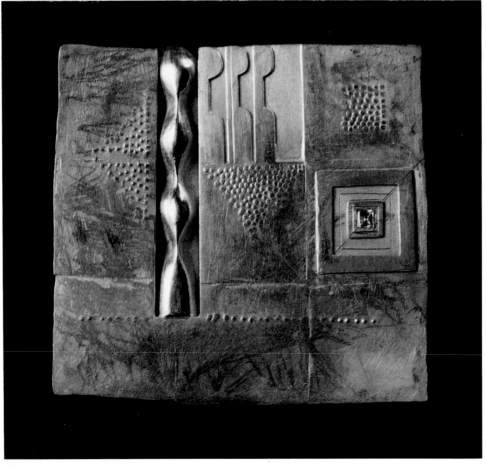

90 Brosche. Gold mit Brillant. 1968

46

91 Armreif. Gold getrieben, ziseliert und graviert, Brillanten. 1969, siehe auch Farbtafel VII 181

92 Brosche. Gold und Silber. 1969

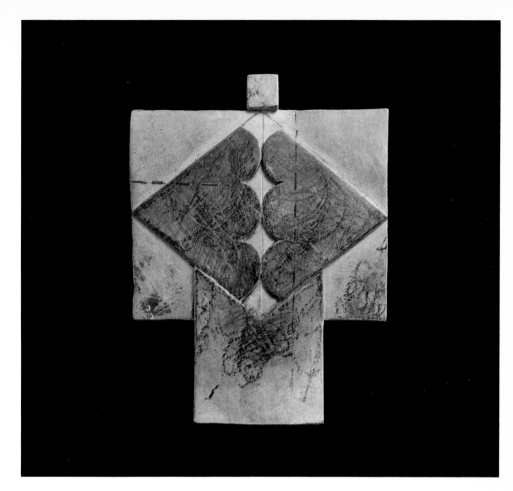

1969 scheint dieser Wandlungsprozeß abgeschlossen zu sein. Es ist typisch für Reiling – und er erweist sich darin immer als ein wirklicher Meister – sofort mit hervorragenden und gültigen Lösungen herauszukommen. Sein neuer „Stil" ist gekennzeichnet durch „die Bindung in der Geometrie (im Maß) und im Spiel mit Steinen und Gruppierungen". In diesem Spiel mit geometrischen Formen zeigt sich der alte – aber eben nicht versierte und routinierte, sondern wirklich schöpferische – Graveur und Ziseleur Reiling. Das Eindringen gegenständlicher Motive nur mit dem Kontakt zur Pop Art abzutun, wäre zu billig und ungerecht. Reiling läßt sehr bald von der Verwendung konkreter Objekte (Rasterbildern) ab und macht die Gegenständlichkeit zu bildnerischen Mitteln, die dem Schmuck besser anzustehen scheinen, weil die schöpferische Leistung dabei größer und dem Schmuckhaften adäquater ist.

Mit diesen Schmuckschöpfungen, deren Dimensionen gering erscheinen auch dort, wo sie es realiter nicht sind, deren Aufwand an Plastizität und an Material so unerhört reduziert wird, hat Reiling im gegenwärtigen Schmuckschaffen seine überragende und richtungsweisende Stellung erreicht.

Nach dem befragt, was er wünscht, in seinem eigenen Ausbildungsweg anders gemacht zu haben, gibt er die ehrliche und hochherzige Antwort: „... weniger nach außen, mehr nach innen gehört zu haben".

Es scheint, daß er diesen „Mangel" besonders durch seine Leistungen in der zweiten Schaffensperiode ausgezeichnet überwunden und ausgeglichen hat.

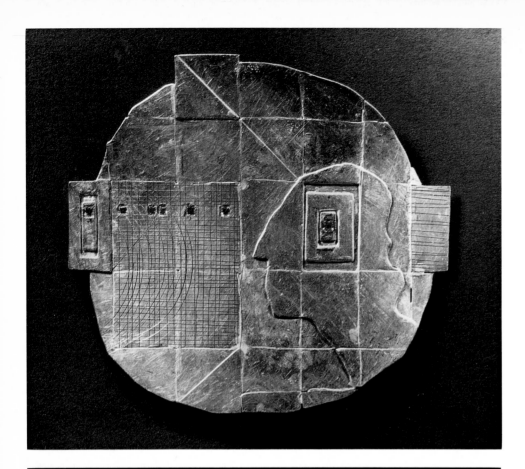

93 Brosche. Gold mit Brillanten. 1969

94 Brosche. Gold und Silber. 1969

Friedrich Becker (signature)

Friedrich Becker

1922	geboren im Sauerland
	lebt in Düsseldorf
	Lehre als Maschinenbauer, tätig als Facharbeiter in Maschinenbau, Lehrenbau, Feinmechanik
	Studium der Luftfahrt-Technik
	Militärdienst bei der Luftwaffe
	Lehre als Gold- und Silberschmied, Gesellen- und Meisterprüfung als Goldschmied
1949–51	Studium an der Werkkunstschule Düsseldorf (Schüler von Professor Schollmayer)
1951	Staatsexamen als Schmuckgestalter mit Auszeichnung
seit 1952	eigenes Atelier mit Werkstatt. Tätigkeitsbereich: Schmuckgestaltung, Gestaltung von profanem und sakralem Gerät, Industrie-Design, Plastik
seit 1952	Lehrtätigkeit an der Werkkunstschule Düsseldorf (heute Fachhochschule für Design), Leiter der Werkgruppe Metall
1973	Professur

BETEILIGUNG AN AUSSTELLUNGEN:

1951	Deutscher Goldschmiede-Kongreß Düsseldorf
1953	Ausstellung für Sakrale Kunst Telgte (Westf.)
1958	Deutsche Handwerksmesse München
	„Schönheit aus der Hand – Schönheit durch die Maschine", Ruhrfestspiele Recklinghausen
1959	Sonderschau Europäischer Schmuck und edles Gerät, Deutsche Handwerksmesse München
1960	Deutsche Handwerksmesse München
	„Das Kreuz, Form und Symbol" Beckum (Westf.)
	Internationale Ausstellung der NOWEA (Luxemburg)
	Deutscher Goldschmiede-Tag Münster
	„Altes und neues Handwerk" Köln
	Deutscher Goldschmiede-Kongreß Düsseldorf
	Ausstellung der Werkkunstschule Düsseldorf
	Internationaler Wettbewerb (Der silberne Leuchter) Stuttgart
	„Gutgestaltete industrielle Erzeugnisse" Köln
1961	„Kleine Kulturgeschichte des Schmucks" Beckum (Westf.)
	Ausstellung zum Deutschen Goldschmiede-Tag Hanau
	„Goldschmiedekunst von 1890 bis 1961" Goldsmiths' Hall London
	Ausstellung zur Eröffnung des Schmuckmuseums Pforzheim
1962	Ausstellung in Lüdenscheid
	Ausstellung in Kampen auf Sylt
	„Deutsches Kunsthandwerk" Ostende
	Internationaler Goldschmiede-Kongreß Bonn
	„British Expedition" Stockholm
	„Deutsches Kunsthandwerk" Köln
	„Kunst im Kirchenbau" Düsseldorf
1963	„Neue deutsche Goldschmiedekunst" Hameln
	„Kunsthandwerk in Nordrhein-Westfalen" Düsseldorf
	Wanderausstellung „Perlenschmuck-Wettbewerb"
1963/64	Wanderausstellung „Silberner Sportpreis"
1964	Deutsches Goldschmiedehaus Hanau
	Ausstellung in Norwich/England
	„Werkkunstschulen und industrielle Formgebung" Hagen
	Werkbundausstellung Berlin
	„Wettbewerb Goldene Kette" Hanau. Industriemesse Hannover
1965	„Kunsthandwerk in Nordrhein-Westfalen" Bochum
	Sonderschau „Form und Qualität" Handwerksmesse München
	Ausstellung vom Zentralverband des Deutschen Goldschmiedehandwerks in Berlin
	„Europäisches Silber handgearbeitet", Handwerksform, Hannover
	Industriemesse Hannover
	„The Art of Personal Adornment" New York

1966 „Art in Jewelry" Finch College New York
Industriemesse Hannover
Sonderschau „Form und Qualität" Handwerksmesse München
„Gestalteter Stein in Schmuck und Gerät" Pforzheim

1967 Sonderschau „Form und Qualität" Handwerksmesse München
Landesausstellung des Kunsthandwerks von Nordrhein-Westfalen Essen
Weltausstellung Montreal
„Neue Goldschmiedekunst" Abtei Lisborn
„Tendenzen 1967" Pforzheim

1967/68 Städtebund-Ausstellung

1968 Sonderschau „Form und Qualität" Handwerksmesse München
Industriemesse Hannover
Internationale Bijouterie-Ausstellung Jablonec
„Kunsthandwerk am Niederrhein" Kempen
„Europäisches Silber handgearbeitet" Hanau, Hannover, Schwäbisch Gmünd
„Kultgegenstand und kultisches Gerät" Essen

EIGENE AUSSTELLUNGEN:
1961 Bayer-Werke Leverkusen, Kulturabteilung
1966 Goldsmiths' Hall London

AUSZEICHNUNGEN:
1958 Zweiter Preis im Wettbewerb „Die silberne Tischglocke"
1959 Bayerischer Staatspreis (Goldmedaille) „Europäischer Schmuck und edles Gerät"
1960 Erster Preis im Internationalen Wettbewerb „Der silberne Leuchter"
1965 Staatspreis für das Kunsthandwerk von Nordrhein-Westfalen
1968 Dritter Preis „Brunnen-Wettbewerb" Pforzheim
1969 Erster Preis Bayerischer Rundfunk

MUSEUMSANKÄUFE:
Reuchlinhaus Pforzheim
Goldsmiths' Hall London
Bayerisches Gewerbemuseum Nürnberg
Sammlung van Boelen Amsterdam
Neue Sammlung München

PUBLIKATIONEN:
in Tageszeitungen und Fachzeitschriften und -büchern im In- und Ausland

Vergleichbar den Auffassungen, die im Neuen Schmuck nach dem Ersten Weltkrieg erkennbar sind (z.B. bei Herbert Zeitner), sind die Äußerungen im Schmuck der 50er Jahre in gewissem Sinn als romantisch zu bezeichnen, obwohl er im einzelnen wesentlich neuer in Form und Mitteln auftritt. Deutlicher als damals ist auch der Kontakt mit der Bildenden Kunst zu spüren, die ihrerseits in den verschiedenen Richtungen mehr dem Informellen zuneigt als klaren, deutlich abgegrenzten und kontrollierbaren Formen.

Friedrich Becker, dessen Wirken als Schmuckgestalter gerade in jenen Jahren beginnt, eine eigene Sprache zu finden, steht von Anfang an solchen Auffassungen fern. Er ist damals, abgesehen von einer gewissen geistigen Verwandtschaft mit Sigurd Persson, Einzelgänger.

Mit Begeisterung lernt er die Welt der Technik und in dieser die Bereiche äußerster Präzision kennen. Seine Facharbeiterprüfung als Maschinenbauer besteht er infolgedessen sehr gut. Er folgt seiner innersten Neigung in dem Glauben, das Idealbild technischer Perfektion sei in der Hauptsache in der Feinmechanik und im Meßinstrumentenbau zu verwirklichen. Die Einberufung des jungen Technikers zur Luftwaffe ist von diesem Standpunkt aus betrachtet kaum eine Unterbrechung seiner damaligen Berufsvorstellungen, wird ihm doch die Möglichkeit geboten, ein Ingenieurschulstudium zu absolvieren und sein praktisches Können theoretisch gründlich zu untermauern.

Das Kriegserlebnis erschütterte offensichtlich seinen Glauben an die Alleinherrschaft der Präzision auf technischem Sektor. Verwundet zurückgekehrt beginnt er eine Lehre als Gold- und Silberschmied bei einem tüchtigen Meister in Lüdenscheid, die er schon nach zwei Jahren mit sehr gut bestandener Gesellenprüfung abschließen kann.

95 Armreif. Weißgold mit vier Kugeln: zwei Blutsteine und zwei Chrysoprase, die bei den Bewegungen des Tragens umeinanderkreisen. Siehe auch Farbtafel VIII 182

In diesem Handwerk nach nicht allzu langer Zeit auch seine Meisterprüfung abzulegen, ist für Becker kein Problem.

Sein Interesse am Ästhetischen, geweckt durch seine Tätigkeit als Goldschmied, führt ihn zum Studium an der Werkkunstschule Düsseldorf. Dort ist eine selten günstige Situation für einen formalen Neubeginn gegeben: Viele der Studenten sind Kriegsteilnehmer, die gern bereit sind, nach der offiziellen Studienzeit am Tage auch noch die halbe Nacht – manchmal auch die ganze – zur Arbeit und zur Diskussion zu nutzen.

In ganz unorthodoxer Weise werden die vom Werkbund übernommenen Ansichten kritisiert und entsprechend abgewandelt. Becker gelingt es, seine Vorstellungen von technischer Perfektion mit denen der Ästhetik zu verbinden und darin die Grundlage seines Schaffens zu finden.

Selbst bei seinen anfänglich recht zahlreichen Kultgeräten ist zu erkennen, daß seine Formvorstellungen und sein Gestaltungswille im Konstruktiven und Rationalen begründet sind. Dies gilt auch für seinen Schmuck. Die Lösung, die er in der ihm eigenen Logik und Konsequenz findet, heißt: kinetischer Schmuck.

Um seine Denkweise besser kennenzulernen, wird hier seine Ansicht zu verschiedenen Problemen der Schmuckgestaltung wiederholt:

„Schmuck ist Akzent, Ornament oder Aperçu für die Trägerin und für mich die schönste Gestaltungsaufgabe ... Entsprechend meiner Werteskala für die Schmuckgestaltung – konstruktivistisch, variabel, kinetisch – bevorzuge ich Weißgold und Edelstahl, weil ich die Kühle als Kontrast zu Körper, Textil und Steinmaterial gut finde. Mir erscheint farbiges Gold zu üppig und mit bunten Steinen fast orientalisch. Meine Formen lassen sich außerdem nur in federnd hartem Weißgold oder Stahl darstellen ... Ich bediene mich der Techniken, die zur Realisation meiner Formen notwendig sind: löten biegen, montieren; heute verwende ich gerne Techniken der Feinmechanik wie drehen und fräsen ... Die meisten Edelsteine begeistern mich. Besonders liebe ich Mondstein, Aquamarin, Saphir, Chrysopras, Blutstein, Rubin, Smaragd, rote Turmaline, bestimmte Opalarten und Brillanten im Karree-, Baguettes- und Vollschliff. (Anm. des Verf.: Becker läßt zu vielen seiner Schmuckstücke Steine, die er nach Art und Farbe bestimmt, nach seinem Modell schleifen. Er bevorzugt auch hier präzise geometrische Formen und seine Forderungen nach Perfektion in der Realisierung seines Modells bringt manchen Edelsteinschleifer in Schwierigkeiten.) ... Bei meinen Entwürfen gehe ich gerne und eingehend auf die Person der zukünftigen Trägerin des betreffenden Schmucks ein und beziehe auch Gegebenheiten der Kleidung ein. Jedoch habe ich zur jeweiligen Mode nur ein bedingtes Verhältnis, stehe aber positiv zu Modeschmuck, wenn er wirklich ein solcher ist. Aus diesem Grunde halte ich auch Serienschmuck für unbedingt notwendig ... Die Beziehungen zwischen bildender Kunst und Schmuckgestaltung sind oft sehr eng, jedoch sind die Qualitäten aus beiden Gebieten sehr unterschiedlich, besonders heute bei der Menge der angebotenen Werke. Im allgemeinen lebt die Schmuckgestaltung vom Einfluß der bildenden Kunst ...

Ich verfolge mit meiner Arbeit einen persönlichen Stil. Da aber alle meine Stücke meß-, mach- und also genauestens wiederholbar sind, werden nach einiger Zeit viele Kopien meines Stils entstehen. Vielleicht ist auch die Bezeichnung ‚Stil‘ etwas vermessen. Hauptmerkmale meiner Arbeiten: Erfindungen in Form, Konstruktion und Technik. Ich suche die Ästhetik der reinen Form und des Konstruktiven ... Im heutigen Schmuckschaffen sind verschiedene gute individuelle Stilmerkmale erkennbar. Doch das, was sich als überindividueller Stil gebärdet, ist m. E. nur bequemes Nachmachen zum Zwecke des Gelderwerbs, aber kein Stilwille. Deutlich erkennbar hingegen scheinen mir Unzufriedenheit, Unruhe und verzweifeltes Suchen der jüngeren Entwerfer.‘‘

Becker, dem Mechanik so viel bedeutet, geht den Bezügen seines Schmucks zum Men-

96 und 97. Kinetik, Trophäe für den „Prix Jeunesse". Edelstahl und Plexi. 1969 (Durchmesser der Kugel etwa 30 cm)

schen in besonderer Weise nach; das gilt besonders für den variablen und noch mehr für den kinetischen. Er überläßt die in seinen kinetischen Gebilden programmierten und konstruktiv ermöglichten Veränderungen der Formen und Kompositionen der individuellen menschlichen Bewegung. Darin unterscheidet er sich wesentlich von kinetischen Erscheinungen bei Dali; Ähnlichkeit ist nur für den oberflächlichen Betrachter vorhanden. Beckers geometrische Formen und Bewegungsabläufe sind zwar durch genaueste Berechnungen und Konstruktionen vorausgeplant und festgelegt; er treibt sie immer so weit – aufgrund seiner genialen Beherrschung der technischen Voraussetzungen – daß sie im ästhetischen Spiel der sich stets verändernden visuellen Eindrücke zu minutiösen Zauberwerken werden. Die Modernität seines Schmucks liegt deshalb weniger in der Verwendung geometrischer Formen, meßbarer Proportionen und Dimensionen. Sie sind überprüfbar und, wie er selbst meint, nachahmbar. Aber doch scheinen sie mehr von Geheimnissen und Zusammenhängen der Erscheinungen in der Welt zu offenbaren als manche subjektive und emotionale Gestaltung.

Zu seinen geometrischen Formen verwendet Becker den Glanz, den metallischen ebenso wie den der Steine, und Überschneidungen, die durch Schichtung der meist flächigen Details entstehen. Da alles immer in Bewegung ist, werden Glanz und Überschneidungen in besonderer Weise zu bildnerischen Mitteln. Mit diesen erreicht er eine Transparenz der Gesamterscheinung, die an die Grenzen des Stofflichen führt. Weil es Becker gelingt, „das Unsichtbare sichtbar zu machen" (Paul Klee), entgeht er der Gefahr, statt Schmuck Bewegungsapparate zu bauen. Ohne Frage wirkt er anregend auf viele, besonders junge Gestalter. Aber sein Werk ist nach der gedanklichen Tiefe, der formalen Bewältigung und der sich immer wieder erweisenden technischen Genialität so einmalig, daß er unbesorgt um Imitationen sein kann.

Der heute so angesehene Künstler äußert sich wie folgt zu den schwierigen Existenzfragen eines Schmuckgestalters:

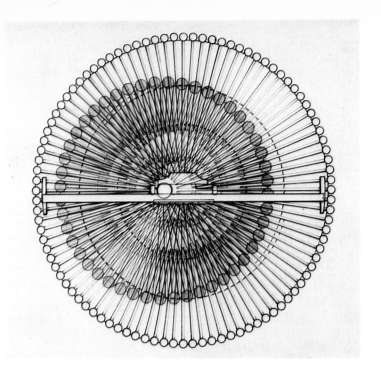
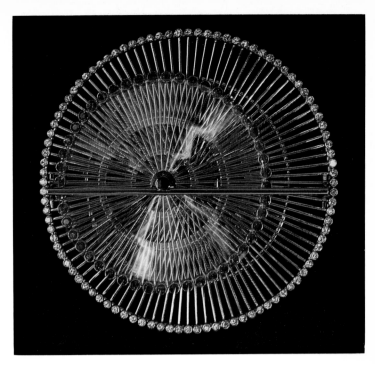

98 und 99. Speichenrad, kinetische Brosche. Weißgold, Brillanten am großen Strahlenkranz, Rubine am kleinen. Das kleine Rad läuft auf der waagerechten Schiene, dadurch verändern sich die Überschneidungen der Speichen, zugleich erhöht die Rotation die Wirkung der Steine. 1969. Vgl. Farbtafel IX 183, Saphire am großen Strahlenkranz, Brillanten am kleinen

„Den meisten Schmuckgestaltern fehlen Kontaktmöglichkeiten und Geld, um arbeiten zu können. Es dauert im Schnitt fünf Jahre, bis ein junger selbständiger Schmuckgestalter auf ein Monatseinkommen von ca. DM 1000,– kommt. Dafür muß er fast auf jede Freizeit verzichten. DM 1000,– netto erfordern einen Jahresumsatz von wenigstens DM 60000,–. Wenn die durchschnittliche Preislage seiner Aufträge schon bei DM 500,– liegt, heißt das immerhin, daß er im Jahr 120 Stücke entwerfen und fertigen muß. Dieser Anstrengung kann er nur begegnen, wenn er Aufträge in einer höheren Preislage bekommt. Stücke von 100,– bis 200,– DM müssen, wenn die Werkstatt funktionieren soll, immer mitgemacht werden. Das bedeutet, daß auch Preislagen von 2000,– bis 3000,– DM da sein müssen. Diese sind im Anfang schwer zu bekommen. Der junge Gestalter hat kein Geld für eine gute Geschäftslage, sein Atelier ist deshalb meist schwer vom entsprechenden Publikum zu finden. Der wohlhabende Kunde geht zum Juwelier. Viele Anfänger können außerdem nicht mit wertintensiven Steinen umgehen, es fehlt nicht nur an Geld, auch an der nötigen Erfahrung und Praxis.

Man müßte mit jungen Schmuckgestaltern Ausstellungen an stark frequentierten Plätzen machen können. Museen, Ausstellungen oder kleine Ateliers und Galerien bringen da nicht genug. Geld verdient der Juwelier in guter Lage; und viele kopieren ohne Hemmungen die Arbeiten der Jungen, sobald sie ein Geschäft darin sehen."

Beckers Gedanken werden inzwischen von einer Reihe von „Jungen" so verwirklicht, daß sie sich zu Gemeinschaften zusammenschließen, um den Opfer fordernden Weg besser zu überwinden.

100 und 101. Kinetischer Armschmuck.
Weißgold, Lapislazuli, Brillanten. 1969.
Eine Platinkugel gibt Impulse auf Kunst-
stoffzahnräder in Mikrokugellagern
und bewegt so die Schmuckformen
auf der Scheibe

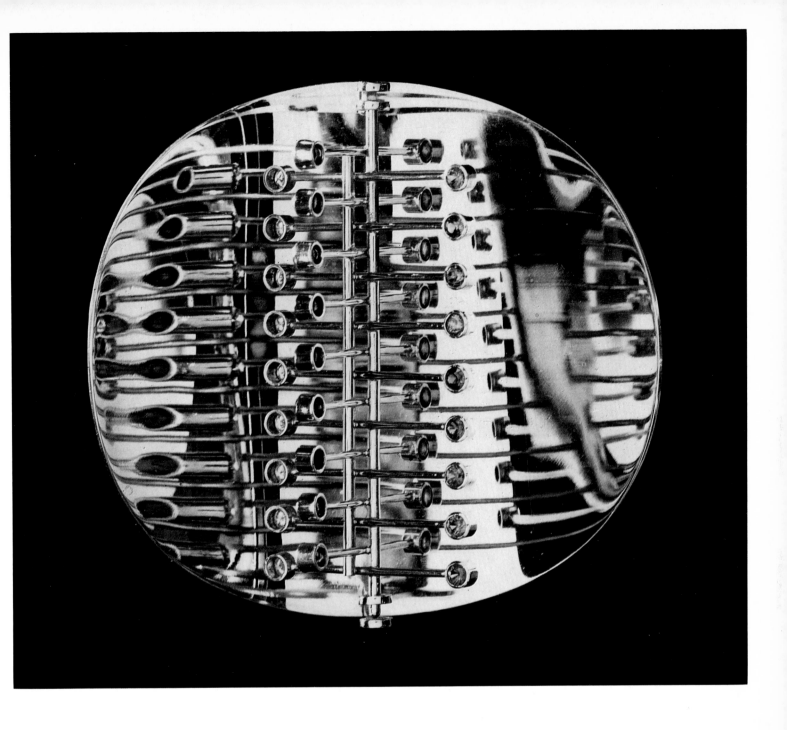

102 Kinetische Brosche. Weißgold, Smaragde, Saphire, Brillanten, Rubine vor einem Reflektor. 1966

Das Bild von Friedrich Becker wäre unvollständig, wenn nicht auf sein bereits recht umfangreiches Werk als Industrie-Designer und auf seine freien Arbeiten wenigstens hingewiesen würde. Erwähnenswert sind zwei Tatsachen: die Wechselwirkung der Arbeit am Schmuck und an Gebrauchsgegenständen und Kunstobjekten ist für eine Persönlichkeit wie Becker nicht nur notwendig, sondern außerordentlich fruchtbar für alle Gebiete. Sie erfordert allerdings viel Anstrengungen und Konsequenz, Umdenken in Formaten, Zwecken, Bezügen und ein sehr variables Einfühlungsvermögen. Variabilität und Kinetik in Schmuck und freier Plastik – Statik in Zweck- und Funktionserfüllung – Wechsel und Verharren in einem Menschen: Friedrich Becker.

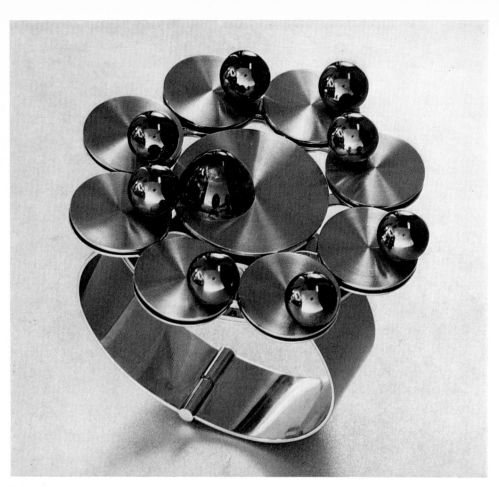

103 Kinetischer Armschmuck. Weißgold, acht Blutsteine, roter Turmalin, die sich rotierend auf den Platten bewegen. 1966

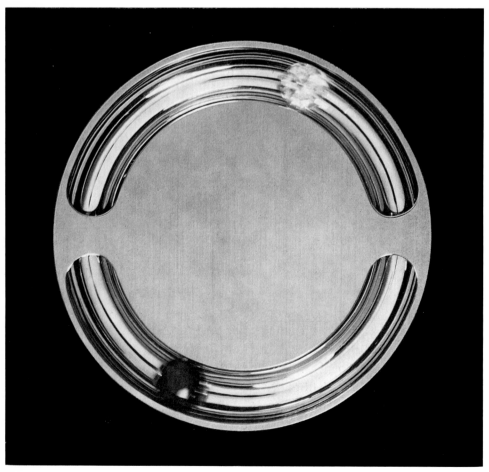

104 Kinetische Brosche. Weißgold, Brillant und Saphir bewegen sich in halbkreisförmiger Bahn. 1967

105 Zeichnung einer kinetischen Brosche

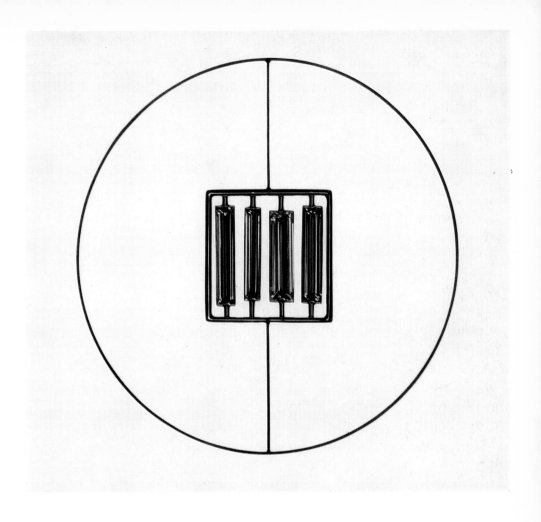

106–108. Drei kinetische Ringe. Weißgold.
1971

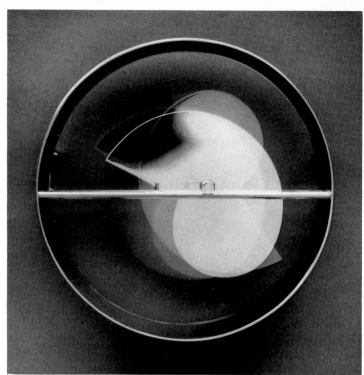

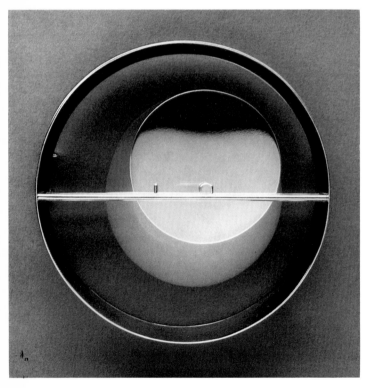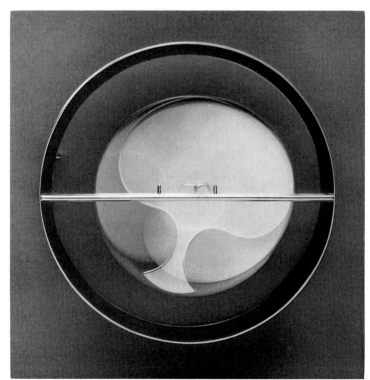

109–112. Kinetische Brosche. Weißgold. 1972

B. MARTINAZZI

Bruno Martinazzi

1923	geboren in Turin
1940	Abschluß der höheren Schule (Liceo classico)
1940–46	Chemie-Studium an der Universität
1947	Promotion zum Dr. chem.
1953/54	Studium an den Kunstakademien Turin, Florenz, Rom
1967–69	Psychologie-Studium an der Universität Turin
	Goldschmiede-Lehre in einer Turiner Werkstatt
	lebt in Turin
	lehrt am Liceo artistico Bildhauerei, an der Goldschmiede-Schule in Turin Chemie
	Tätigkeitsbereich: Bildhauerei, Entwurf, Malerei, Unikatschmuck, Kunstpsychologie

BETEILIGUNG AN AUSSTELLUNGEN:
seit 1954 an vielen Ausstellungen von Bildhauerei und Schmuck in Italien, Frankreich, USA, England, der Schweiz, Deutschland, Japan, CSSR u.a.m. Etwa 20 eigene und 50 Kollektiv-Ausstellungen

AUSZEICHNUNGEN:

1961	Goldmedaille für Grafik Turin
1964	Preis für Skulptur Quadriennale Turin
	Preis für Skulptur Biennale del Metallo
1965	Bayerischer Staatspreis (Goldmedaille) u.a.m.

MUSEUMSANKÄUFE:
Goldsmiths' Hall London
Muzeum skla a bizuterie Jablonec (CSSR)
Schmuckmuseum Pforzheim

PUBLIKATIONEN:
etwa 20 Kataloge; Graham Hues, Modern Jewellery, Jewellery by B. Martinazzi; Kunstkritiken in der Tagespresse; 1963–69 Kataloge Bolaffi, Art Moderne, Artistes Italiens (1967), Artisti Torinesi (1968)

Auf den ersten Blick scheint es ein Irrtum zu sein, Bruno Martinazzi in die Gruppe der „Meister" einzuordnen. Nicht aus Gründen der Qualität, sondern weil er, vor allem in seinen neuesten Schmuckschöpfungen, so jung wirkt. Doch ein Überblick über sein Gesamt-Schmuckwerk zeigt, wie konsequent er seine Formvorstellungen entwickelt und wie fundiert sein Schaffen ist.

Der Doktor der Chemie, der zugleich Psychologie studiert hat, versteht zu analysieren, auch seine eigenen Arbeiten. Daß er dabei seine Vitalität nicht verliert, sondern immer wieder zu steigern weiß, ist ungewöhnlich und macht ihn zu einer interessanten Gestalterpersönlichkeit.

Martinazzi ist Bildhauer und Schmuckgestalter. Wie er selbst sagt, laufen beide Gebiete künstlerischen Schaffens immer parallel, meistens gehen sie ineinander über. „Manchmal bereiten die Bildhauerarbeiten die nachfolgenden Schmuckarbeiten vor, ein anderes Mal kommt bei der Arbeit an einem Kleinod die Inspiration zur Gestaltung einer Skulptur." Das gleichzeitige Denken in verschiedenen Maßstäben ist symptomatisch für Martinazzis Schmuck. In seiner Selbstanalyse teilt er sein Schaffen in drei Perioden ein. So sehr sich aber der Schmuck der einen von der anderen Periode unterscheiden mag, immer ist der Bildhauer erkennbar. Dies ist kein Werturteil, sondern ein Charakteristikum.

113 Skizze 1970

„Die erste Periode (ca. 1955–64) umfaßt jene Arbeiten (Bildhauer- wie Schmuckarbeiten), in denen, vor allem in Hinsicht auf den Schmuck, das Suchen nach der Form in Richtung Kleinod (preziosismo) vorherrscht. Die Arbeiten aus dieser Periode sind die kostbarsten und erlesensten und beweisen die Freude an der Geschicklichkeit, mit der verschiedene Metalle mittels alter oder auch neuer, von mir selbst erfundener Techniken (Aufschwämmen von Platin auf Gold) gestaltet wurden.

Die zweite Periode ist charakterisiert durch die stärkere Hinneigung zu bildhauerischen Problemen (1964–67). Studien über die Gewalt und den Krieg fallen in diese Zeit („15 Studien über die Angst"). Beeinflußt durch die Ergebnisse dieser Arbeiten wird das Schmuckhafte (preziosismo) auf ganz wenige, grundlegende Elemente zurückgeführt. Größere Bedeutung erlangt die Komposition menschlicher Gruppen, die manchmal fast vollkommen die Bildhauerarbeiten dieser Zeit wiedergeben.

Die dritte Periode (seit 1967) zeigt eine plötzliche Wendung in bezug auf die vorhergehenden Arbeiten und steht in krassem Gegensatz zur ersten Periode. Der ästhetischen Freude am Preziosen bleibt wenig Raum, das Schmuckstück verliert seine Bedeutung als Schmuck im herkömmlichen Sinn, um dafür als Gegenstand des Bewußtseins und der Kommunikation an Wert zu gewinnen. Die Absicht, einen Luxusgegenstand im traditionellen Sinne in ein Kommunikationsmittel zu verwandeln, erklärt die Wahl der behandelten Themen in den letzten Schöpfungen. Es sind anatomische Teile, völlig losgelöst aus dem menschlichen Zusammenhang. Sie erhalten ihren Wert als Symbole, die jede Beziehung zum Ganzen, dem sie angehörten, verloren haben: Bedeutungsvolles der Bedeutung beraubt.

Was kann heute die Bedeutung des Schmuckgestaltens sein? Die archaische Wirtschaft kennt eine besondere Art von Gegenständen, die eine der Funktionen besitzt, die heute dem Geld zugesprochen wird: Mittel zum Prestige. Aber was ist dieser Reichtum, der gesammelt und angehäuft werden kann? Es sind bizarre Dinge: Muscheln, Hundezähne, Ornamente in Federn. Die Dinge, die in jenen Epochen als Schätze gesammelt wurden, sind praktisch ohne Nutzen.

Mit der Verwandlung dessen, was nicht nützlich ist, in das, was heilig ist und also keinen Preis hat, erwirbt der Mensch eine Seele: er wird das Wesen, das nicht vom Brot allein lebt, das sublimiert. Deshalb ist das Gold das wesentliche Symbol der menschlichen Anstrengung, sich zu läutern (sublimare), ist Staub der Göttlichkeit, ist gefesselter Traum. Die Inkas besaßen Gärten, in denen Bäume und Pflanzen nachgebildet

60

waren, ganz aus Gold und Silber, mit Blättern, Blumen und Früchten; einige begannen gerade zu sprießen, andere waren schon zur Hälfte gewachsen, andere bereits zur Reife gekommen. Sie legten Maisfelder an mit Wurzeln, Stengeln, Blättern, Blüten und Kolben aus Gold und Silber. Die magischen Eigenschaften, die ägyptische Priester in das gelbe Metall eingeschmolzen haben, sind nie ganz verschwunden.

Der Schmuck, heute wie in seinen archaischen, primitiven Formen der menschlichen Geschichte, ist das materielle Symbol des unbewußten Strebens des Menschen, sich über sein Leben hinauszuprojizieren. Er ist Symbol jenes religiösen Gefühls, das eine Verbindung herstellt zwischen der kurzen Zeit eines Menschenlebens und der die Grenzen überschreitenden Zeit der Generationen."

Der Chemiker ist zum Alchimisten geworden. Den Stein der Weisen jedoch sucht er nicht, wie die Goldmacher früherer Zeiten, in der Transformation des Unedlen in das Edle. Er glaubt, am Beginn einer neuen Epoche der Menschheit mit seinen Skulpturen und seinem Schmuck Verkehrszeichen aufstellen zu müssen für einen Kurs der Menschlichkeit in den Beziehungen der Menschen zueinander. Dafür schafft er neue Symbole, realistische, sinnvolle und – in seinem Sinne – nutzlose, von denen er hofft, daß sie von jedermann verstanden werden wie einst die Symbolzeichen der Muscheln, Blüten, Federn und Krallen. Sein Schmuck wird zum Zauber ohne Jenseits, zur Magie in der sichtbaren Welt. Mit dem goldenen Apfel, den Lippen und Pos bezieht er das Kreatürliche, die Sinnlichkeit und den Eros wieder ein; sein Schmuck soll die Beziehungen zwischen den Menschen herstellen.

Der Psychologe Martinazzi, dessen Untersuchungen sich auf die menschlichen Grundeigenschaften richten – den Drang zur Liebe und zum Haß, die Angst, den Machthunger und die Vernichtungslust – findet die geeigneten Mittel für das „Handwerk" des Schmuckmachens mit der gleichen Sicherheit, wie er seelische Analysen durchführt.

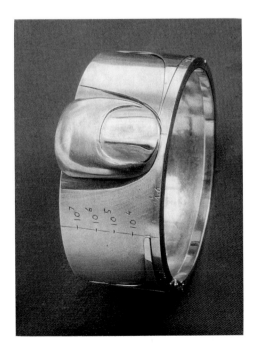

114 Armreif. Gold und Silber. 1969, siehe auch
Farbtafel X 184

115 Armband. Gold und Brillanten. 1964

116 Armreif. Gold und Brillanten. 1964

117 Brosche. Gold. 1965

So sind in ihm der Künstler, der Wissenschaftler und der Techniker wechselweise am Werk, wenn es um die Realisierung des Erdachten und Gefundenen geht. Materialien wählt er nach ihrer Schönheit, die seiner Vorstellung entsprechen muß: 20karätiges Gold, gelb oder weiß, dazu Eisen und Silber. Technisch bevorzugt er „den Gebrauch differenziertester Mittel" wie z.B. Ziselierung, um selbst den großen und geschlossenen Formen Lebendigkeit durch eine atmende Haut zu verleihen. Die „direkte Verwandlung der Oberfläche mit der Hand (z.B. beim Ziselieren, Anm. des Verf.) macht die Empfindung für den vorherrschenden Werkstoff noch größer". Er wünscht sich unregelmäßige Steinformen, um seinen Formwillen zu unterstützen, damit er unabhängig ist von vorgefertigten Mitteln in seinem Schmuck, der in jeder seiner Perioden nur als Unikatschmuck existiert.

So wird Martinazzi doch wohl mit Recht zu den Meistern gezählt, zu jenen, deren höchstes Maß an Können darin besteht, „die Form zu zerbrechen", damit sie eine neue aufbauen können.

118 Faust, Skulptur aus schwarzem Granit.
1969

119 und 120. Armreif „Goldfinger". Gelbgold
und Weißgold. 1969

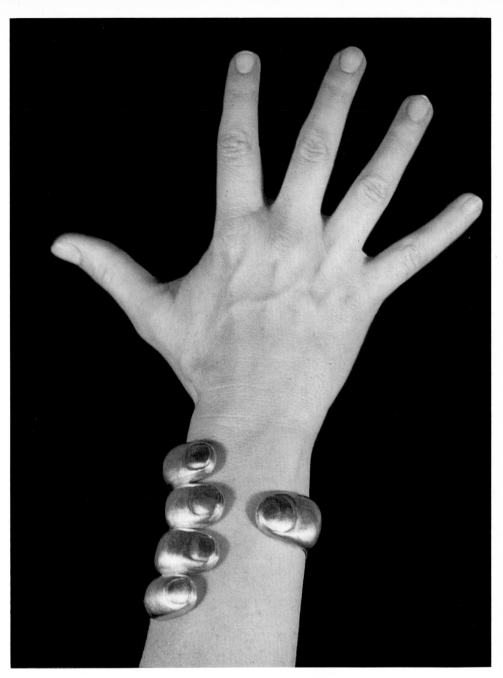

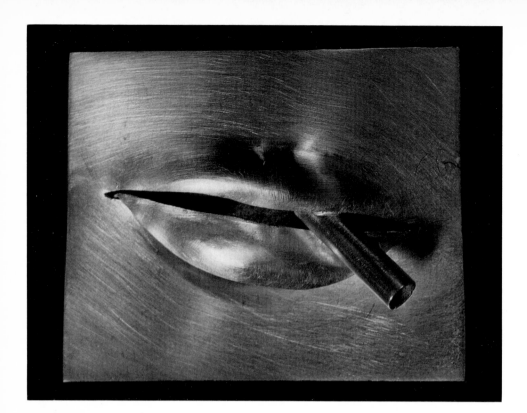

121 Brosche ,,Bocca". Gelbgold und Weiß
gold. 1968

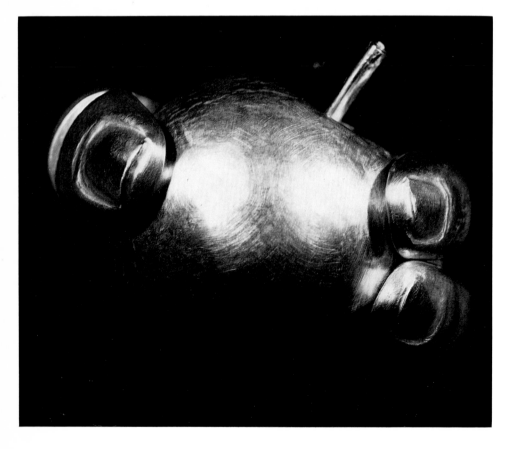

122 Anhänger. Gold. 1970

Ebbe Weiss-Weingart

1923   geboren in Nürnberg
        lebt in Salem (Baden)
        Mädchen-Oberschule mit Abschluß
1939–43 Akademie der Bildenden Künste
        Nürnberg, Studienrichtung Malerei
1943–45 Meisterschule für Goldschmiede
        München
1948   Goldschmiedemeisterprüfung
seit 1945 eigenes Atelier mit Werkstatt
        Tätigkeitsbereich: Schmuckgestal-
        tung, Plastik in Metall und Kunststoff

BETEILIGUNG AN AUSSTELLUNGEN:
seit 1949 an allen ausländischen Ausstellungen der Bundesrepublik wie Triennalen, Weltausstellungen usw., Schmuck-Ausstellungen
London (1961), Prag (1966), Tokio (1970)

EIGENE AUSSTELLUNGEN:
1961   Werkform München
1973   Goldschmiedehaus Hanau

AUSZEICHNUNGEN:
1951   Silbermedaille Triennale Mailand
1958   Ehrendiplom Weltausstellung
        Brüssel
1960   Staatspreis Baden-Württemberg
        Ehrendiplom Internationales
        Kunsthandwerk Stuttgart
1962   Bayerischer Staatspreis und
        Goldmedaille
1963   Ehrendiplom Internationales Kunst-
        handwerk Stuttgart
        Hessischer Staatspreis
1965   Anerkennung (und Ankauf) Inter-
        nationaler Schmuckwettbewerb
        vom Schmuckmuseum Pforzheim
1966   Ehrendiplom Internationales Kunst-
        handwerk Stuttgart
1967   Baden-Württembergischer
        Staatspreis
        Ehrendiplom Weltausstellung
        Montreal
1970   Ehrendiplom II. Biennale
        internazionale del gioiello d'arte
        Marina di Carrara
1971   Silbermedaille und Diplôme
        d'honneur spécial (Goldmedaille)
        Internationale Schmuckausstellung
        „Jablonec 71" ČSSR

MUSEUMSANKÄUFE:
Goldsmiths' Hall London
Victoria und Albert-Museum London
Kunstgewerbe-Museum Köln
Sammlungen des Landes-Gewerbeamtes
Stuttgart
Oldenburgisches Landesmuseum

ARBEITEN IN DER ÖFFENTLICHKEIT
UND PUBLIKATIONEN:
Relief, Justus-Liebig-Haus Darmstadt; Son-
derheft „Ebbe Weiss-Weingart" Werkkunst;
Artikel und Besprechungen in vielen Zeit-
schriften; u.a. „gold + silber", „Kunst +
Handwerk", „M D", „Lady", „Madame",
„Deutsche Goldschmiede-Zeitung" u.a.m.;
Südwestfunk, Südfunk, Bayerischer Rund-
funk usw. Fernsehen

Ebbe Weiss-Weingarts Äußeres ist zierlich, zart und empfindsam – und doch arbeitet diese Frau nicht nur am Goldschmiedebrett mit Edelmetallen, Steinen und Perlen, sondern gestaltet auch große Reliefs in Metall und meterhohe Kunststoffplastiken. Sie ist zurückhaltend, ganz nach innen gekehrt. Doch findet sie bei Ausstellungen und Messen immer den Kontakt zu den Menschen, für die ihr Schmuck Erfüllung ihrer Wünsche und unbewußten Vorstellungen ist. Sie liebt das satte Feingold, tiefes glühendes Rot und das schimmernde Lüster der Orientperlen, der hellen und besonders der schwarzen.

Trotz der vielen Auszeichnungen, trotz einer nun schon über 25jährigen schöpferischen Tätigkeit in eigener Werkstatt ist sie unruhig von innen her, bestrebt, Suchende zu sein, mit immer neuen Lösungen die Fragen zu beantworten, die das Leben ihr und uns allen stellt. Dabei – und das ist das Schöne und Große bei Ebbe Weiss-Weingart – geschieht dies alles nicht aus der heute so oft zu spürenden Hektik und Unrast, Novitäten zu schaffen und ja auch immer dabei zu sein. Im Gegenteil. Was sie treibt, ist der Impetus des schöpferischen Menschen, ist der Drang nach Realisation dessen, was sie in sich erlebt und bewegt. Nur wer im Grunde seines Wesens ruhig ist, vermag Bewegung und Unruhe von außen positiv zu beantworten, so positiv, daß daraus Schmuck entsteht, in dem eine klare, beruhigende und heilende Schönheit Gestalt annimmt. Und nur wer sich dem Schmerz und dem Leid in der Welt nicht verschließt, dem kann das Glück beschieden sein, die Realitäten dieser Welt zu verwandeln, um eine hintergründige und tiefere Wirklichkeit sichtbar werden zu lassen.

Ebbe Weiss-Weingarts Schmuck ist Poesie, echt und unsentimental, aber erfüllt von wirklichem Leben. Ihre Lieder haben einen dunklen tiefen Klang, sie sind zart und stark zugleich.

Die Kunststudentin, die mit Fleiß und Erfolg Malerei studiert, kommt bald zu der Überzeugung, daß ihr schöpferisches Tun nach einem konkreteren Niederschlag verlangt. Sie findet ihn zunächst in der Gestaltung von Reliefs, bei der ihr die intensive Beschäftigung mit dem Negativ-Schnitt für Münzen und Medaillen sehr zustatten kommt. Diese behutsame, auf differenzierteste Nüancierungen abzielende Technik entspricht sehr ihrem Wesen und ihrem Bedürfnis, das, was zu sagen ist, in die Flächen hineinzudrücken. Die feinen Figurationen stehen dann wie in einer Ikonostase, sie schauen aus der Tiefe, vom Grund heraus in die Welt, ohne aus der Fläche zu treten.

Im Schmuck, den Ebbe Weiss-Weingart dann in immer größerem Umfang als ihr eigentliches Lebenswerk gestaltet, hat sie nur am Anfang und nur für kurze Zeit kubische, stark plastische und kantige Formvorstellungen zu realisieren versucht. Sehr bald wendet sie sich von diesen Formen ab und sucht ihren eigenen Weg. In der Tiefe lebend und aus der Tiefe wirkend findet sie in Strukturen ihr Ausdrucksmittel, deren Bewegtheit das Gold so recht zur Wirkung kommen läßt, ohne daß es dynamischer Plastizität bedarf. Diese Oberflächenstrukturen sind wie Borkenrinde, aber auch wie Wasser über großen Meerestiefen, wenn der Wind darüber geht. Bei aller Bewegung sind sie gebändigt durch das Gewicht der Ruhe, das sie von innen her trägt und hält. Ihre Schmuckgebilde werden Bruchstücke, Ausschnitte aus großen Zusammenhängen, die darzustellen nicht mehr Aufgabe des Schmucks sein kann. Sie wirken wie Zufälligkeiten, aber der Zufall ist hier keine Willkür. In den ausschnitthaften Kompositionen mit den „entgrenzten" Konturen offenbart sich für manche Moderne mehr von der Größe und Einheit des Ganzen als in den gerahmten Bildern der Vergangenheit. Die Absage an die von der Antike her bestehende Vorstellung von einem Kunstwerk als Abbild einer perfekten Welt ist in diesem Schmuck konsequent durchgeführt.

Zu der Borkenstruktur kommen Schichtungen, dann auch Additionen kleiner punktförmiger Elemente, die rhythmisch aneinandergefügt werden. Die Flächen öffnen sich, die Durchbrüche werden aktiviert und immer Akzente wie Kontrapunkte gesetzt.

123 Bronzerelief am Justus-Liebig-Haus in Darmstadt (Höhe etwa 100 cm). 1966

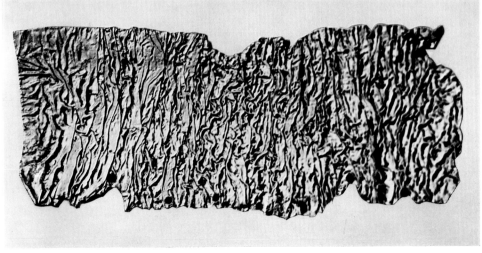

124 Brosche. Gold strukturiert. 1958

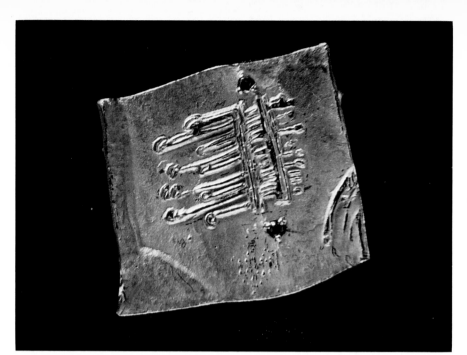

125 Anhänger. Gold mit Perle, vollplastisch

126 Brosche. Gold in Flachrelief mit Rubinen.
1966/67

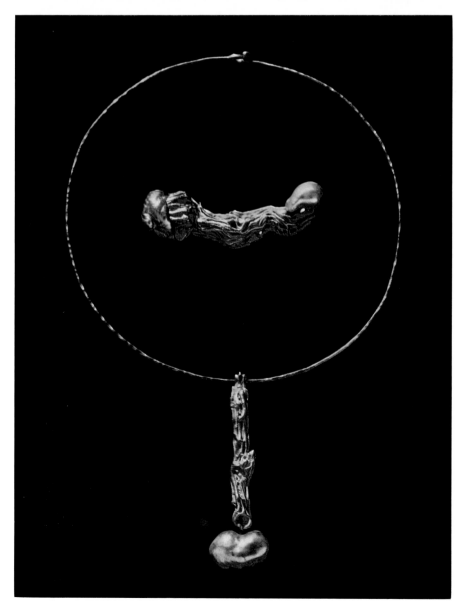

127 Brosche und Halsschmuck. Gold mit
Barockperlen

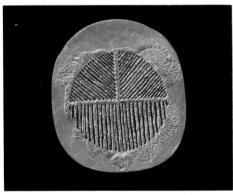

128 Halsschmuck. Gold in Metallspritztechnik, vollplastisch, Barockperlen, Anhänger beweglich, siehe auch Farbtafel XI 187

129 Brosche. Gold. 1971, siehe auch Farbtafel XI 188

Ganz selten benutzt Ebbe Weiss-Weingart dazu Steine (wenn, dann in kleinsten Dimensionen und starker Farbkonzentration), dafür aber um so lieber Perlen. Ihre Liebe zu den Perlen ist so groß, daß sie sammelt und zusammenträgt, wo immer sie sich ihr in der gesuchten Qualität und der gewünschten Farbigkeit anbieten. In der Muschel gebildet, aus der Tiefe aufgestiegen, aus der verborgenen Passivität zur Aktion ins Sichtbare gerufen ist die Perle ihr so wesensverwandt, daß ihr Einsatz mehr wird als ein ästhetisches Spiel. Die Malerin läßt sich, was die Farbigkeit in diesen differenzierten Schmuckgebilden angeht, nie verleugnen. Zu der Verwendung von Schmucksteinen sagt sie selbst: „Zum allgemein gehandelten Schmuckstein habe ich überhaupt kein Verhältnis. Nie arbeite ich mit großen Solitärsteinen, die dominierend behandelt sein wollen. Kleine bunte Juwelen verarbeite ich wegen ihrer malerischen Wirkung. Besonders gern benutze ich Brillanten als Spotlight in sparsamer Dosierung. Neben Brillanten liebe ich eigentlich nur Rubin wegen seiner absoluten Intensität zu Gold."

Der immer nach neuen Wegen intensiver Aussage Strebenden ist natürlich Technik mehr als ein routinierter Arbeitsablauf von einmal erlernten Handgriffen. Sie sieht, wie alle wirklich schöpferisch Gestaltenden, in ihnen „lediglich die Möglichkeit, neuartige Lösungen zu finden … Ich bediene mich keiner bestimmten Technik vordringlich. Selbst mein ‚strukturiertes Gold' habe ich auf mindestens viererlei Arten, je nach Stabilitätsbeanspruchung und Schmuckzweck, hergestellt. Grundsätzlich sehe ich schon in der Bevorzugung einer Technik, geschweige denn im routinemäßigen Gebrauch, eine Stagnation, die zur Schematisierung führen muß. Wenn ich eine technische Vorliebe habe, so die des Negativschnitts. Aber auch hier bin ich ständig dabei, ähnliche Wirkungen durch andere Methoden zu erreichen."

Ebbe Weiss-Weingart hat sich schon frühzeitig mit der Anwendung des Acrylglases beschäftigt. Als ihr im Jahre 1964 aus Bonn ein staatlicher Forschungsauftrag über die Anwendung neuer Materialien in der Kunst übertragen wurde, entschied sie sich zu Versuchen mit Acrylglas.

In bewußter Abkehr von der in der bildenden Kunst bereits üblichen Technik der Montage, des Warmverformens sowie des Aussägens, Überblendens und Verklebens vorgefertigter Acrylglasplatten, einer Technik, die später auch in der Goldschmiedekunst Eingang fand, vergoß sie die Acrylate in ungewöhnlich großen Dimensionen zu vollplastischen Formen. So entstanden innenarchitektonische Raumelemente großen Ausmaßes und ungewöhnlicher Lichtwirkung. Die hierbei gesammelten Erfahrungen übertrug sie auf ihr Schmuckschaffen. Es darf hierbei festgestellt werden, daß Ebbe Weiss-Weingart in der Anwendung der Acrylate – der Verglasungsstoffe – auch im

130 Ohrschmuck. Gold. 1971, siehe auch Farbtafel XI 185

131 Ohrschmuck. Gold. 1971, siehe auch Farbtafel XI 186

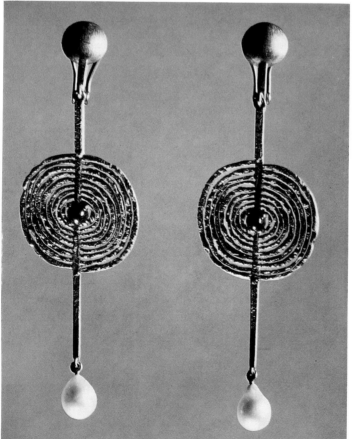

132 Brosche. Acrylglas, weiß, mit Feingold. 1970

133 Ohrschmuck. Gold, Perlen, Rubine. 1971

134 Oberarmreif. Gold in Metallspritztechnik, vollplastisch. 1970, siehe auch Farbtafel XII 192

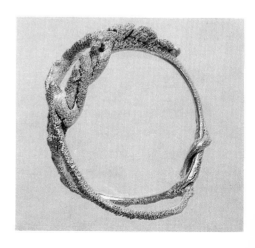

135 Brosche. Acrylglas, anthrazit, mit Feingold. 1970, siehe auch Farbtafel XII 190

136 Brosche. Acrylglas, schwarz, mit Gold. 1970 (Maske aus dem Jahre 1957), siehe auch Farbtafel XII 189

137 Brosche. Muschelausschnitt, Gold, siehe auch Farbtafel XII 191

Schmuckbereich neue Wege beschritt, indem sie die flüssige Grundsubstanz des Acrylglases im Polymerisationsverfahren in die feste Form überführte, um sie dann spanabhebend, durch Ätzen oder thermoplastisch zu verformen, wobei sie auch Fremdmaterialien sowie Farbstoffe zusetzte.

Es gibt ihr die gewünschte Möglichkeit, größere Flächen nicht metallisch, sondern farbig in die Gesamtkomposition einzusetzen. Dazu nimmt sie hauptsächlich weiße oder schwarze Platten, seltener farbige, und setzt kleingliedrige Metallakzente ein oder auf und reiht auch vollplastische Elemente aneinander, die sie mit Hilfe des Metallspritzverfahrens erzeugt. Dieses in der Technik geübte Verfahren, das im Aufspritzen eines durch Azethylen-Sauerstoffgemisches geschmolzenen und durch Preßluft zerstäubten Metalls besteht, einer Methode, an deren Entwicklung für Schmuckzwecke und freie Plastik die Künstlerin noch arbeitet, hat durch sie erstmalig Eingang in das Schmuckschaffen gefunden.

Auch die Kunststoffplatten sind stets in der Oberfläche fein gegliedert, sei es durch Strukturen oder durch farbig-graphische Elemente, die sie einfügt (z. B. rote Punkte). Das Problem Schmuck – Kunststoff interessiert sie, wie diese Arbeiten beweisen. Selbst sagt sie dazu:

„Die Einbeziehung von Kunststoff in die Schmuckgestaltung eröffnet neue große Möglichkeiten, die jedoch z. Zt. nicht ausgeschöpft werden. Jedoch wird der Kunde (mit Ausnahme der Kenner) die Leistung unterbewerten und als Schmuck nicht anerkennen, da er nach meinen Erfahrungen ‚Dauerhaftes, Unzerstörbares‘ sucht und dies immer noch nur im Edelmetall sehen will. Schade! So wie der meiste Kunststoff-Schmuck im Augenblick ist, wird er immer unter ‚Pop‘ eingestuft werden, saisonbedingt und kurzlebig. Und, da sich dies auch im Preis ausdrückt, nur eine junge Käuferschicht ansprechen."

Es entspricht ihrem Wesen und ihren Grundauffassungen, neue Werkstoffe ernsthafter anzugehen und ihre Bemühungen grundsätzlicher auf deren Gestaltung zu richten als damit nur ‚dem Tage‘ zu dienen oder einen modischen Effekt zu erhaschen. Sie ist auch als Malerin zu sehr mit der Bildenden Kunst, ihren Zielsetzungen und Aufgaben vertraut, als sich hier von den vielen Eintagsfliegen täuschen zu lassen. Die Zusammenhänge der Bildenden Kunst mit der Schmuckgestaltung sieht sie deshalb so: „Sie sind leider nicht immer gut; vor allem dann, wenn ‚Bildende Kunst‘ postwendend mit Erscheinen der letzten Kunstzeitschrift en miniature in ‚Schmuckskulptur‘ übersetzt, sprich: nachempfunden wird, was heute leider so oft praktiziert wird."

Es widerspräche auch allen hier aufgezeigten Wesenszügen von Ebbe Weiss-Weingart, wenn sie dies anders sähe. Ihre Einstellung wird deshalb am besten mit ihrem eigenen Bekenntnis verdeutlicht: „... ich verfolge in meiner Arbeit bewußt keinen persönlichen Stil. Im Festlegen und Streben danach sehe ich geradezu den Tod und hoffnungslose Erstarrung im Manierismus. Wenn ich etwas anstrebe, so dies: jederzeit die Freiheit zu haben, ‚meine Handschrift‘ nebst aller gesammelten Erfahrung über Bord werfen zu können und, bar jeglicher Vorbelastung, mit neuen Augen und möglichst neuem Material Neuland zu betreten. Mich verlangt ab und zu direkt nach einem Autodafé. Da unser Leben in einer immer rascher voranschreitenden Umschichtung begriffen ist, halte ich es für absolut unmöglich, mit ehrlichem Gewissen einen ‚eigenen Stil‘ über Jahre hinaus produzieren zu wollen."

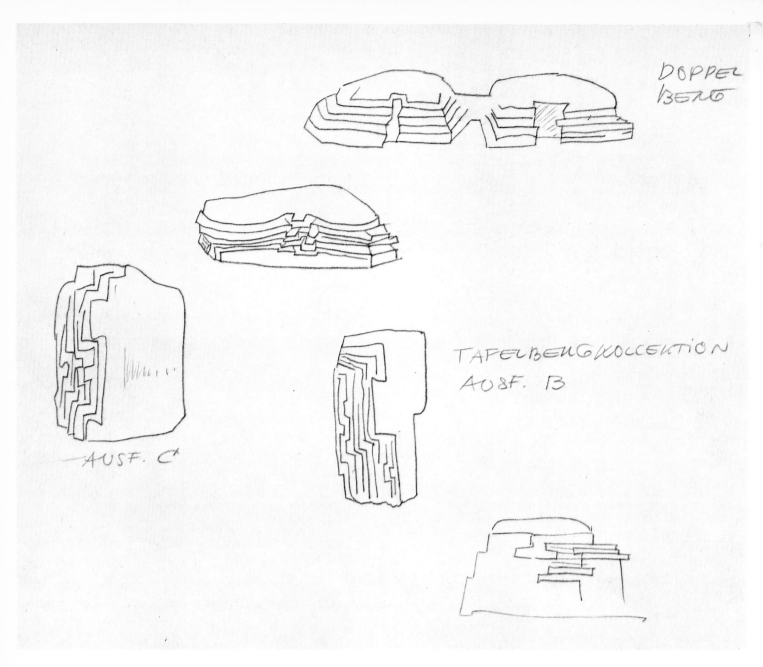

DOPPEL BERG

TAFELBERGKOLLEKTION AUSF. B

AUSF. C

138 Zeichnungen zur Tafelbergkollektion

139 Objekt aus der Tafelbergkollektion. 1970

Unikatschmuck

Ebbe Weiss-Weingart
*Brosche, Silber, sulfiert, mit
geprägtem Feingold belegt,
Rubin-Cabochon
Nadeln, auch als Anhänger
tragbar, Silber, sulfiert mit
geprägtem Feingold*
Fotos: Dr. H. Weingart

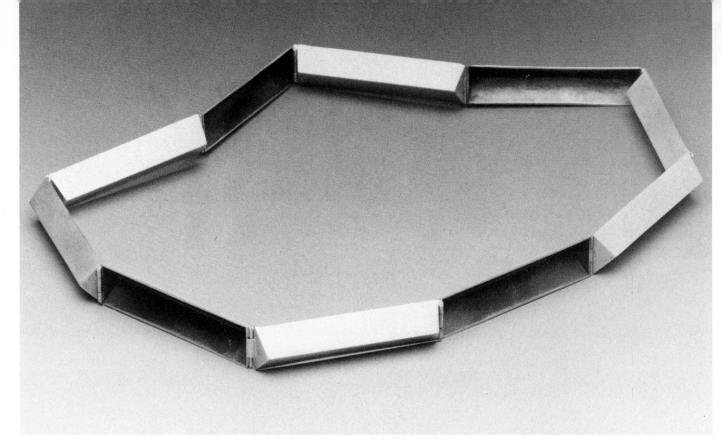

Sabine Steinbach *Halskette, 925er Silber, zum Teil geschwärzt oder Blattgold*

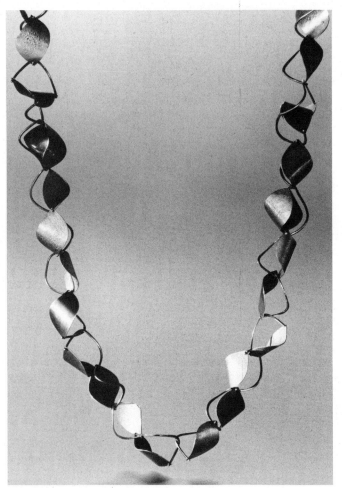

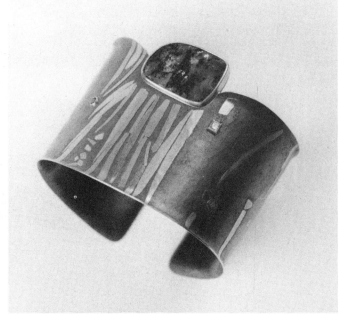

Gabriele Heinz *Armreif, Silber, Feingold, Palladium, Boulderopal, Diamant, Brillant*

Ulrike Kuhr *Kette im Dreiklang gis, h, cis, 750 Gold und 925 Silber*

Unikatschmuck

Klaus Ullrich

1927	geboren in Sensburg (Ostpreußen) Abitur
1950	Gesellenprüfung als Goldschmied
1952	Gesellenprüfung als Silberschmied
1954	Meisterprüfung in beiden Berufssparten
1952–55	Studium an der Werkkunstschule Düsseldorf bei Professor Schollmayer, Fachrichtung Gerät- und Schmuckgestaltung
1955	Staatsexamen als Gestalter von Schmuck und Gerät
1955–57	eigenes Atelier in Düsseldorf
1957	Berufung als Leiter einer Klasse für Schmuckgestaltung an die Staatliche Kunst- und Werkschule (heute Fachhochschule für Gestaltung) Pforzheim
1969	Professur Tätigkeitsbereich: Kleinplastik, profanes Gebrauchsgerät, Schmuck; heute ausschließlich Unikatschmuck eigenes Atelier in Würm, lebt in Würm bei Pforzheim

BETEILIGUNG AN AUSSTELLUNGEN:
an vielen in- und ausländischen Ausstellungen im Bereich der Schmuckgestaltung, u.a. jährliche Internationale Handwerksausstellung (München), Berlin, Hamburg, Triennale Mailand, Prag, Sydney, Weltausstellung Montreal (1967), Tokio, Pforzheim („Tendenzen")

AUSZEICHNUNGEN:
Staatspreis Baden-Württemberg
Bayerischer Staatspreis
Goldmedaille Triennale Mailand

Klaus Ullrich antwortet auf die Frage, welchen Ausbildungsweg er heute als den besten bezeichnen würde für einen Schmuckgestalter, klar und eindeutig: „Eine gute Schulbildung, eine gründliche praktische Ausbildung und ein gestalterisches Studium." Damit bestätigt er nicht nur seinen eigenen Werdegang, sondern weist auch auf die unerläßlichen Voraussetzungen hin für die gestalterisch produktive Bewältigung der Probleme des Neuen Schmucks. Dies festzustellen erscheint um so wichtiger, als durch die Erfolge und die Anerkennung, die der Neue Schmuck heute in der breiten Öffentlichkeit gefunden hat, die Gefahr der Verflachung besteht.

Ullrich hat als Mensch und als Künstler den Beweis dafür erbracht, daß nur gründliche Arbeit – an sich selbst und in allen Phasen der gestalterischen Problematik – zu wirklich schöpferischen Leistungen führen kann. Wer wie er nach dem Abitur eine handwerkliche Ausbildung wählt, weiß in der Regel, daß es ihm nicht nur um die Erlernung der Handgriffe und ihre routinierte Anwendung geht. Bei einem selbst schöpferisch tätigen Lehrmeister hatte Ullrich Gelegenheit, von Anfang an handwerkliche Vorgänge als Mittel zur Realisierung seiner Formvorstellungen anzusehen und elementar zu erleben. In diesem Sinne ist Handwerk für ihn zur verläßlichen Grundlage seines Schaffens geworden, der seine Gestaltungen entwuchsen und die sich bei allen künstlerischen Kreationen als beständig erwiesen hat. Während seines Studiums an der Werkkunstschule Düsseldorf brauchte er deshalb nicht umzulernen, wie das bei vielen, die aus weniger guten Lehrwerkstätten kommen, so oft der Fall ist. Er konnte auf dem Gelernten aufbauen und seine ganze Kraft und Intensität auf das eigentliche Ziel des Studiums richten: die Erforschung gestalterischer Möglichkeiten, die Erprobung formaler Vorstellungen und die Entwicklung einer eigenen Ausdrucksweise. Daß seine Gestaltung immer mehr organisch als konstruktiv orientiert war – und es auch bei seinen derzeitigen strengere und geometrische Formelemente bevorzugenden Konzeptionen im Grunde geblieben ist – hängt wohl mit seiner Nähe zu den Organismen der Natur zusammen.

Die frühen Arbeiten eigener Prägung erstrecken sich zunächst gleichermaßen auf Gerät und Schmuck. Auf beiden Gebieten sind die Lösungen hauptsächlich auf Formen aufgebaut, die mit dem Hammer aus dem Metall entwickelt werden. Bald aber wendet sich Ullrich ganz dem Schmuck zu. Und hier kommt er aufgrund der Schweißtechnik zu jenen Strukturen, von denen bereits an anderer Stelle eingehend gesprochen wurde. Sie blieben für Ullrichs Arbeit lange Zeit von entscheidender Bedeutung. Er selbst sagt dazu: „Ich schweiße viel, weil ich die damit mögliche Spontaneität liebe; zudem ist eine organische Homogenität mit keiner anderen Technik besser zum Ausdruck zu bringen."

Die Unmittelbarkeit der Gestaltung, deren äußeres sichtbares Zeichen die empfindsamen Strukturen vor allem im Gold sind, bestimmen lange Zeit auch seine Formvorstellungen. Damals arbeitete er gern und häufig mit Schmuckkompositionen aus Lamellen, hochkant gestellten dünnen Goldblättchen, deren Kanten immer lebendig strukturiert sind, so daß die zarten Linien im Licht flimmern. Die Reflexion des Lichts zwischen den Lamellen steigert in gestalterischer Perfektion die von Ullrich so geliebte Feingoldfarbe ins Imaginäre. Da die Lamellen meist ohne betonte Konturbegrenzung bleiben, entstehen sozusagen aus dieser Gestaltung heraus informelle Gebilde, deren Feingliedrigkeit das Schmuckhafte ebenso unterstreicht wie die vom Schweißen her strukturierten Flächen mit den vibrierenden Rändern. Als kontrapunktischen Kontrast verwendet Ullrich in dieser Epoche meist Perlen oder auch hie und da kleine Rohkristalle.

Seit etwa drei Jahren hat sich Ullrichs Formensprache gewandelt, nicht abrupt oder einer Modelaune folgend („... ich könnte, glaube ich, keinen Modeschmuck machen ... Mein Schmuck sollte nicht mit der jeweiligen Mode altmodisch werden ..."), aber stetig

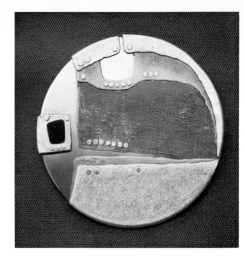

140 Brosche. Gold, Stahl, Lapislazuli, geschweißt und genietet, siehe auch Farbtafel XIII 193

141 Brosche. Stahl, Gold, Lapislazuli, siehe auch Farbtafel XIII 194

und konsequent. Der Wandel vollzieht sich grundsätzlich in der stärkeren Betonung konstruktiver Formelemente. Klare, manchmal auch harte geometrische Flächen – Kreis, Quadrat, Rechteck – bestimmen nun die Konzeptionen. Die Kontraste werden damit schärfer und noch betont durch neue Materialkompositionen: Zum Metall, das vor allem immer noch Gold ist, allerdings jetzt auch häufig brüniert, verwendet er gerne Elfenbein und Ebenholz, aber auch Stahl, diesen meist in strengen, polierten, dünnen und plastisch aufliegenden Linien. Aber er hat mit diesem Wandel zur Strenge nichts an seiner Einstellung zum Schmuckhaften eingebüßt oder aufgegeben. Gold bleibt ihm meistens doch das diffizilste Material. „Oft arbeite ich mit dünnem Feingold, das ich später stabilisiere. Durch die Weichheit des Metalls – man kann es mit den Fingern formen – lassen sich Nüancen ausdrücken." Schmucksteine kommen ihm in „möglichst neutraler Form" bei solchen Konzeptionen sehr gelegen. Er braucht sie sowohl als Akzente wie auch als Flächen. Alle seine Schmuckgestaltungen, Ringe ebenso wie Broschen, Anhänger wie Armschmuck, tragen die unverwechselbaren Auszeichnungen seiner Persönlichkeit, ob sie nun aus der früheren oder jetzigen Schaffensperiode stammen. Trotzdem bekennt er: „Ich verfolge keinen Stil, hoffe aber, daß sich meine Arbeiten differenzieren können. Wenn dem so ist, können der Betrachter oder der Autor diese Merkmale viel unbefangener zum Ausdruck bringen."

Bei aller Beachtung und Strenge gegenüber den fachlichen Belangen der Gestaltung, sieht Ullrich im Schmuck immer ein Objekt, das selbstverständlich hohen künstlerischen Rang beanspruchen kann und sollte, das aber in jedem Fall tragbar sein muß. „Ich mache Schmuck, der tragbar ist, für den es eine Trägerin gibt. Ich versuche die passende Trägerin zu finden, die Trägerin das passende Kleid ... Ich habe fast keine Auftraggeber, sondern Schmuckinteressenten, die wählen. Die wählerischen sind mir am liebsten." Damit bekundet Ullrich seine Grundeinstellung zu seinem künstlerischen Schaffen. Das Tragen eines „Ullrich-Schmucks" setzt zum mindesten einen Teil der Vorstellungen des Autors auch bei der Trägerin voraus. In diesem Zusammenhang ist auch Ullrichs Meinung über die Kontaktmöglichkeiten oder -notwendigkeiten zur Bildenden Kunst verständlich: „Die Schmuckgestaltung kann nur da Beziehungen zur Bildenden Kunst haben, wo Bildende Kunst nicht gesellschaftskritisch oder vom Thema her provokativ ist." Das kann nur bedeuten, daß Schmuckgestaltung ihren gleichrangigen Platz neben der Bildenden Kunst einnehmen darf und muß.

Um jedem Mißverständnis vorzubeugen, sei deutlich gesagt, daß damit in keiner Weise eine Mehrgleisigkeit des künstlerischen Ausdrucks in einer Person generell bezweifelt oder gar abgelehnt wird. In Ullrichs Schaffen jedenfalls ist die Konzentration auf die Schmuckgestaltung klar erkennbar: seine ausgeprägte persönliche Formensprache, verbunden mit der Bereitschaft, immer die Trage-Funktion in seine Gestaltung einzubeziehen, ist so stark, daß sie, aus sich selbst heraus zu neuen Wegen findend, richtungsweisend für einen großen Bereich des gesamten Neuen Schmucks wurde. Besseres kann über seine Bedeutung als Kunstpädagoge wohl gar nicht gesagt werden, es sei denn, daß er ein strenger Lehrer ist, der die Unpopularität nicht scheut, große Forderungen an seine Schüler zu stellen, ohne damit unbedingte Gefolgschaft erzwingen zu wollen. Die Erfolge bestätigen seine Lehrmethode. Viele seiner Schüler zählen heute zu den namhaften Schmuckgestaltern der jüngeren Generation, die ihren eigenen Weg gehen und zu einer eigenen Sprache gefunden haben: der Holländer Robert Smit, der Hamburger Klaus Neubauer, die in Berlin tätige Gisela Seibert-Philippen, der Kieler Wilhelm Buchert, Uwe Böttinger in Hannover sind nur einige aus der großen Zahl der Ullrich-Schüler, denen seine Lehre und die Auseinandersetzung mit ihr und ihm zu großer Anerkennung in verhältnismäßig früher Zeit ihres Schaffens verholfen hat. Ullrichs Aussage über seine gestalterische Arbeit ist, weil knapp und fast nüchtern abgefaßt, dokumentarisch für sein Porträt:

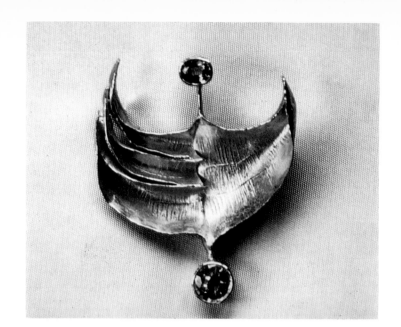

142 Brosche. Gold geschweißt

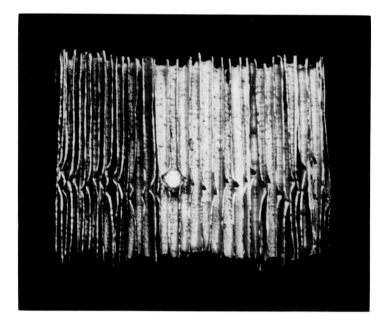

143 Brosche. Gold geschweißt mit Brillant

144 Brosche. Gold geschweißt und oxydiert,
mit Steinen

145 Brosche. Gold geschweißt und oxydiert, mit Steinen

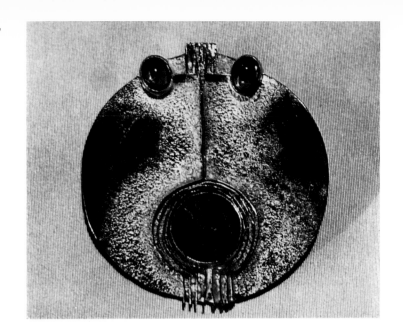

146 Brosche. Gold geschweißt und oxydiert, mit schwarzem Opal, Quarz und Perlen

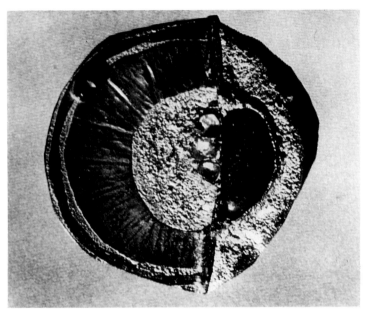

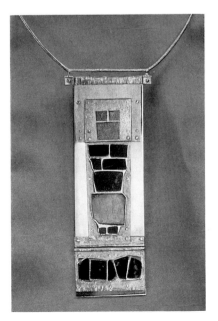

147 Anhänger. Gold mit Elfenbein und verschiedenen Steinen, siehe auch Farbtafel XIII 195

„Heute interessieren mich die Wirkungen sehr starker Kontraste, die ich durch verschiedene Formen und Materialien erreiche. Daher stelle ich Feingold gegen oxydiertes Gold oder polierten Stahl, Elfenbein, Lapislazuli usw. Sehr edle und teure Steine verarbeite ich selten, ihr materieller Wert belastet mich und macht mich befangen.

Bei allen formalen Problemen, die sich im Laufe der Zeit verändern, versuche ich gleichbleibend, dem Problem Schmuck auf der Spur zu bleiben. So gehe ich oft von der Anatomie des Armes, des Fingers aus, ich respektiere den Anspruch auf Tragbarkeit, versuche oft, dem Anspruch auf tägliche Tragbarkeit entgegenzukommen. Das bedeutet für mich Reduzierung der formalen Vorstellungen. Die Gestaltung einer Kette z.B. ist mit anderer Konzeption zu erreichen als die einer Brosche. Wenn man also die allgemeinen Schmuckmöglichkeiten von Ring, Armband oder Reif, Halsschmuck, Ohrschmuck usw. in der ganzen Variationsbreite für die eigene Arbeit akzeptiert, kommt man mit einer Konzeption allein nicht zum Ziel.

Mein Schmuck soll eine Synthese sein aus zeitgemäßer Gestaltung und Tragbarkeit; er bedarf des Verständnisses der Trägerin, ohne welches er sie provozieren könnte.“

148 Armreif. Gold geschweißt mit Steinen

149 Armreif. Gold geschweißt

150 Armreif. Gold geschweißt und oxydiert

151 Armreif. Stahl und Gold mit rotem Turmalin

152 Ring. Gold geschweißt

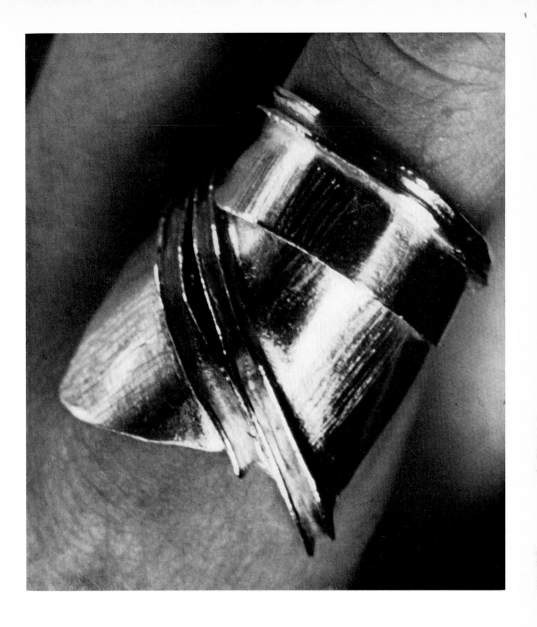

153 Ring. Gold geschweißt mit Brillanten

154 Ring. Gold geschweißt mit Opal, siehe
auch Farbtafel XIII 196

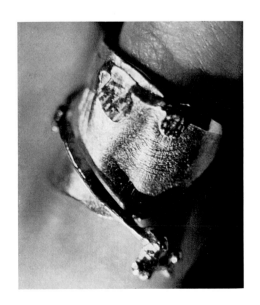

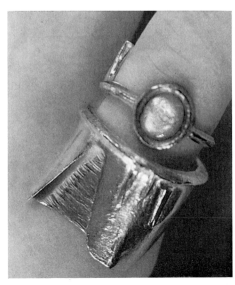

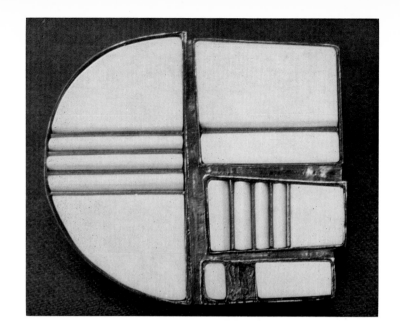

155 Brosche. Gold und Elfenbein

156 Brosche. Gold, Stahl und Quarz

157 Brosche. Gold, Stahl und Granat

Hermann Jünger

1928	geboren in Hanau
1947–49	Ausbildung an der Zeichen-akademie Hanau, Fachrichtung Silberschmied
1953–56	Studium an der Akademie der Bildenden Künste München, Schüler von Professor F. Rickert
seit 1956	eigenes Atelier mit Werkstatt; zuerst in einer Gastwirtschaft, dann in Taufkirchen (ab 1961), heute in Pöring bei München (ab 1968)
1968	Teilnahme am 1. Internationalen Symposium für Silberschmuck in Jablonec (CSSR) auf Einladung des Art Centers Prag Tätigkeitsbereich: Kultgerät, Metallplastik, Serienschmuck-Design, Unikatschmuck
1971	Lehrer an der Akademie der Bildenden Künste München; Professur

BETEILIGUNG AN AUSSTELLUNGEN:
an zahlreichen Ausstellungen des In- und Auslandes, u.a. Weltausstellungen Brüssel und Montreal, Triennalen Mailand, Internationale Handwerksmessen München, London, Prag, Tokio, Jablonec, Pforzheim, Stuttgart (Landesgewerbeamt)

EIGENE AUSSTELLUNGEN:
u.a. im Deutschen Goldschmiedehaus in Hanau (1969), in Karlsruhe (Landes-gewerbeamt)

AUSZEICHNUNGEN:

1957	Stipendium des Kulturkreises im Bundesverband der deutschen Industrie
1961	Bayerischer Staatspreis (Goldmedaille)
1963	Auszeichnung „Internationales Kunsthandwerk" Stuttgart
1966	Förderer-Preis des bayerischen Staates für Bildende Künstler Silbermedaille „Jablonec 68"

MUSEUMSANKÄUFE:
Schmuckmuseum Pforzheim

Hermann Jüngers Gesamtwerk, seine sakralen Geräte wie Kelche, Altarkreuze, Tabernakel und vieles andere, und sein Schmuck, läßt sich innerhalb dieser Zusammenstellung von Porträts heutiger Schmuckgestalter am ehesten mit jenem der großen Goldschmiede des Mittelalters vergleichen. Das ist natürlich nicht stilistisch gemeint, sonst wäre er kaum zu den Meistern der modernen Schmuckgestaltung zu zählen. Aber es besteht eine geistige Verwandtschaft, die sich schon in seiner Einstellung zum Gold, zu den Steinen und zum Email äußert, um hier zunächst nur das augenfälligste Merkmal zu nennen; denn der Kontakt geht tiefer.

Die meisten Künstler, die Sakrales und Profanes nebeneinander oder, wie es die Praxis oft mit sich bringt, miteinander gestalten, erleben die Diskrepanz, die nicht erst heute zwischen diesen Gebieten besteht. Das hat Jünger mit den großen Goldschmieden des Mittelalters gemeinsam: der Werkstoff Gold wird in seiner Hand geheiligt. Er wird zum magischen Zaubermittel, denn er verliert seinen kommerziellen Wert und verwandelt sich in ein echtes Symbol, Bild einer geistigen Realität. Genauso ist es mit den Steinen und mit Email, mit den Formen, den Linien und den Punkten. Alles ist bei Jünger wörtlich zu nehmendes Bildmittel.

Die meisten seiner Schmuck-Kompositionen gehen von der Kreisform aus, denn das Rund ist Vollendung. Doch bei Jünger gibt es keine einfache runde Scheibe, die er etwa in der Mitte mit einem runden Stein besetzt. Seine runden Formen sollen Idealbildern entsprechen und zugleich einem ehrlichen Eingeständnis der Unvollkommenheit, hinter dem der Glaube an Vollendung steht. So schieben sich, besonders bei frühen Arbeiten Jüngers, Teilbezirke in kreisähnlichen Formen aneinander, übereinander, gegeneinander. Um die Spannung dieses fast kosmischen Spiels zu erhöhen, verwendet er verschiedenes Material, vor allem aber unterschiedlich gestaltete Oberflächen. Kennzeichnend für die frühen Arbeiten ist das Streben nach Unmittelbarkeit und elementarer Wirkung. Und schon hier, wie könnte es anders sein, ist die Farbe tragendes Element für Jüngers glutvolle Auffassung vom Schmuckhaften überhaupt. Immer ist die Farbigkeit intensiv, stets sind es Steine oder das im Feuer geschmolzene Email, in denen er seine Farbvorstellungen realisiert. Und auch da ist ein Zusammenhang, bewußt oder unbewußt, mit romanischen Goldschmiedearbeiten zu erkennen: das gleichzeitige Neben-, bzw. Miteinander von Steinen und Email, von gegebenen und geschaffenen farbigen Akzenten. Die Nähe seiner Sakralarbeiten ist unverkennbar. Durch solche Bildungen ist es Jünger möglich, auch in seinem Schmuck immer zu bändigen, was extensiv ist, zusammenzuführen, was auseinanderstrebt. Die Konturen zeugen in ihrer Bewegtheit von der Dramatik geheimer Vorgänge.

Aus diesen Grundlagen und frühen Arbeiten entwickeln sich mit der Zeit ruhigere Kompositionen, ohne an Tiefe zu verlieren. Der geometrische Grundplan wird deutlicher, das Konstruktive gründlicher. Aber die Mittel bleiben die gleichen. Nur ist jetzt

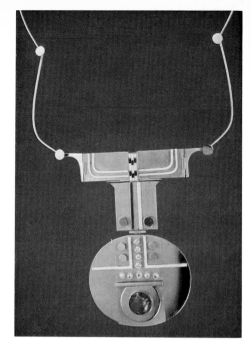

158 Halsschmuck. Silber, Weißgold, Opal, Brillanten, Perlen, siehe auch Farbtafel XIV 197

159 Skizze

84

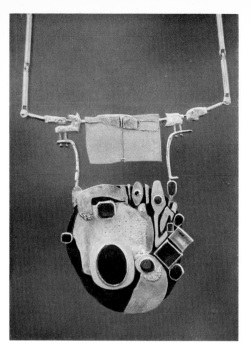

160 Halsschmuck. Gold, Silber schwarz gefärbt, schwarzer Opal, Smaragde, Türkis,
siehe auch Farbtafel XIV 198

161 Halsschmuck. Edelstahl, Weißgold,
Mondsteine, Blutsteine, Achat. 1970,
siehe auch Farbtafel XV 199

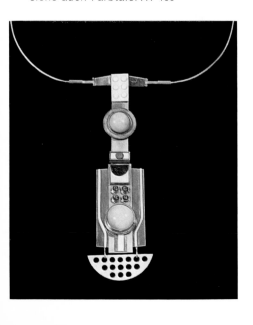

alles konzentrierter, reduziert auf wenige Details, hierarchischer in der Gliederung, symmetrischer und um ein geringes kühler. Die Ordnung ist überschaubarer, fast abzählbar geworden. Punkte und Linien, über die einzelnen Teile eines Anhängers verteilt, fügen sich zu festen Gebilden zusammen wie ein Skelett. Die Details gewinnen an Eigenständigkeit und ihre Dimensionen und Proportionen erzeugen die gleiche Spannung wie früher amorphere Formen. Nur ist der Klang strenger und klarer: aus Moll wurde Dur.

Alles hier Gesagte ist gefährlich, weil es den Anschein erwecken kann, Jünger sei ein Schematiker geworden, sein Werk und vor allem sein Schmuck sei die Erscheinung einer dürftigen intellektuellen Planung, das Ergebnis von abstrakten Überlegungen. Gerade das wäre eine völlig falsche Vorstellung von Hermann Jünger. Er schöpft aus dem Vollen, ohne dem Überfluß zu verfallen, er blüht in glutvollen Farben, ohne vegetativ zu sein, er variiert ein Grundthema, ehe er zum nächsten geht, aber er wiederholt sich nicht.

Um aber nicht das Bild von einem, „den die Götter lieben" (und dem deshalb alles in den Schoß fällt) aufkommen zu lassen, ist es gut, von ihm zu erfahren, was ihm Sorgen macht und womit er sich herumschlagen muß. Mancher wird erstaunt sein, daß zum mindesten die ersten Probleme so einfach zu sein scheinen, primitiv fast für den, der meint, der Geist schaffe es allein.

„Das Problem ist," heißt es da ganz nüchtern, „daß es einem gar nicht gelingt, einen Schmuck zu machen, der die Leichtigkeit und fröhliche Verspieltheit hat, die der gute verkäufliche Modeschmuck haben sollte. Das ist eine Kunst für sich! (Dies wirklich ohne Ironie und Arroganz gesagt.) ... In der Praxis der Werkstatt bleibt die immer neue Schwierigkeit, eine bestimmte formale Vorstellung in das widerstrebende Material zu übersetzen: Welche Möglichkeiten gibt es, eine feine weiße Linie auf einem Schmuckstück zu realisieren? Wie kann man eine im Augenblick als richtig empfundene Metallfarbe über die notwendigen Lötungen erhalten? Bis zu welchem Punkt lassen sich formale Leichtigkeit und eine notwendige Stabilität vereinen?"

Dieser kleine Blick hinter die Kulissen oder besser in die Wirklichkeit der Werkstatt läßt leicht erkennen, warum die mittelalterlichen Goldschmiede ihrem Schutzheiligen, St. Eligius, immer eine Kerze anzündeten, wenn es schwierig wurde. So werden mancherorts die Kerzen nie verlöscht sein.

Aus der idealistischen Erkenntnis der Wichtigkeit guten Schmucks zu annehmbaren Preisen für die Allgemeinheit, besonders für die Jugend, hat sich Jünger, der immer nur Unikatschmuck schuf, vor kurzem mit großem Einsatz an Geist, Arbeit und Geld daran gemacht, solchen aus Kunststoff zu gestalten. Auch darüber berichtet er in aller Offenheit:

„Eigentlich seit den Tagen des Symposiums in Jablonec und meinen anschließenden fehlgeschlagenen Versuchen beschäftigt mich das wirklich aktuelle Problem sehr (Anm. des Verf.: Gemeint ist meine Veröffentlichung ‚Schmuckgestaltung als soziales Problem'). Die Konsequenz daraus war und ist immer noch der V-Schmuck-Versuch zusammen mit Herrn Möller (V-Schmuck ist vervielfältigter künstlerischer Schmuck, analog den Druckgraphiken von Malern und Bildhauern). Ein Jahr lang haben wir jetzt sehr viel Zeit und leider noch mehr Geld in diese Idee investiert, einen relativ billigen Serienschmuck für junge Leute herzustellen, der der Form nach ein wenig besser sein sollte als der übliche Mode- oder Industrieschmuck. Das Resultat ist so niederschmetternd, daß wir jetzt damit finanziell am Ende angelangt sind. Sicher spielt das Ungewohnte eine große Rolle, ein Zustand, dem die Industrie mit massiver Werbung zu begegnen weiß ... Ich beschäftige mich erst einmal wieder intensiver und etwas reumütig bedauernd mit dem sog. individuellen Schmuck. Vielleicht aber ist das letzte Wort noch nicht gesprochen."

162 Brosche. Gold mit verschiedenen Steinen,
Perlen und Email

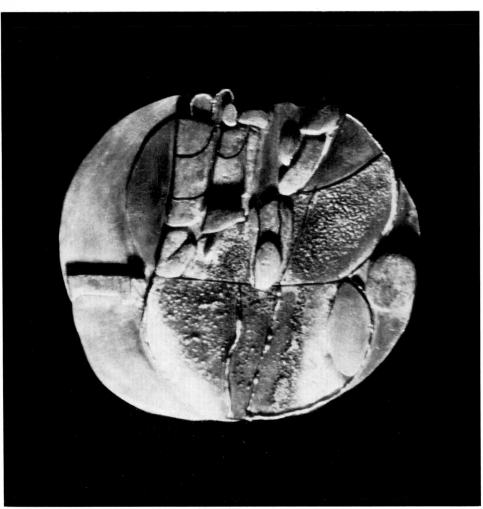

163 Brosche. Gold und Silber

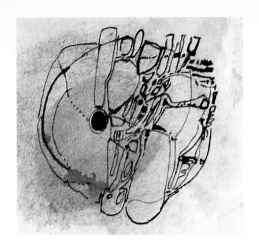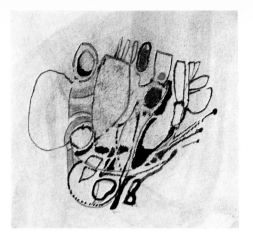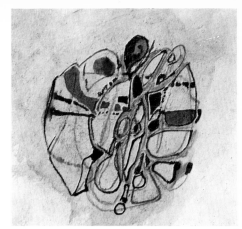

164–166. Drei Skizzen für Broschen

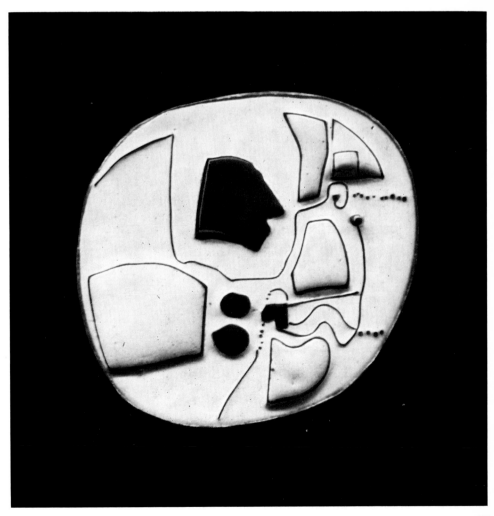

167 Brosche. Gold mit weißem, rotem und
    schwarzem Email

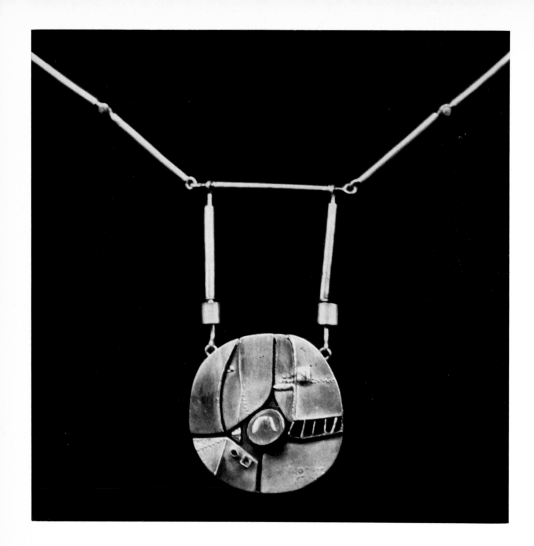

168 Halsschmuck. Gold, Chrysopras, Brillant

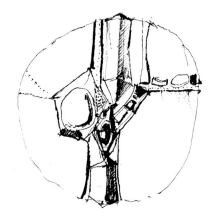

169 Skizzenblatt 1965

Othmar Zschaler

1930	geboren in Chur, lebt in Bern
1946–50	Lehre als Goldschmied
seit 1960	eigenes Atelier mit Werkstatt in Bern
1968	Teilnahme am 1. Symposium für Silberschmuck in Jablonec (CSSR) Tätigkeitsbereich: sakrales Kultgerät, Unikat-Schmuck

BETEILIGUNG AN AUSSTELLUNGEN:
an vielen in- und ausländischen Ausstellungen u.a. in Bern (Kunstmuseum 1957), Zürich (Neuer Schmuck 1960), Bern (SWB-Form-Forum 1962), USA (Wanderausstellung 1960), München (Leistungsschau der Internationalen Handwerksmessen 1964–70), Darmstadt (Internationaler Schmuck im Hessischen Landesmuseum), Rotterdam (Museum Boymans van Beuningen 1964/65), Darmstadt (Schmuck von Bildhauern und Malern 1967), Schmuckmuseum Pforzheim (Tendenzen 1967/69), Stockholm (Gruppenausstellung bei Nordiska Kompaniet 1967)

EIGENE AUSSTELLUNGEN:

1958	Galerie T. Brechbühl Grenchen
1962	Galerie T. Brechbühl Grenchen
1963	Galerie teo jakob Bern und Genf
1964	Galerie T. Brechbühl Grenchen
1968	Werkform München
1969	Galerie Lalique Berlin
	Galerie 57 Biel

AUSZEICHNUNGEN:

1957–59	Eidgenössisches Stipendium für angewandte Kunst
1967	Bayerischer Staatspreis (Goldmedaille)

MUSEUMSANKÄUFE:
Hessisches Landesmuseum
Schmuckmuseum Pforzheim
Muzeum skla a Bizuterie Jablonec

Das Goldschmiede-Handwerk in der Schweiz hat einen vergleichsweise guten Leistungsquerschnitt aufzuweisen, wie sich die Schweiz überhaupt dadurch auszeichnet, daß die Umweltgestaltung in der Breite hohe Qualität hat. Othmar Zschaler kommt aus dem Handwerk. Seine handwerklichen Grundlagen sind so gut, so beherrscht und sicher, daß es unangebracht erscheint, ihn zum Kunstgewerbe zu zählen. Er hat – im Gegensatz zu allen bisher hier aufgeführten Schmuckgestaltern – keine Kunstschule besucht, ist also künstlerisch ein Autodidakt. Seine ausgesprochene Eigenständigkeit und die Qualität seiner Arbeiten zeugen von großer schöpferischer Begabung. Anerkennung und hoher Rang innerhalb der heutigen Schmuckgestaltung sind ihm berechtigterweise zuteil geworden. Er ist nicht nur ein großer Könner und vitaler Schöpfer, er ist seiner Natur nach dem Schmuck in besonderer Weise verhaftet. „Ich liebe es, Schmuck zu machen und es ist das einzige, was ich einigermaßen kann" sagt er bescheiden von sich selbst.

Zschalers Schmuck, der hier ja im Mittelpunkt seines Porträts stehen soll, weist in allen seinen Schaffensperioden die gleichen Merkmale auf: Die groß gesehene Gesamtform ist reich gegliedert, sie wird durch Oberflächenstruktur, Materialbehandlung und -zusammenstellung und den Kontrast Fläche–Linie immer ganz deutlich charakterisiert. André Kamber bemerkt deshalb mit Recht: „Die Schmuckwirkung (bei Zschalers Arbeiten) ist doppelt, sie umfaßt Fern- und Nahwirkung." (Der Goldschmied Othmar Zschaler, „Werk" Heft 12, Dezember 1967.)

Zu Beginn seiner selbständigen Tätigkeit arbeitet Zschaler vor allem mit Silber, zu dem er hie und da auch Stahl verwendet. Denn der Anfänger verfügt weder über die nötigen Mittel, noch über den Kundenkreis, die es ihm erlauben, Materialwerte zu investieren, die unter Umständen längere Zeit brach liegen müssen. Aber die Einbeziehung von Stahl am Anfang seines Schaffens hebt ihn zudem aus den üblichen Vorstellungen des Publikums und der handwerklich traditionell ausgerichteten Goldschmiede heraus.

Material bedeutet ihm noch etwas anderes als sein kommerzieller Wert. Den sich nun bereits gefestigten Vorstellungen der „Modernen" ist er auch ohne Kunstschul-Studium auf das Engste verbunden. Sein freundschaftlicher Kontakt mit vielen bildenden Künstlern – Malern, Bildhauern und Architekten – wird ihm nicht nur zur Informationsquelle über die künstlerischen Strömungen der Zeit, sondern führt auch seine eigene Arbeit zu dieser von ihm in so klarer Weise vertretenen Formauffassung. Er kommt dann bald und gern zum Gold und zu Steinen, die er in Cabochon- und in Tafelschliff als farbige Kontrapunkte einzusetzen weiß. Die gleichzeitige Verwendung von Gold und Silber in einem Schmuckstück gibt ihm die Möglichkeit, Kontraste im metallischen Bereich zu belassen, ihnen die Härte der Materialverschiedenheit zu nehmen und die Differenzierung ganz auf den Wechsel von warm und kalt zu beziehen. In jüngerer Zeit, besonders seit seiner Begegnung mit Kollegen aus den verschiedensten Ländern Europas beim Symposium „Silberschmuck" in Jablonec 1968, findet er für seine Vorstellungen auch andere Werkstoffe, sog. unechte wie Kupfer, Eisen, aber auch Schiefer und Holz. Damit wird die Palette um vieles reicher und vielleicht etwas rustikaler.

Bei alledem bewahren seine Schmuckgestaltungen stets die Sorgfalt in der Bearbeitung, welche Technik auch immer zur Anwendung kommen mag. Wie es scheint, macht ihm die Technik keine Kopfschmerzen. Mit souveräner Sicherheit reicht hier sein meisterliches Können vom Montieren bis zum Treiben, vom Gravieren bis zum Gießen und – wie selbstverständlich – auch über alle Möglichkeiten, die Oberflächenbehandlung als aktives Gestaltungsmittel zur Steigerung der Form einzusetzen. Es ist wiederum bezeichnend für den ganz aus dem Handwerk Kommenden, daß er nicht, wie es doch dort üblich war und vielerorts noch ist, technische Manipulationen um ihrer

170 Halsschmuck. Gold mit Steinen, siehe auch Farbtafel XVI 200

90

selbst willen betreibt. Ob goldene Flächen rauh und silberne poliert sind (dies nur als Beispiel), steht stets im engen Zusammenhang mit der jeweiligen Komposition und der Formabsicht.

Vorherrschend in seinen Schmuckgebilden, besonders bei Broschen, Armbändern und Anhängern, ist das Flächige. Die Spannweite seiner schöpferischen Intuitionen zeigt sich in der Vielfalt dieser Flächenkompositionen: selten geschlossen, häufig gespalten, geschnitten, geschichtet und fast immer reich gegliedert, entbehren seine Stücke trotz des flächigen Gesamtcharakters nie der Räumlichkeit. Manchmal erreicht er diese durch die Cabochonform der Steine, ein andermal durch leicht gewölbte Metallflächen, die, in die gesprengten ebenen Flächen eingesetzt, aus diesen gerade so weit heraustreten, daß die Einheit nicht gestört wird; dann wieder verwendet er lineare Elemente, etwa hochkant stehende Metallstreifen, deren Richtung oft eine perspektivische Wirkung erreicht (natürlich ohne beabsichtigte perspektivische Darstellung) oder auch den dynamischen Kontrast zu den ruhigen Flächen darstellt. Typisch für Zschaler ist die Benutzung von Schnitt- und Trennungskanten, z.B. zwischen zwei Metallen, als graphisches Gestaltungselement. Diese Wirkung wird noch verstärkt durch ein sehr geringes Auseinanderziehen der beiden Teile, also durch das Einfließenlassen von Luft, von negativer Form, zwischen die materiellen Teile.

Es bedarf keiner besonderen Erwähnung mehr, daß derartig charakterisierte Formen reiche Konturgestaltung bedingen. Auch da, wo Zschaler eine Grundform, ein Quadrat oder eine Kreisfläche, möglichst ungestört erhalten will, steigert er ihren geschlossenen Charakter durch Unterbrechung der Umrisse, indem er z.B. Steingruppen überstehen, positive Schmuckformen (Kügelchen) heraustreten oder negative Formen hineinschneiden läßt.

Bei seinen Anhängern ist häufig ein klarer Dreitakt zu erkennen: größere rundliche Form (eventuell Kreis oder Halbkreis) – längliche eckige Form (hochgestelltes Rechteck) – kleinere runde Form (plastischer Stein). Durch die lineare und flächige Gliederung, die sich über alle, oder nur über die beiden oberen Teile zieht, wird das ganze organisch zusammengezogen. Zschalers Formvorstellungen kommen in der Regel aus ihm selbst. Sie sind das Ergebnis intensiver Formstudien, die in Skizzen oder Modellen bis in die Details durchgeführt werden. Deshalb ist es verständlich, wenn er sagt: (ich arbeite) „am liebsten für Menschen, die mir vertrauen und freie Hand lassen. Das ist für sie und mich das Beste und das gibt es, Gott sei Dank, immer mehr."

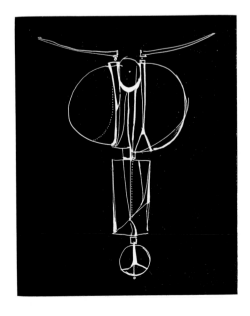

171 Schmuckzeichnung

172 Bronzerelief (Taufbeckendeckel).
Durchmesser 45 cm. 1969

92

173 Brosche. Gold mit Rubin. 1967

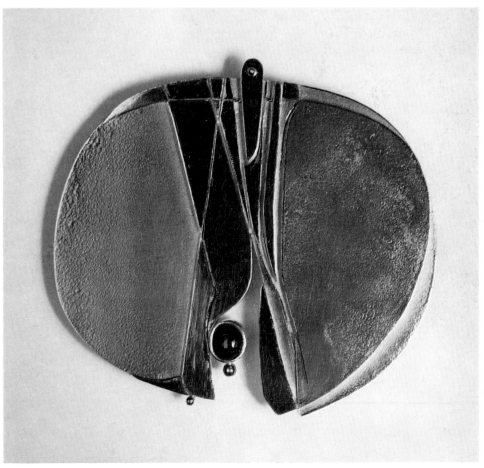

174 Brosche. Gold mit Rubin. 1969

175 Brosche. Gold mit Lapislazuli. 1967

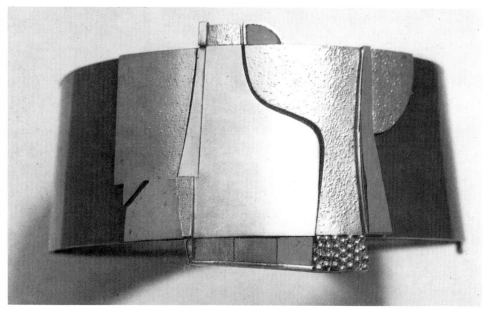

176 Brosche. Gold, Silber, Lapislazuli. 1969

177 Brosche. Gold mit Saphir. 1968

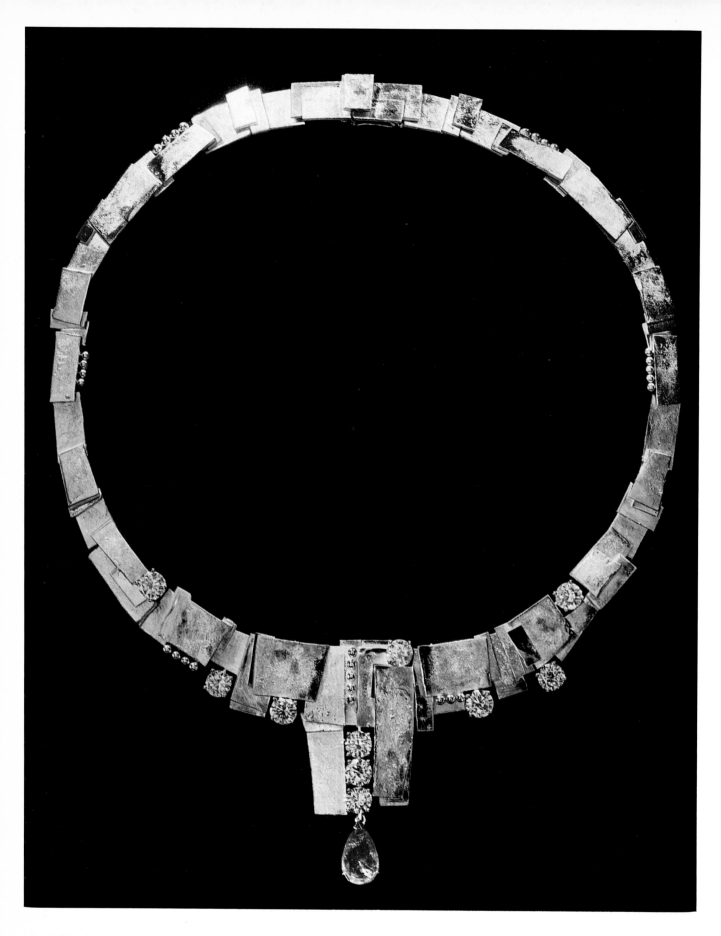

179 Collier. Gold mit Brillanten und
    Smaragden. 1966

180 Reinhold Reiling. Halsschmuck, Gold und
Silber, Rubin, Brillanten, Granat

181 Reinhold Reiling. Armreif, Gold mit
Brillanten

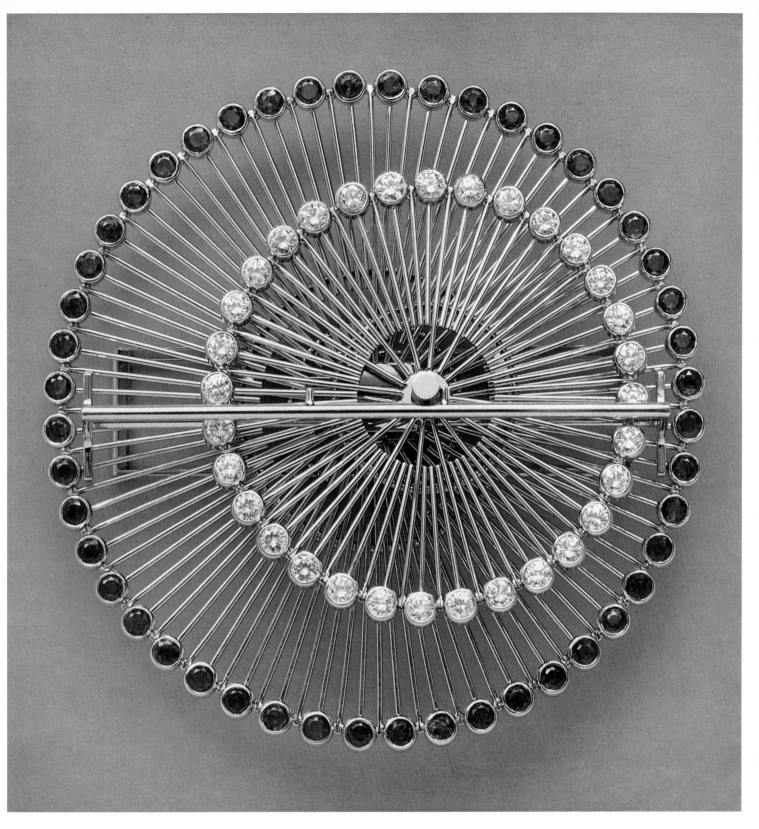

183 Friedrich Becker. Speichenrad, kinetische
Brosche, mit Brillanten und Saphiren

184 Bruno Martinazzi. Armreif, Gold und
    Silber

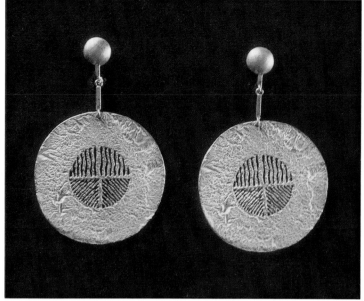

185 Ebbe Weiss-Weingart. Ohrschmuck, Gold

186 Ebbe Weiss-Weingart. Ohrschmuck, Gold

187 Ebbe Weiss-Weingart. Halsschmuck,
Gold mit Barockperlen

188 Ebbe Weiss-Weingart. Brosche, Gold

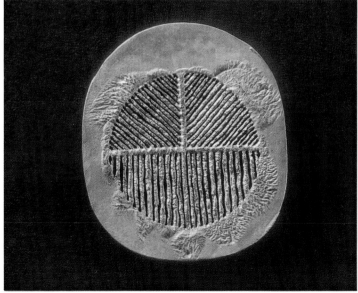

XI

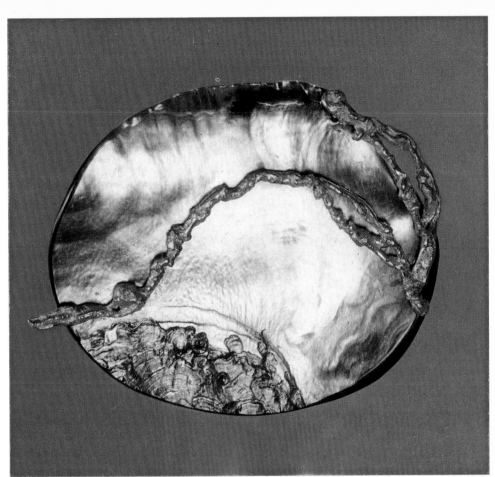

189 Ebbe Weiss-Weingart. Brosche, Acrylglas mit Goldmaske

190 Ebbe Weiss-Weingart. Brosche, Acrylglas mit Feingold

191 Ebbe Weiss-Weingart. Brosche, Muschelausschnitt mit Gold

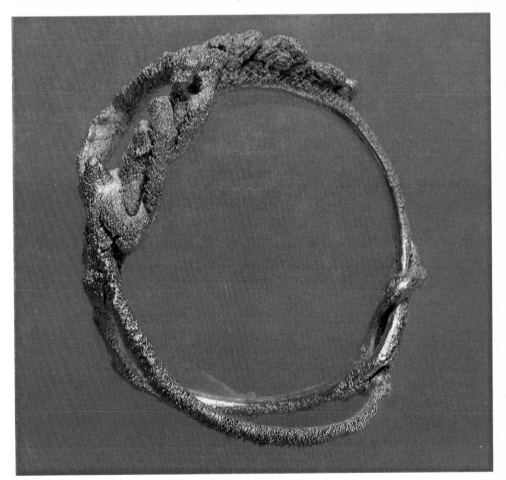

192 Ebbe Weiss-Weingart. Oberarmreif, Gold

193 Klaus Ullrich. Brosche, Gold und Stahl
mit Lapislazuli

194 Klaus Ullrich. Brosche, Stahl mit Gold
und Lapislazuli

195 Klaus Ullrich. Anhänger, Gold mit Elfenbein und verschiedenen Steinen

196 Klaus Ullrich. Ring, Gold mit Opal

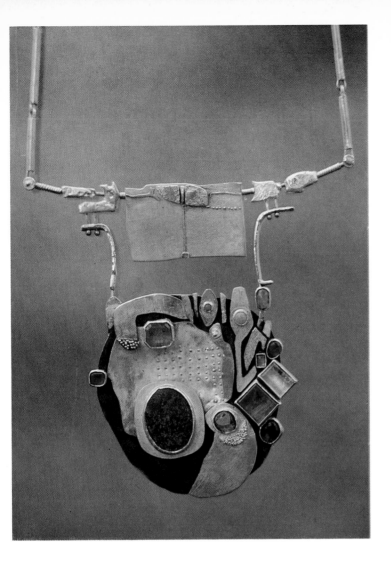

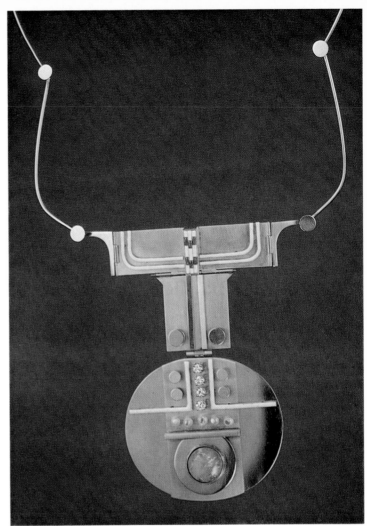

197 Hermann Jünger. Halsschmuck, Silber,
Weißgold, Opal, Brillanten und Perlen

198 Hermann Jünger. Halsschmuck, Gold,
Silber, Opal, Smaragde und Türkis

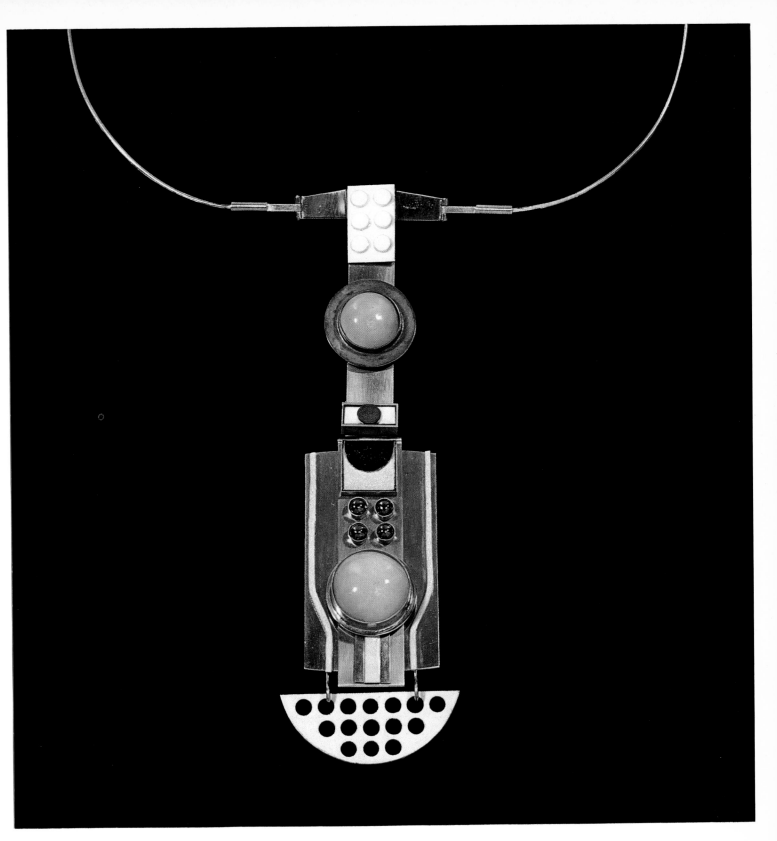

199 Hermann Jünger. Halsschmuck, Edelstahl, Weißgold, Mondsteine, Blutsteine
und Achat

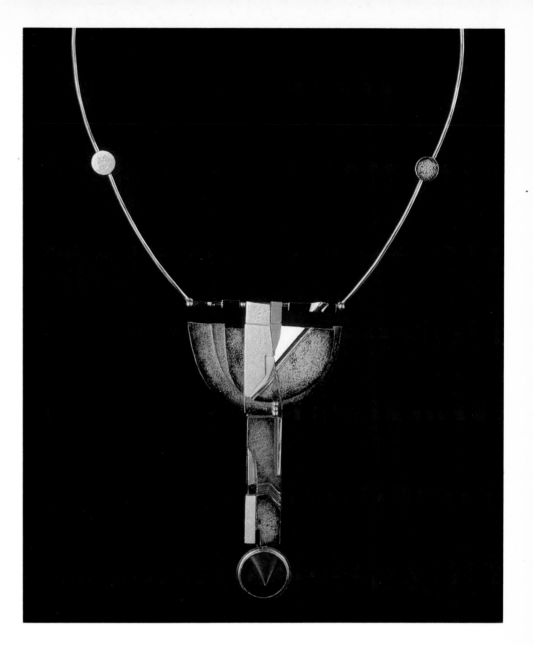

B. Eshel.

Bianca Eshel-Gershuni

1932   geboren in Bulgarien
            lebt seit 1939 in Israel
1957–63   Kunststudium am Avni-Institut
            in Tel Aviv, Studienfächer Zeichnen
            und Skulptur, danach Schmuck-
            gestaltung als Autodidaktin

BETEILIGUNG AN AUSSTELLUNGEN:
an verschiedenen Ausstellungen in Israel und
im Ausland vertreten (besonders USA und
Bundesrepublik), veranstaltet durch die Gruppe „Zehn Plus" und das „Israel-Export-Insti-
tut". Auf Einladung in Pforzheim (Tendenzen
67 und 70). Seit einigen Jahren regelmäßig in
München, Internationale Handwerksausstellung, Sonderschau

AUSZEICHNUNGEN:
1968   Erster Preis für Schmuck
            Israel-Export-Institut
1970   Dritter Preis für Schmuck
            Israel-Export-Institut
            Bayerischer Staatspreis München
            (Goldmedaille)

MUSEUMSANKÄUFE:
Schmuckmuseum Pforzheim

Während eines Vortrags vor israelischen Goldschmieden 1965 in Tel Aviv fiel mir eine junge Dame auf, die den Ausführungen mit besonderer Aufmerksamkeit folgte. Die schmale Gestalt war sehr einfach, fast zu streng gekleidet, das Haar kurz geschnitten. Um den Hals trug sie an einem langen Lederriemen einen silbernen Anhänger von ungewöhnlicher Form. Solchen Schmuck hatte ich – das fiel mir beim Sprechen gleich ein – einige Tage zuvor in einer Galerie gesehen. Er paßte zu dieser Dame außerordentlich gut und unterstrich die Schmucklosigkeit ihres Kleides.

Die Dame war Bianca Eshel-Gershuni und den Schmuck hatte sie selbst gemacht. Einige Tage später saß ich in ihrer Wohnung. Ihre Mutter, eine geborene Bulgarin, half als Dolmetscherin. Das Gespräch wurde in Ivrit, Deutsch, Französisch und Bulgarisch geführt. Das entsprach genau der Situation und der Eigenart des Raumes, in dem wir saßen: zugleich Wohnraum und Atelier; zu einigen alten Möbeln moderne Plastiken, an den Wänden große Zeichnungen, unter denen figürliche Studien besonders auffielen. Es sind Arbeiten von Bianca Eshel aus der Zeit ihres Studiums an einem Kunstinstitut in Tel Aviv. Warum sie Plastik und Graphik aufgegeben hat, ist mir zuerst nicht ganz klar geworden; ihre Arbeiten jedenfalls zeigen hohes Niveau und verraten auf den ersten Blick eine große Begabung. Ohne jede akademische Konvention sind sie ganz gegenständlich orientiert und die Fülle der Formen läßt auf eine eigenartige Vitalität der Autorin schließen. In einer Nische am Fenster hat sie sich einen Arbeitsplatz eingerichtet. Der Schmuck, der dort entstanden war, hängt ornamental geordnet an der Wand. Um diesen Schmuck, der mir schon in der Galerie und an ihr selbst während des Vortrags aufgefallen war, dreht sich unser Gespräch. „Ich mache allen Schmuck nur für mich selbst", sagt Bianca Eshel, „Sie haben ja gesehen, daß ich ihn trage. Wenn dann jemand kommt und ein Stück haben will, fällt es mir sehr schwer, mich davon zu trennen."

Bianca Eshel ist geborene Bulgarin und Jüdin; bereits als Kind kam sie nach Israel. In ihr verbindet sich das Erbe ihres alten Volkes mit der großartigen Kultur Altbulgariens, in der sich Antike und Asien mit slawischen bodenständigen Formen mischen und über Jahrhunderte hinweg eine blühende Goldschmiedekunst lebendig war. „Les trésors d'art des terres bulgares", von denen einiges im Museum von Plovdiv zu sehen ist, zeigen Reichtum der Formen an Goldschmuck und goldenen Geräten einer vitalen, barbarischen Frühzeit über antike und syrisch-persische Einflüsse bis zum Byzantinismus des bulgarischen Mittelalters.

Dieser untergründige Fundus mag die junge Bildhauerin und Zeichnerin Bianca Eshel veranlaßt haben, sich autodidaktisch dem Schmuck zuzuwenden. In dieser ersten Periode ihres Schmuckschaffens verwendet sie ausschließlich Silber, vor allem in Form von Drähten. Sicher war die frühe Hinneigung zum Draht nicht vordringlich technologisch bedingt. Hier kommt die Zeichnerin zum Zuge. Die Windungen und Biegungen des Silberdrahtes, die möglichen Überschneidungen, aber auch schon die Veränderung der Form durch nachträgliches Überschmieden, bzw. Bearbeiten mit dem Hammer benutzt sie, um ihre graphischen Vorstellungen mit raumbildender Plastizität und metallischen Wirkungen zu vereinen. Für ihre vitale Phantasie sind die unmittelbaren Formvorgänge Veranlassung zu neuen elementaren Dichtungen im wahrsten Sinne des Wortes, zu Verdichtungen der Silberlinien, Betonung der Verknotungen durch Verschweißen und Schmieden und zu sparsamen Zutaten farblicher Reize. Bei den Händlern auf dem Basar in Jaffa entdeckt, liegen dann in Kästchen anscheinend wahllos nebeneinander Glasperlen und alte Münzen, geschnittene Steine und ornamentale Naturgebilde. Was sie so zusammentrug, wird eines Tages den Schmuckgebilden beigegeben, den Silberdrahtbroschen angehängt.

Dieser Schmuck muß auffallen, besonders in Israel, wo die Berufsgoldschmiede hochwertigen, aber völlig traditionsgebundenen, die „Kunstgewerbler" folkloristischen und

201 Armreif. Gold, Perlen und Korallen, siehe auch Farbtafel XVII 303

unschöpferischen Schmuck produzieren. Auf der Grundlage hoher Begabung und einer bildhauerischen und zeichnerischen Ausbildung hat die Autodidaktin etwas ganz Ursprüngliches geschaffen, das vielleicht am Anfang barbarisch (im positiven Sinne) oder nur elementar in Ausdruck und Form ist, aber immer hohe künstlerische Qualität und ungewöhnlichen Formensinn beweist.

Die zweite Epoche ihres Schaffens ist durch zwei Merkmale gekennzeichnet: einmal durch die Verwendung von Gold, das sie ebenso souverän und eigenartig bearbeitet wie ehedem das Silber, zum andern durch eine Formensprache, die alle Strenge und Härte der Frühzeit überwunden hat und reines Blühen und sprühende Freude ausstrahlt. Ohne sich selbst untreu zu werden, entwickelt Bianca Eshel ihre Träume von Schönheit und Glück in ihrem Goldschmuck. Sie verbindet auf unverkennbar eigenständige Weise das sichere und erfindungsreiche plastische Empfinden der Bildhauerin und das differenzierte Gefühl für Linie und Farbe der Malerin und Zeichnerin mit dem wesentlichen Faktor des Schmucks, dem Schmuckhaften selbst. Ihre Schmuckstücke sind Blumensträuße aus Gold und Perlen und Edelsteinen. Das Gold ist lebendig durch die unorthodoxe Bearbeitung, es bleibt schmuckhaft, weil seine Verwendung nie kommerzielle Absichten empfinden läßt. Ebenso ist es bei den Steinen und Perlen und anderen schmückenden Zutaten: Sie bleiben farbige und belebende Tupfer und Akzente, ihr Wert liegt allein im Ästhetischen. Es bedeutet für Bianca Eshel-Gershuni kein Mit-Machen einer Kunstrichtung, wenn sie in ihren Schmuck naturalistisch geschnittene kleine Blumen aus Stein einfügt; sie sind nur ein Zeichen ihrer eigenen Entwicklung von der Mystik zur Ästhetik, vom Idol oder Amulett zum blühenden, fraglosen Schmuck.

Bianca Eshels Beitrag zum Neuen Schmuck ist groß und bedeutend. Er ist besonders wichtig, weil er zeigt, daß auch heute „blühender" Schmuck realisiert werden kann, sogar mit naturalistischen Formelementen, ohne darum unschöpferisch oder konventionell zu sein, noch modisch, spekulativ oder gar provokativ sein zu müssen. Er ist wichtige formal-ästhetische Bereicherung des gesamten heutigen Schmuckschaffens, obwohl er wegen seiner Eigenart und der unbedingten Zugehörigkeit zur Person der Autorin vielleicht anregend, aber nie nachahmbar ist. Abgesehen von seiner hohen künstlerischen Qualität jedoch liegt seine größte Bedeutung in der hier und jetzt sichtbar gewordenen Überwindung der Angst durch die Freude.

202 Armreif. Gold, Perlen und Korallen,
siehe auch Farbtafel XVII 303

204 und 205. Armreif. Gold, Jade, Türkise und geschnittene weiße Koralle, siehe auch Farbtafel XVIII 304

206 Anhänger an schwarzen Schnüren.
Gold, Perlen, geschnittene Lapislazuli,
siehe auch Farbtafel XVIII 305

207 Ring. Gold mit Perlen und grünen
Turmalinen

208 und 209. Ring. Gold mit verschiedenfarbi-
gen Perlen

210 Doppelring. Gold mit Perlen

Björn Weckström

1935	geboren in Helsinki
1956	Abschlußexamen an der Gold-schmiede-Fachschule Helsinki
seit 1956	freischaffend tätig in Helsinki
seit 1963	Designer der AG Lapponia Jewelry Ltd.

BETEILIGUNG AN AUSSTELLUNGEN:
an vielen Ausstellungen in zahlreichen europäischen Ländern, in Nordamerika und Australien

EIGENE AUSSTELLUNGEN:
1961, 1962, 1966 Helsinki
1963   Kopenhagen
1967   Göteborg

AUSZEICHNUNGEN:
1959   Zweiter und Dritter Preis im Besteck-Design-Wettbewerb der Firma Hackmann
1962   Zweiter Preis im Schmuck-Design-Wettbewerb des finnischen Goldschmiede-Verbandes
1964   Ankauf im Norstaal-Wettbewerb
1965   Grand Prix im Internationalen Schmuck-Designer-Wettbewerb Rio de Janeiro
1967   Verdienstmedaille Nr. 22 des finnischen Goldschmiede-Verbandes
1968   Lunning-Preis

MUSEUMSANKÄUFE:
1961   Goldsmiths' Company London, Ring „Satulinna"
1967   Röhsska Konstslöjdsmuseet Göteborg, Ring „Nike"

„Eigentlich wollte ich ja Bildhauer werden." Aber für seine Familie war „Künstler" kein ordentlicher Beruf. Da wurde er Goldschmied – und trotzdem Künstler.

Die Goldschmiede-Fachschule, damals noch in Helsinki, vermittelte ihm die wesentlichen Grundlagen: Techniken und Fachwissen. Vergleicht man das zwar wichtige, aber doch nur allgemeine und für alle Schüler gleiche Rüstzeug für den Beruf mit dem, was Björn Weckström bereits heute vorzuweisen hat, kann man nur sagen, er ist eine wirklich große Begabung, ein Naturtalent, das kein Einspruch an der Erfüllung seiner Berufung hindern konnte. Er ist im besten Sinn ein Selfmademan, in seiner Bildung wie im Bereich seiner Kunst; er spricht neben finnisch und schwedisch auch englisch, französisch und deutsch, und seine Bedeutung als Schmuckkünstler wie auch als Schmuck-Designer (wenn man da einen Unterschied machen will) ist unbestritten.

Er läßt sich mit Katzen photographieren, denn er liebt ihre Geschmeidigkeit, ihren Eigensinn und ihre Unbestechlichkeit. Eigenschaften, die auf ihn selbst zu passen scheinen. Seine schmale, schlanke Gestalt, immer im hellen oder dunklen gemusterten Samtjackett, bewegt sich katzenhaft; seine Hände sind feingliedrig und begleiten mit lebhafter Gebärde sein temperamentvolles Gespräch. Soviel Ausdruckskraft kann nur ein dynamischer Charakter entwickeln. Diese Grundtendenz bestätigt sich auch in jedem Stück seines umfangreichen Schmuck-Werkes. „Ich liebe die Natur, besonders die des hohen Nordens. Oft gehe ich nach Lappland, oft bin ich in den Felsbergen, an den stürzenden Wasserfällen, und im Sturm auf dem Wasser. Die Strukturen der Gesteine und der Baumrinden gleichen in ihrer wilden Ornamentik den brausenden Wassern. Überall ist die Dynamik einer um ihre Existenz ringenden Natur." Die ihm eigene Zähigkeit ließ ihn doch Bildhauer werden. Die elementare plastische Begabung springt bei jedem seiner Werke deutlich ins Auge. Er ist ein echter Plastiker in den Mini-Objekten des Schmucks, denen immer echte Monumentalität zugrunde liegt. Zwei wesentliche Erscheinungen zeichnen seinen gesamten Schmuck aus: Wölbungen und Faltungen, sei es in Metall oder Kunststoff, in dynamischer Komposition. Sie können plötzlich abbrechen, haben harte, klar geschliffene Kanten und machen so die Weichheit des Gewölbten kontrastierend stark und kräftig. Die Granitfelsen Finnlands, vom Eis glatt geschliffen und im Druck innerirdischer Bewegungen geborsten, haben hier ihre völlig unnaturalistische künstlerische Bewältigung erfahren. Diese vom Urproblem des Bildhauers, Masse und Bewegung, ausgehende Vorstellung steigert Weckström bis zu Formen, die zu schweben, zu rotieren scheinen. Hier unterstreicht er die explosive Dynamik durch den Kontrast mit der menschlichen Figur, die er einzeln oder paar- und gruppenweise in winzigen Dimensionen den nun gewaltig erscheinenden abstrakten Metall- oder Kunststoff-Formen beigesellt. So entstehen Ringe wie „Jaaras Traum" oder „Tanz in der Galaxie", Broschen wie „Fremder auf der Io" oder die Anhänger „Barbarella" und „Am Vogelnest". Aber auch ohne Kontrastierung mit dem Figürlichen findet Weckström viele Möglichkeiten, seine dynamisch-plastischen Empfindungen auszudrücken, vor allem im spannungsvollen Miteinander von Metall und Kunststoff. Wieder geht er von der Natur aus: Eiszapfen, die starr und bewegt zugleich zwischen den Felsen hängen, regen ihn mit ihrer inneren Brillanz und äußeren Rundung an. Die Anhänger „Eisherz" und „Eistropfen", der Ring „Der Mann" machen schnell deutlich, was gemeint ist.

Neben diesen Schmuckgebilden, deren Grundtenor das Dreidimensionale ist, stehen lange Zeit jene, die durch die Struktur der Oberfläche und die Komposition mehr oder weniger bizarrer Flächen charakterisiert sind. Struktur ist für Weckström kein modernistisches Reizmittel, mit dem man abgegriffene Formen „beleben" kann. Seine enge und direkte Beziehung zur Natur bewahrt ihn davor, sich selbst hier untreu zu werden. In den ersten Jahren seines Schaffens gibt es bei ihm nur Einzelstücke, von denen jedes seine ganz persönliche Handschrift trägt. Meistens sind diese Unikate aus Gold, sel-

213 Anhänger. Gold gegossen mit Turmalin-Kristallen, siehe auch Farbtafel XIX 306

214 Halsschmuck. Gold mit Turmalinscheiben, siehe auch Farbtafel XIX 307

ten mit einer Zugabe von Steinen oder Perlen, schon eher von Mineralienstückchen.
An kleinen Gold-Nuggets, die er selbst in den Bächen Lapplands herausgewaschen
hat, fand er Anregung, läßt sich immer wieder inspirieren zu einer Gestaltung des Goldes, die frei von Effekten und kommerzieller Spekulation bleibt. Auch diesem Schmuck
hat er Namen gegeben, die treffend und verständlich die Poesie verdeutlichen, die ihn
geheimnisvoll und hintergründig erfüllt: die Brosche „Inkasonne", die Anhänger
„Opferstein", „Nymphenauge", „Kaltio", „Blühende Mauer", die Ringe „Mooskissen"
und „Diamantstadt".

216 Brosche „Inka-Sonne". Gold mit Turmalin-Kristallen; Design Weckström,
Hersteller Lapponia Jewelry Helsinki

217 Ring „Jaaras Traum". Sterling Silber;
Design Weckström, Hersteller Lapponia
Jewelry Helsinki

218 Anhänger „Eistropfen". Sterling Silber,
Acrylglas im Innern farbig, siehe auch
Farbtafel XX 308

„Schmuck ist für mich Skulptur, Skulptur mit menschlichem Hintergrund. Auf dieser
Linie spiegelt sich eine Natur, die man gewöhnlich nicht sieht." Damit dokumentiert
Weckström sehr deutlich, daß er kein verhinderter Bildhauer ist, sondern ein
Schmuckgestalter mit großem plastischen Empfinden. Er will, daß sein Schmuck zum
Menschen gehört wie Blumen und Blüten, Moos und die Flechten darin, und letzten
Endes auch das Mineral, das der, der es findet, beglückt in der Hand trägt. Den Willen
zu schmücken und möglichst viele Menschen damit zu erfreuen, bekundet sein Entschluß, außer Unikaten auch Serienschmuck zu machen, Designer zu werden. „Ich
möchte, daß viel mehr Menschen diesen Schmuck tragen können. Darum will ich, daß
er seriell produziert wird." Auf die Frage, ob er keine Probleme der Vervielfältigung
einer so handschriftlich bestimmten Schmuckform fürchtet, lacht er freimütig: „Nein,
eine Form soll so stark sein, daß sie das aushält. Außerdem gibt es keine von der Ma-
schine ersonnenen Schmuckformen. Auch Serienschmuck ist ein Produkt menschlicher Kreation mit der Aufgabe, zu schmücken. Das ist etwas ganz anderes als zweckgebundene Gebrauchsformen zu entwerfen und zu produzieren." Erstaunlich, diese
Meinung gerade in Helsinki zu hören. Lange Zeit glaubten viele, die Finnen hätten mit
ihren nüchternen, geometrisierenden Schmuckformen die Grundlage zum „wirklichen" Serienschmuck gelegt. Wer die finnische Schmuckgestaltung im allgemeinen
und die Weckströms im besonderen untersucht, wird bald erkennen, daß die konstruktiven Schmuckformen nur ein bescheidener Teil dessen sind, was hier lebendig ist.
Jedenfalls ist Weckströms Schmuck ein nicht hoch genug zu schätzender Gegenpol.
In der Gestaltung seines neuesten Schmucks spielt Kunststoff fast immer eine bedeutende Rolle. Die gegossenen oder gespritzten Grundformen sind so programmiert,
daß sie im Innern Blasen bekommen. Diese erhöhen die Brillanz und den Eindruck des
Spielerischen und werden teilweise mit Farbe ausgelegt. Jetzt sind sie heiter und ihre
kalten Namen „Eistropfen" oder „Eiszunge" werden fröhlich wie die bunten Mützen
und Kleider der Lappen da oben im Schnee.

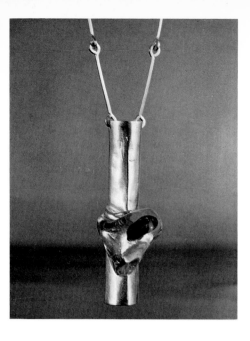

219 Anhänger „Eisherz". Sterling Silber, Acrylglas innen farbig, siehe auch Farbtafel XX 309

220 Brosche „Fremder auf der Io". Sterling Silber; Design Weckström, Hersteller Lapponia Jewelry Helsinki

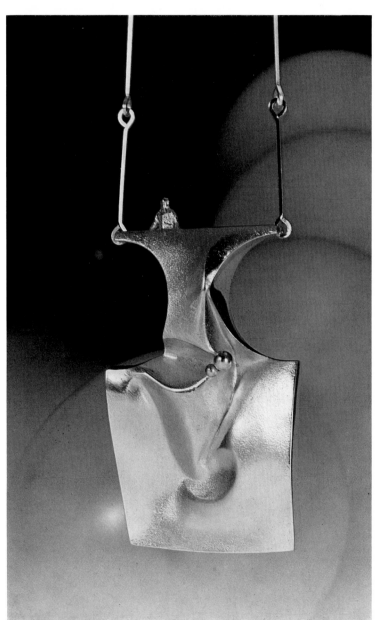

221 Halsschmuck „Barbarella". Sterling Silber; Design Weckström, Hersteller Lapponia Jewelry Helsinki

222 Ring „Der Mann". Sterling Silber und
Acrylglas; Design Weckström, Hersteller
Lapponia Jewelry Helsinki

223 Ring „Tanz in der Galaxie". Sterling
Silber; Design Weckström, Hersteller
Lapponia Jewelry Helsinki

Stanley Lechtzin

1936	geboren in Detroit (Michigan)
1956–62	Studium an der Cranbrook Academy of Art
1960	B.F.A. Wayne State University Detroit
1962	M.F.A. Cranbrook Academy of Art
seit 1962	Professor of Design, Tyler School of Art Philadelphia
seit 1957	eigenes Atelier für Schmuckgestaltung

Tätigkeitsbereich: Goldschmied und Schmuckgestalter mit eigenem Atelier;
Professor of Metal Design und Chairman Craft Department der Tyler School of Art, Temple University, Philadelphia (Pennsylvania);
Vice President Philadephia Council of Professional Craftsmen;
Gastdozent an verschiedenen Universitäten und Instituten der USA

BETEILIGUNG AN AUSSTELLUNGEN:
Zahlreiche Einzelausstellungen und Beteiligung an Gruppenausstellungen in USA, Kanada, England, Japan, Bundesrepublik (u.a. Internationale Handwerksmesse München seit 1965; „Tendenzen" Pforzheim 1967 und 1970)

AUSZEICHNUNGEN:
Viele Preise, Awards und andere Auszeichnungen für Design und Schmuckgestaltung

MUSEUMSANKÄUFE:
Museum of Contemporary Crafts New York und andere Museen

PUBLIKATIONEN:
in zahlreichen Kunst- und Fachzeitschriften

Zwei Probleme geht Stanley Lechtzin in für ihn charakteristischer Weise an: Das Wesen des heutigen Schmucks und seine Gestaltung einerseits und die Ausführung der Schmuck-Ideen und -Entwürfe andererseits. In beiden Fällen zeigt er sich als unkonventioneller Denker und Gestalter.

Da sein eigenes Schmuck-Werk in entscheidender Weise durch technologische Vorgänge bestimmt wird, soll er zunächst seine Meinung hierzu äußern. „Techniken und Werkzeuge des Goldschmieds haben sich während nahezu 500 Jahren kaum verändert; aber die Formen, welche die Goldschmiede hervorbrachten, waren einem dauernden Wechsel unterworfen."

Aus dieser grundsätzlichen Erkenntnis entwickelt Lechtzin das, was er „Electroforming" nennt. In diesem Zusammenhang interessiert uns Lechtzins Einstellung als Gestalter zu diesem Vorgang.

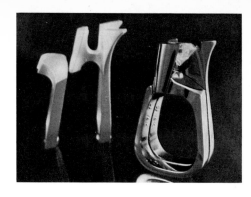

224 Ehering, mehrteilig. Gold, Rutile. 1966

Er läßt sich von der „altehrwürdigen" Geschichte der Goldschmiederei nicht mehr beeindrucken als erträglich ist, um eigene Wege zu gehen und moderne wissenschaftlich-technische Methoden wirksam einzubeziehen. „Für mich sind Techniken Ausgangspunkte; Werkzeuge regen zu Formmöglichkeiten an." Derselbe Mann, für den, wie wir noch sehen werden, Schmuck zugleich Kunstwerk ist, greift hier Grundsätze auf, die in Europa – besonders in England (Morris und seine Nachfolger) und Deutschland (Deutscher Werkbund und Bauhaus) – vor langer Zeit gepredigt wurden, die aber (vor allem in Deutschland) durch an Weltanschauung grenzende Formtendenzen vergessen oder vernachlässigt wurden. Lechtzin will großen Schmuck machen, weil er offensichtlich empfindet, in welch harter Konkurrenz die geringen Dimensionen des bisher üblichen Schmucks – soweit es sich nicht um Kronjuwelen oder dergleichen handelt – zu dem Formaufwand der Umgebung und der Kleidung stehen. Da er Steine in ihrer natürlichen Schmuckhaftigkeit ebenso liebt wie ungeschliffene Kristalle und Mineralien und beide Werkstoffe sich für seine modernen Schmuck-Konzeptionen eignen, muß er einen Weg finden, das Gewicht des Metalls zu reduzieren. „Jedes Werkzeug" – und jeder technische Vorgang, dürfen wir sinngemäß hinzufügen – „hat in seinem Bereich unbegrenzte Anwendungsmöglichkeiten."

Ohne die parallelen Experimente und bereits vorliegenden Ergebnisse einiger europäischer Kollegen zu kennen (Ebbe Weiss-Weingart und etwas später Reinhold Krause seien als die wichtigsten genannt), entwickelt Lechtzin aus der Galvanotechnik das sog. Electroforming. Schon dadurch wird sein Schmuck unkonventionell. Was ihn formal kennzeichnet, ist das bewußte Bejahen organischer Konzeptionen. Fast alle Schmuckstücke Lechtzins sind meistens von beträchtlichen Ausmaßen. Daß sie trotzdem verhältnismäßig leicht sind, verdanken sie ihrer Herstellungsweise. Ihr optisches Gewicht wird durch Formenreichtum und Mannigfaltigkeit der verwendeten Werkstoffe betont. Besonders ornamentale Bildungen bei Steinen, z. B. bei Achaten, scheinen Lechtzin zu reizen, ihnen mit entsprechenden metallischen Formen zu begegnen. Aber er legt sich bei den „Zusatz-Materialien" nicht fest, schon gar nicht in konventioneller Weise, etwa durch Verwendung geschliffener Edelsteine in herkömmlicher Form. Man findet sie bei Lechtzin kaum, wenn überhaupt dann nur dort, wo sie als bildnerische Mittel in seine Schmuck-Konzeption passen. Damit erweist er sich im Lande betonter Konvention und bewußter kommerzieller Wertschätzung (was den Schmuck betrifft) als ein konsequenter Vertreter des Neuen Schmucks. Es ist außerordentlich wichtig, daß ein Schmuckgestalter mit dieser Meinung und mit seinem Können Lehrer an einer amerikanischen Kunst-Hochschule ist.

Doch nun zu seinen Ansichten über die Formprobleme des Schmucks. Technik, Material und technologisches Verfahren vermögen Wege zur Gestaltung anzubieten, doch die Form entspringt ästhetischen Erkenntnissen. Sie bestimmen den Menschen als Schöpfer zu entscheiden, was er für schön hält. Infolgedessen sagt Lechtzin zum

Problem Schmuck: „Schmuck ist eine dreidimensionale Kunstform mit der Aufgabe, den Körper zu schmücken. Als solcher sollte er auch eine Aussage sein, die in der Isolierung von dieser Funktion betrachtet und gewürdigt werden kann. Jedoch ist ein Schmuckstück erst in und durch die Tragbarkeit völlig realisiert."

Lechtzins Schmuck rechtfertigt seine Meinung. Die Tragbarkeit könnte bei seinen großen Formen vielleicht in Frage gestellt werden; sie ist jedoch garantiert durch die Mehrteiligkeit der Schmuckstücke. Sie können mit allen Teilen zusammen oder jedes Teil allein getragen werden. Er greift damit eine im Barock häufig zu findende Schmuck-Komposition auf. Sein Schmuck ist darüber hinaus auch außerhalb der schmückenden Funktion ästhetisch erfaßbar. Phantasiereichtum, Wechsel der Plastizität mit einbezogener linearer Wirkung und farbiger Effekte verbinden sich zu einer lebendigen Einheit von starker Schmuckhaftigkeit und hohem künstlerischem Rang. Immer wieder läßt er dabei den Einfluß der gestalterischen Technik und die Inspiration durch die Gegebenheiten der Naturprodukte (Steine, Mineralien, Kornbildungen beim Electroforming-Prozeß) deutlich erkennen. „Ich selbst habe einen ausgedehnten Spielraum von Werkzeugen und Techniken zur Verfügung, die meinen Bereich des Schmuckentwurfs erweitern. Wenn ein Künstler sich auf eine oder nur wenige Methoden seines Gebietes beschränkt, erzeugt er bald stereotype Gebilde von unerträglicher Einengung … Alle Kunstformen sind miteinander verbunden, indem sie die Umwelt des Künstlers widerspiegeln." Da gegenwärtig die Technik eine so ungeheuer große Rolle spielt, kann sie von keinem Künstler mehr übersehen werden. Er muß sich mit ihr auseinandersetzen; in welcher Weise dies geschieht, liegt bei ihm selbst. „Kunst kann sich zeitgemäßer Technologie bedienen und sie so bedeutungsvoll für den Laien machen." Hier ist Lechtzin weit von seinem frühen englischen Vorläufer W. Morris abgerückt, der noch im vorigen Jahrhundert die Lösung nur in der Rückkehr zu mittelalterlicher Handwerkskunst sehen wollte. Trotzdem hält sich Lechtzin „fast für einen Juwelier" und fügt hinzu: „Ich betrachte mich als Goldschmied und folglich ist für mich die Gestaltung des Metalles, verstrickt mit dem Setzen von Steinen, eine wirklich klare Sache."

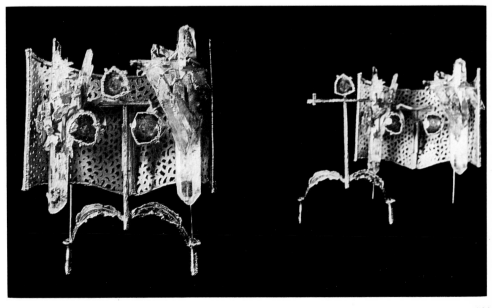

225 Ansteckschmuck, zweiteilig. Silber vergoldet mit Quarz-Kristallen und Turmalinscheiben (rechts auseinandergenommen), siehe auch Farbtafel XXI 310

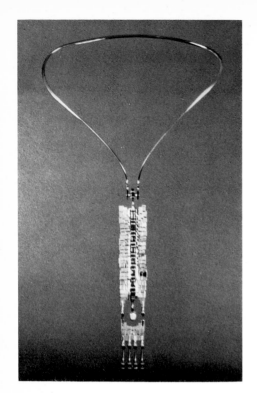
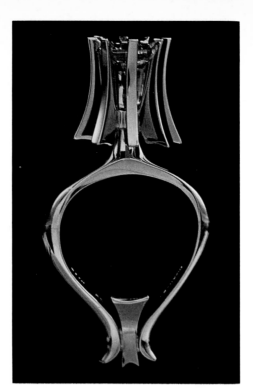

226 Anhänger. Gold, Citrine, Turmaline, Brillant. 1967

227 Ring. Gelbgold mit Brillant. 1967

Es ist selbstverständlich, daß ein Künstler mit derart wohl überlegten Konzeptionen eine zu jeder Zeit und bei jedem Stück deutlich erkennbare Handschrift hat. Aber Lechtzin strebt auch einen eigenständigen Stil mit aller Deutlichkeit an: „Ja, ich tue es! Ich glaube, mein Werk ist charakteristisch und hat seine Bedeutung in der Bindung einer mechanischen Erfindung als wichtiges Element des Designs." So charakteristisch dies, nach seinen eigenen Worten, für seine Arbeit sein mag, ihren Wert erhält sie durch den unbezweifelbaren künstlerischen Rang. Seine eigenen Bewertungsgrundlagen für die Qualität eines Schmuckstücks sind ebenso einfach wie überzeugend: „Ich suche nach einer einheitlichen Konzeption und nach meisterlicher Ausführung." Da er selbst in seiner Ausbildung die Unterweisung in technischen Vorgängen oft vermissen mußte, weiß er auch als Hochschullehrer sehr wohl um deren Bedeutung. „In den USA sollte, glaube ich, sehr viel mehr Betonung auf der technischen Ausbildung der Kunsthandwerker liegen. Die künstlerische Bildung, die in den Kunstschulen vermittelt wird, ist ausgezeichnet. Wir bilden kreative Menschen aus mit geringer Fähigkeit zu gestalten."

Der Neue Schmuck in den USA und in der Welt hat in Lechtzin gleichermaßen einen produktiven und hochqualifizierten Künstler als auch einen Lehrer von gewichtigen Erkenntnissen und großem Verantwortungsbewußtsein.

228 Armschmuck. Silber vergoldet in Electroforming-Technik mit Amethyst-Kristall

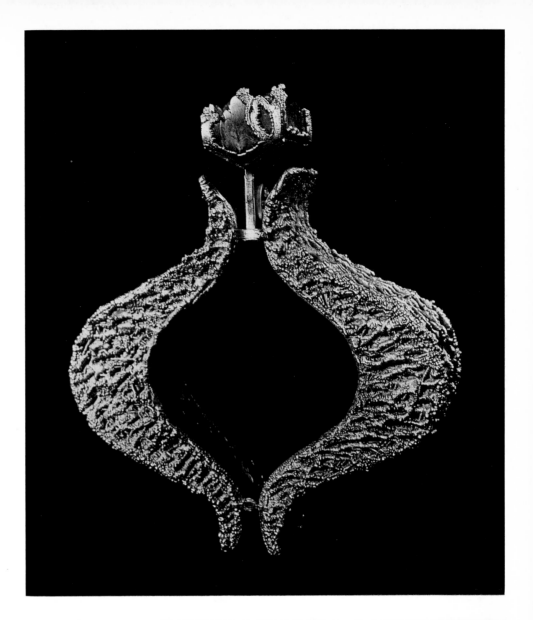

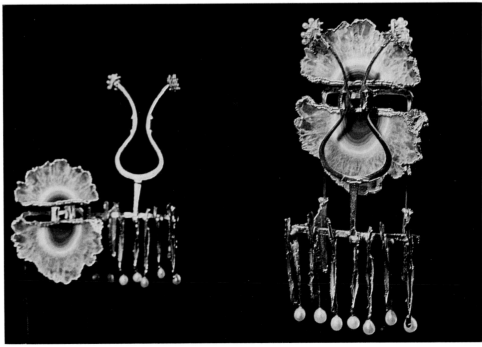

229 Ansteckschmuck, zweiteilig. Silber vergoldet in Electroforming-Technik, Quarz-
Kristalle, Perlen (links auseinandergenommen)

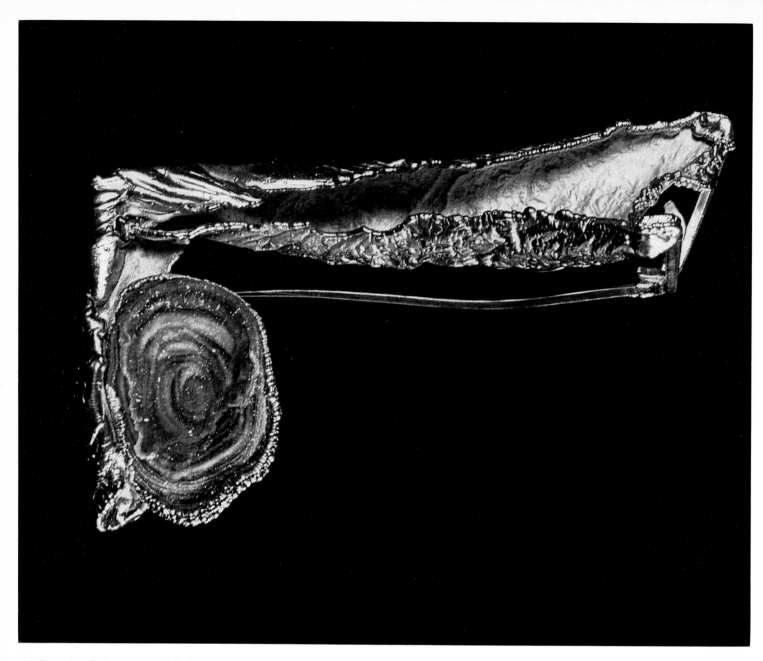

230 Brosche. Silber vergoldet in Electroforming-Technik mit Chalcedon-Rose

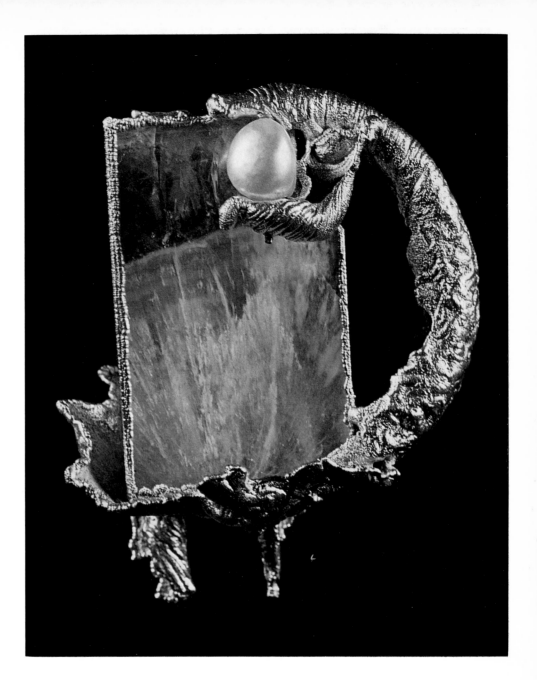

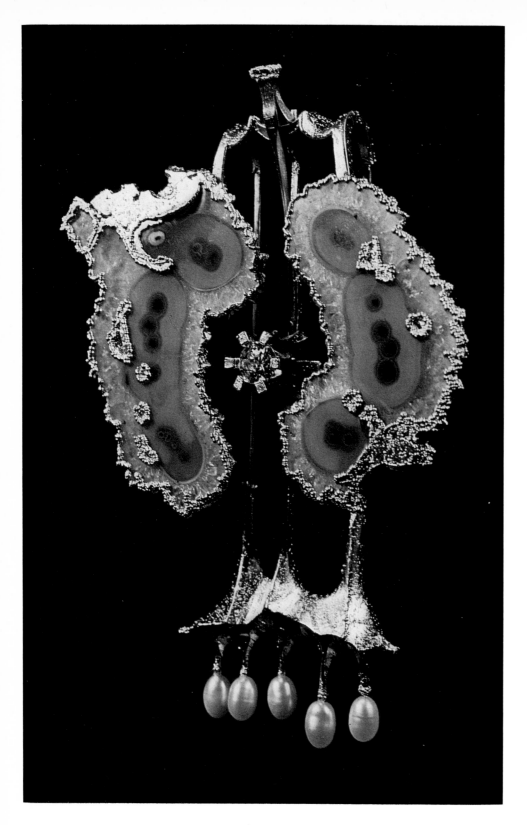

Anton Cepka

Anton Cepka

1936	geboren in Sulekovo (CSSR)
	lebt in Jur bei Bratislava (CSSR)
1952–57	Studium an der Kunstgewerbe-schule Bratislava
1957–63	Studium an der Hochschule für Angewandte Kunst Prag
1968	Teilnahme am 1. Internationalen Symposium für Silberschmuck in Jablonec
	Tätigkeitsbereich: Schmuck, Metallplastik

BETEILIGUNG AN AUSSTELLUNGEN:
CSSR: Bratislava, Brno, Jablonec, Prag;
Österreich: Salzburg, Wien; Schweiz: Zürich;
Bundesrepublik: Berlin, Bremen, Düsseldorf,
Hamburg, München, Nürnberg, Pforzheim,
Köln, Göppingen, Stuttgart; Belgien: Ant-
werpen; Frankreich: Menton; Italien: Arezzo;
Kanada: Montreal

AUSZEICHNUNGEN:
1964	Bayerischer Staatspreis (Goldmedaille) Internationale Handwerksmesse
1966	Preis C. Majernika

MUSEUMSANKÄUFE:
Museum für Schmuck und Glas Jablonec
Schmuckmuseum Pforzheim
Nationalgalerie Bratislava
Nationalgalerie Brno
Kunstgewerbe-Museum Prag

„Schmuck ist eine auf einer Nadel hängende Architektur." Dieser Satz Anton Cepkas ist so symptomatisch für seine Arbeiten, daß es keine bessere Einleitung zu seinem Porträt gibt.

In den frühen 60er Jahren, als im Osten und Westen eine junge Generation so weit herangewachsen war, daß sie – unbelastet von den Ereignissen der Vergangenheit – zu eigenen und vor allem neuen Bildern von der Welt kommen konnte, zeigte es sich, daß gerade in der Tschechoslowakei ein unerhört fruchtbarer Boden bereitet war. Hier vereinigten sich zwei ganz wesentliche Elemente menschlicher und kultureller Substanz: Vitalität und Intelligenz. Cepka, der in Bratislava und Prag studieren durfte, hat sie in seinem Schaffen greifbar gemacht.

Schmuck ist Architektur, sagt er, und bekennt sich damit zu klaren, geometrischen Formen, ohne daß das konstruktive Element bei ihm im Widerspruch zum Organischen steht. Das Gegenteil ist der Fall. Seine geometrischen und meist geradlinigen Kompositionen, in denen vor allem die Prager Schule deutlich zu erkennen ist, aus der er sich zu einer unbedingten Eigenständigkeit entwickeln konnte, sind vorder- und hintergründig zugleich, von großer Präzision und klarer Überschaubarkeit. In allen seinen Arbeiten, im Schmuck wie in den mobilen Freiplastiken, denen er sich immer wieder zuwendet, spielen Gitter eine große Rolle. Doch nicht Gitter, die trennen und abgrenzen oder den Zugang verwehren. Cepkas Gitter sind wie Antennen; sie empfangen, transferieren das Unsichtbare und Geheimnisvolle. Sie sind durchlässig und bewahren zugleich. Man glaubt, die Linien schwingen zu sehen, Schwingungen zu hören, klare reine Töne eines harmonischen, wohlgeordneten Lebens.

Anton Cepka ist gelungen, was seit eh und je das Wesen des Schmucks ausmacht: Zauber zu sein, der die Angst überwindet. Seine Schmuck-„Antennen" sind einfach und kompliziert zugleich. Schlicht ist auch das Material Silber, dem er mit sehr dezenten Strukturen der Oberfläche zu mildem Glanz verhilft. Die Flächen in seinen Schmuck-Kompositionen bilden nicht nur wohlausgewogene, beruhigende Kontraste zu den vibrierenden Linien. Die feinen Strukturen gleichen abspielbaren Rillen in Schallplatten. Die hier eingefangene Harmonie teilt sich jedem mit, der sich die Mühe macht, in sie hineinzusehen.

Die Architektur seines Schmucks hängt wirklich auf einer Nadel, die wie ein Seismograph feinste Schwingungen registriert, auch in an sich starren Gebilden. Stabilität und Mobilität werden zu einer Einheit zusammengefügt. Wie Cepka dies mit jeder neuen Schmuck-Komposition gelingt, wird erst deutlich, wenn man nach Unzulänglichkeiten oder gar nach Mißglücktem sucht. Man findet sie nicht. Überall begegnet man einer fast klassisch zu nennenden Klarheit der Form, die zugleich Unausgesprochenes ausstrahlt.

Aber das ist nicht ohne Mühe und intensive Arbeit erreicht worden. „Das Streben nach neuen Formen in der Gestaltung von Schmuck nötigt mich immerfort zum Experimentieren und zur Verwendung neuer, nicht traditioneller Materialien," sagt er selbst. Das einzelne Schmuckstück ist bei ihm ein in sich vollendetes Teilergebnis seiner Gesamtbemühungen. „Ich arbeite immer an mehreren Dingen gleichzeitig, so daß ich sie wechselseitig vergleichen und ergänzen kann. An die Zeichnungen halte ich mich nur selten, sie dienen mir nur als Richtschnur. In der Gestaltung beziehe ich die Möglichkeiten, die mir das Material erlauben, gerne ein."

Besonders in dieser Äußerung Cepkas zeigt sich sein gründliches Bemühen um die Form. Wie ein Architekt plant und zeichnet er; was er jenem voraus hat, ist die Möglichkeit, die in der Zeichnung erreichte Lösung zu verlassen, nachdem er von ihr Besitz ergriffen hat. So kann die Gestaltung unmittelbar vor sich gehen. Darin gewinnt Cepkas Schmuck jenen Reiz, in dem das Schöne geheimnisvoll und das Unsichtbare spürbar wird.

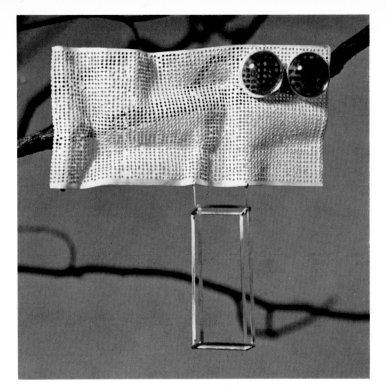

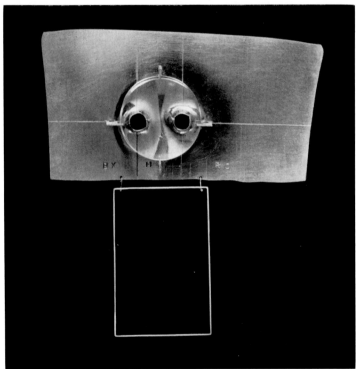

Offensichtlich hat Cepka selbst das Verlangen, seine „Antennen" auch losgelöst vom Schmuck als Signale für die große Ordnung des Kosmos wirksam werden zu lassen. „Oft komme ich in eine Situation, wo der Schmuck anfängt, eine eigenständige Plastik zu werden," sagt er und fügt bescheiden hinzu: „Ich denke aber, so lange das Ding nicht seine Funktionsfähigkeit verliert, schadet es nicht."
So ist im Grunde doch das Schmuck-Machen sein Metier: hier kann er die zweckgebundene Funktion konstruktiver Gebilde in die sinnvolle Funktion des Schmückens überleiten.
Damit reiht sich Cepka zweifellos in die Reihe derer ein, die, weil sie Schmuck machen, der den Menschen durch seine Schönheit in seiner Würde bestätigt, uns erlauben, an eine bessere und menschlichere Zukunft zu glauben.

235 Kinetische Plastik, Modell. 1968

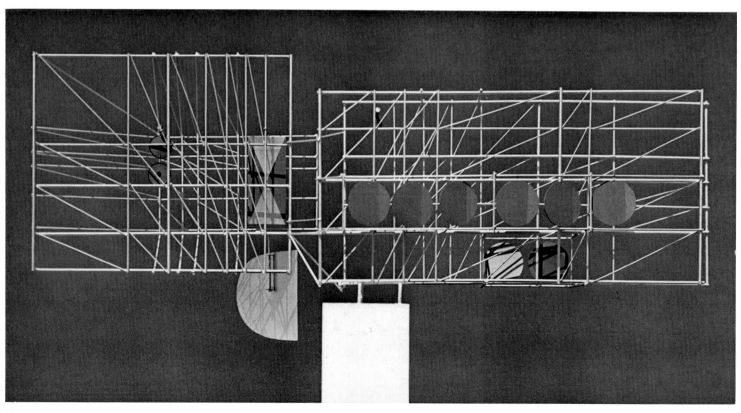

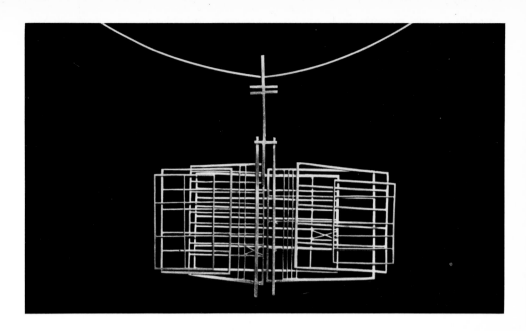

237 Haarschmuck. Silber. 1967

238 Mobile Plastik. 100×80×80 cm. 1966

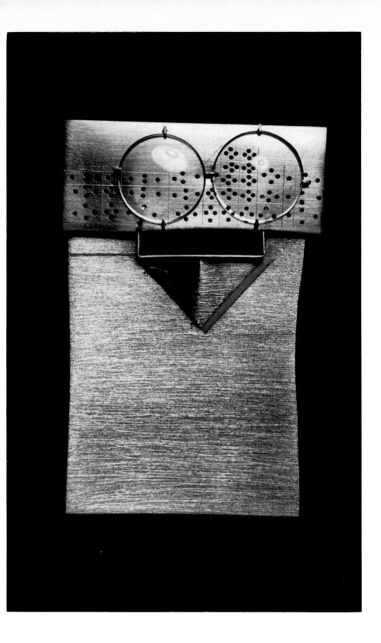

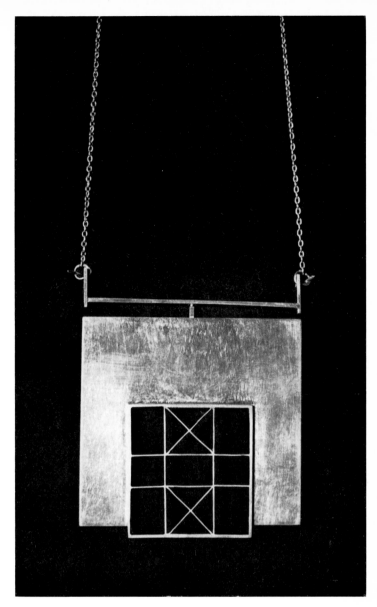

239 Brosche. Silber. 1968

240 Halsschmuck. Silber. 1965

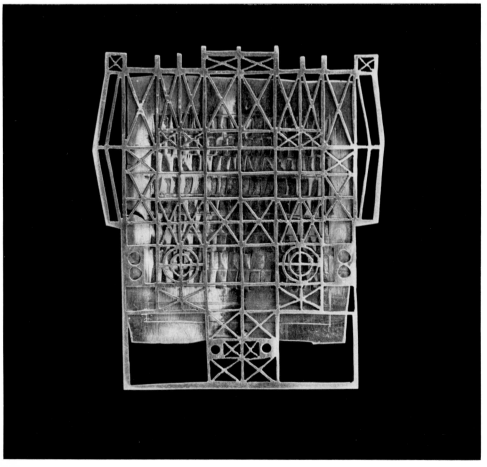

242 Brosche. Silber. 1966

Jaroslav Kodejs

1938	geboren in Radice (CSSR) lebt in Radice/okres Jablonec (CSSR). Ausbildung als Glas-schmuckmacher an der Fachschule Zelezny-Brod. Lange Jahre Designer für Schmuck in der Schmuck-Industrie Jablonec. Künstlerischer Leiter des Glasschmuck-Ateliers am Museum für Glas und Schmuck in Jablonec. Teilnehmer an den Internationalen Symposien für Silberschmuck in der CSSR 1968 und 1970

BETEILIGUNG AN AUSSTELLUNGEN:
in der CSSR u. a. Jablonec und Prag; London, Wien, Salzburg, München, Pforzheim

AUSZEICHNUNGEN:
Goldmedaille Jablonec 1968 und 1970
(Internationale Schmuck-Ausstellung)

MUSEUMSANKÄUFE:
Museum für Glas und Schmuck Jablonec
Schmuckmuseum Pforzheim

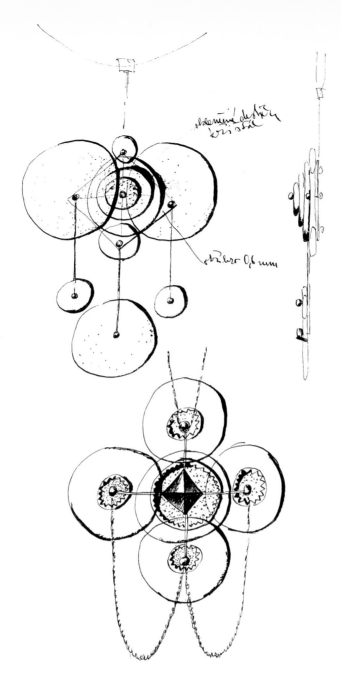

Die von uns als charakteristisch für die Tschechoslowakei herausgestellte Gleichzei-
tigkeit von Vitalität und Intellekt dokumentiert sich auf keinem Gebiet der Gestaltung
in diesem Lande deutlicher als beim Glas. Die besondere Substanz dieses Werkstoffs
ist in den Glasobjekten der frühen und religiös bestimmten Zeiten spürbar, in den Gefäßen orientalischer Kulturen ebenso wie in den Fenstern mittelalterlicher Kathedra-
len, und die Technik hat immer wieder neue Möglichkeiten der Bearbeitung angeboten.
Die tschechische Glasproduktion gehört zu der bedeutendsten in Europa. Sie ist jahr-
hundertealt und hat als Spezialität den Glasschmuck hervorgebracht, der allen Reiz,
aber auch alle Mängel der Bijouterie besitzt. Was ihn vor allem fragwürdig machte, ist
das Problem des Unechten, das im 19. Jahrhundert und teilweise bis in die Gegenwart
hinein soviel Verwirrung stiftete.
Jaroslav Kodejs stammt aus einer alten Glasmacher- oder besser gesagt Glasspinner-
Familie. In seinem Atelier arbeitet er heute noch am gleichen Werktisch, an dem schon
seine Großmutter die farbigen Glas-Stäbe zu dünnen Fäden zog, sie wickelte und for-
mend verspann. Kodejs ist also von klein auf dem Glas und allem, was damit zusam-

244 Schmuckskizze

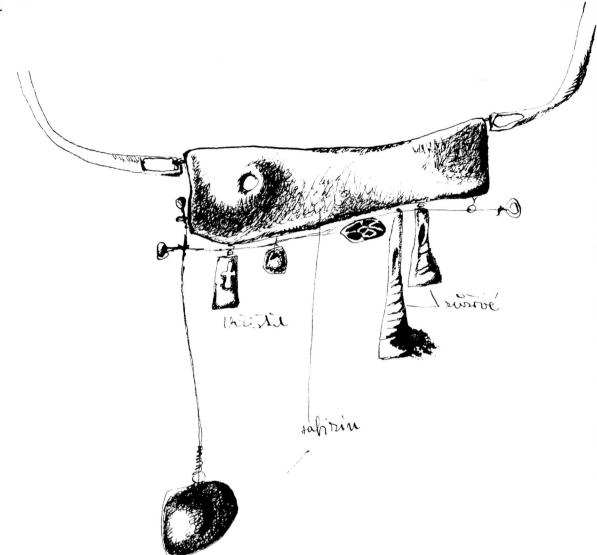

245 Schmuckskizze

menhängt, verbunden; Behutsamkeit und Vorsicht im Umgang mit dem Zerbrech-
lichen, Freude an den geheimnisvollen Spiegelungen und dem fröhlichen Spiel, Wagnis der Bearbeitung im Feuer, aber auch die sorgenvolle Ungewißheit um das endliche
Gelingen sind für ihn selbstverständlich.

Er mußte aus gesundheitlichen Gründen seine Ausbildung nach dem Erlernen des
Handwerklichen abbrechen und ist künstlerisch Autodidakt. Es gelang ihm, auf eigenen Wegen zu neuen Formen des Glasschmucks zu finden. Sein Kontakt zur großen
Glaskunst der Gegenwart, die in der Tschechoslowakei von so bedeutenden Künstlern
wie Stanislav Libensky und René Roubicek vertreten wird, hat ihm gewiß ebenso ge-
dient wie die Verbindung zum Museum für Glas und Schmuck mit seinem hervorragenden Direktor, Dr. Stanislav Urban. Hier fand er Verständnis und Förderung seiner gestalterischen Vorstellungen, zugleich die Basis zur Verwirklichung des Erarbeiteten.
Kodejs hat den Glasschmuck vom Makel des Unechten befreit und dem Glas als Werkstoff den Wert zurückgegeben, der ihm aufgrund seiner schmuckhaften Eigenschaften
zukommt. Er geriet durch verständnislose Nachahmung anderer Werkstoffe (z. B.

 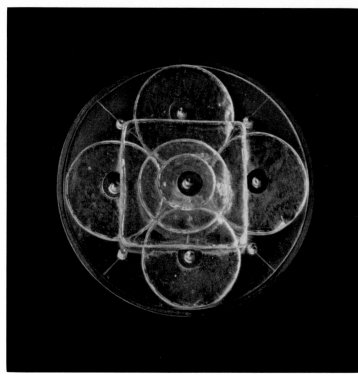

246 Brosche. Silber, farbloses Glas

247 Brosche. Silber, farbloses Glas

Granate und andere Schmucksteine) in Mißkredit. Aber Kodejs ist nicht bei der Entdeckung von Material- und Werkgerechtigkeit stehen geblieben. Von seinen ernst-
haften Auseinandersetzungen und Studien auf dem Gebiet der freien Kunst zeugen
zahlreiche Zeichnungen und Malereien, die ihm als Richtschnur für die Gestaltung
seines Schmucks dienen. Kodejs kennt sich aus in der Problematik der modernen
Kunst; aber er kennt ebenso die verlockenden Gefahren der Verspieltheit.
Sein Weg ist deshalb kein ausgefahrener, im Gegenteil. Die früheren Arbeiten Kodejs'
unterscheiden sich deutlich von den jetzigen und seine Entwicklung wird schöpferisch
und produktiv bleiben.
In der ersten Periode seines Schaffens erreicht er eine klare Grundhaltung. Sie beruht
auf Erkenntnis der Eigentümlichkeit und Schönheit des farbigen Glases, auf einer
elementaren Gestaltung des Grundstoffes, farbig wie formal, und auf der schmuckhaften Komposition einfacher Grundformen. Nun wagt er zugleich ein freies und oft
auch fröhliches Spiel. Es entstehen Gebilde, vor allem Halsschmuck, die beweisen,
daß er in der Lage ist, auch reiche Formkompositionen zu bewältigen. Meist sind die
Konzeptionen auf der Beweglichkeit der einzelnen Schmuckglieder aufgebaut, womit
er eine besondere Lichtwirkung erreicht. In dieser Zeit arbeitet Kodejs gern mit farbi-
gem Glas. Er verwendet dazu immer zarte Farben, nie laute oder gar schreiende, aber
auch nie kraftlose Töne. Die tieferen blauen oder grünen Glasfarben erzeugt er selbst,
indem er dem blanken Glasstoff im Schmelzvorgang Metalloxyde zusetzt. So unmittelbar wie die Farbgebung ist dann auch die Formung: Manchmal tropft er das Glas aufeinander, ein anderes Mal modelliert er es im glühenden, weichen Zustand oder er
schmilzt Fäden hohlplastisch zusammen, um körperhafte Schmuckformen zu erzielen.

248 Anhänger. Silber, farbloses Glas, siehe
   auch Farbtafel XXIII 313

249 Halsschmuck. Glas in verschiedenen
   zarten Tönen, frei über der Flamme
   modelliert, siehe auch Farbtafel XXIII 314

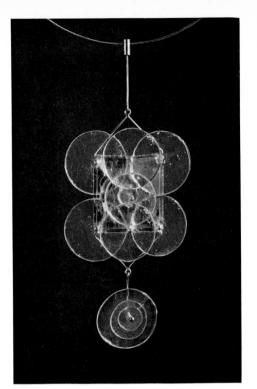
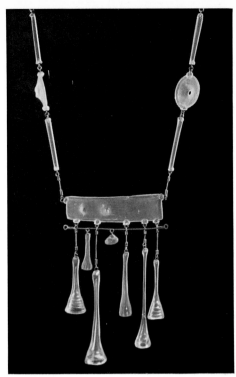
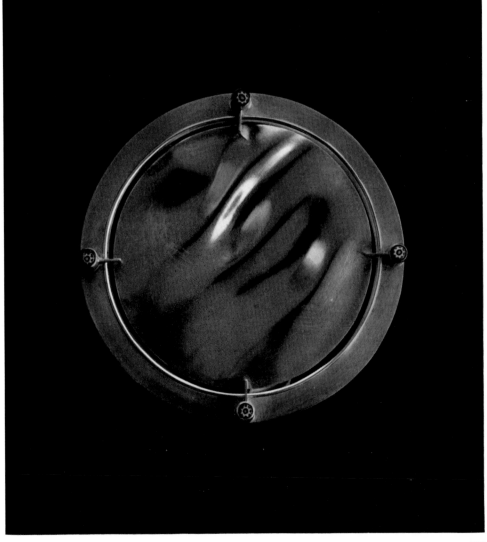

250 Brosche. Silber mit 4 Millefiori-Gläsern

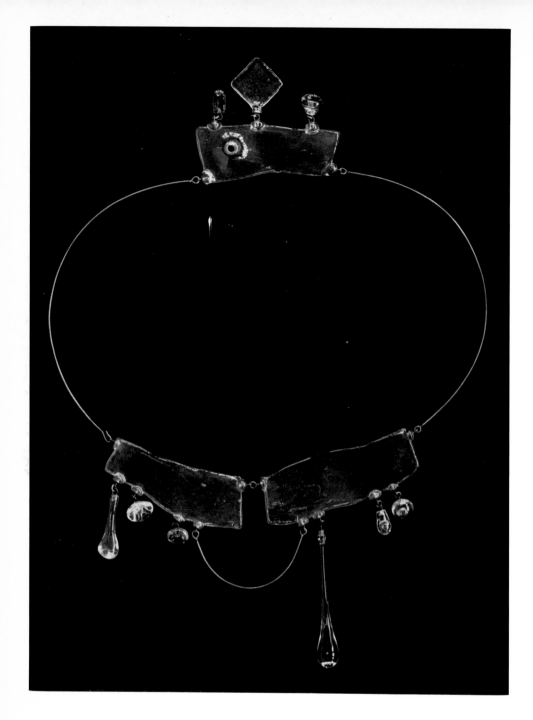

Typisch für Kodejs bleiben in dieser früheren Zeit Farbigkeit und Werkspuren, einfache, aber sehr anziehende Reihungen und reiche, spielerische Kompositionen.

Sein heutiges Schaffen zeigt einen neuen Weg, ohne daß er Wesentliches beiseite geschoben hätte. Er bevorzugt nun farbloses Glas, nimmt Metall (Silber) zu Hilfe und komponiert konzentrierte Gebilde aus frei gestalteten Formen auf geometrischer Grundlage. Der Verzicht auf die Farbe ist jetzt, wie es scheint, ein Gewinn: Die Substanz des Glases, seine Lichtreflexion und Transparenz erreichen besonders dort einen sehr hohen Grad von Schmuckhaftigkeit, wo Kodejs zwei oder mehrere Scheiben übereinander setzt und das Ganze mit kontrastreich gestalteten Silberplatten hält. Er erzielt durch die Überschneidungen imaginäre Formen, die dem Wesen des Glases sehr

  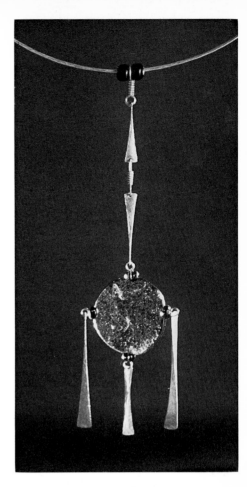

252 Halsschmuck. Glas in der Flamme gestaltet und durch Metallzusätze gefärbt

253 Anhänger. Glas im Feuer gestaltet und durch Metallzusätze gefärbt

254 Anhänger. Glas in der Flamme durch Metallzusätze gefärbt, Silber

entgegenkommen, durch die Schichtungen eine Räumlichkeit, die jedem Schmuck gut tut; das Silber bildet ein konstruktiv wirkendes Formfundament und erhöht die Brillanz des Glases.

So ist Kodejs neuerer Glasschmuck in seiner ästhetischen Wirkung nur noch kostbarer geworden.

Sein Porträt wäre jedoch nicht vollständig ohne die Erwähnung seiner Tätigkeit als künstlerischer Leiter des Glasschmuck-Ateliers am Museum für Glas und Schmuck in Jablonec. Einer glücklichen Idee des Museumsleiters zufolge ist dem Museum ein Atelier mit Jaroslav Kodejs als Designer angegliedert worden. Hier werden Objekte hergestellt, welche die Besucher käuflich erwerben können.

Da dieser Schmuck in gleicher Form in geringen Auflagen produziert wird, stellt sich hier dem individuellen Künstler das Problem der Serie. Kodejs hat eine gute Lösung gefunden: Man hatte größere Mengen von Formelementen des sog. schwarzen Schmucks, wie er in Böhmen im 19. Jahrhundert hergestellt wurde, gefunden und dem Museum zur Verfügung gestellt. Obwohl Originalmuster historischer Formen vorliegen, hat Kodejs eine Reihe von modernen Kompositionen aus alten Elementen realisiert, die nun im Museumsatelier produziert werden. Mit dieser Arbeit erweist sich

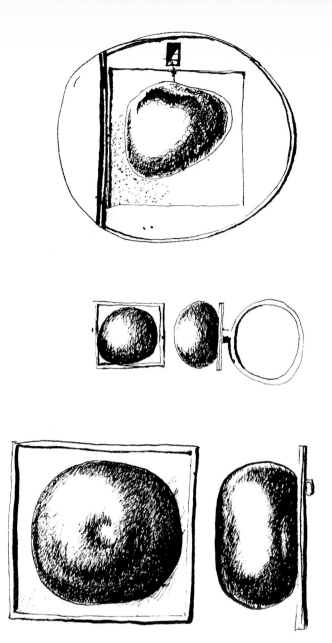

Kodejs als meisterlicher Designer: Er erfaßt das vorgegebene Element in seiner Wesenheit und ergründet gleichzeitig alle möglichen Kompositionsvarianten. Dabei
kommt ihm sein ungewöhnlich feines Proportionsempfinden ebenso zustatten wie
seine Bereitschaft zur Eingliederung.
Auch Kodejs weiß sehr genau, daß Schmuckgestaltung den Kontakt zur freien Kunst
und den zeitgenössischen ästhetischen Problemen braucht. Vom Handwerk und der
Technologie kommend, hat er seinen Weg in der Schmuckgestaltung in sehr eigenwilliger und doch dem Schmuck in seiner dem Menschen dienenden Funktion gefunden. Diesen immer wieder zu klären, neue Aspekte zu suchen und Lösungen unabhängig vom Zweckdenken zu finden, dienen seine freikünstlerischen Arbeiten, seine
Zeichnungen und Malereien, die er – noch – bescheiden für sich behält.

G. Seibert

Georg Seibert

1939	geboren in Jugoslawien
1954–57	Lehre als Goldschmied
1957	Gesellenprüfung
1962	Meisterprüfung
1960–62	Studium an der Staatlichen Kunst- und Werkschule Pforzheim, Schüler von Professor Reinhold Reiling und Professor Karl Schollmayer
1962–68	Studium an der Hochschule für Bildende Künste Berlin, Schüler von Professor H. Uhlmann
1962	Abschlußexamen als Gestalter für Schmuck und Gerät
1967	Meisterschüler der Hochschule für Bildende Künste Berlin Verheiratet mit Gisela Seibert-Philippen, lebt in Berlin Tätigkeitsbereich: Bildhauerei, Graphik, Schmuck

BETEILIGUNG AN AUSSTELLUNGEN:

1966	Internationale Plastik der Gegenwart Galerie S'Ben Wargin Berlin
1967	Wolfsburg; Galerie Thomas München; Schmuckmuseum Pforzheim „Tendenzen"
1968	Skulpturen und Schmuck in Hamburg, Düsseldorf, Berlin, Mannheim, Galerie Fath Göppingen
1969	Große Berliner Kunstausstellung; Ostende; Galerie Orfèvre Düsseldorf, Schmuck von Bildhauern; Galerie Krüger Bremen, Plastik und Schmuck
1970	Galerie Wildeshausen; Kunstausstellung Jungfrei Berlin; Schmuckobjekte in Hamburg, Düsseldorf, Berlin
1971	Galerie Wildeshausen (erste Einzelausstellung); Kunstamt Charlottenburg, Straßenkunst Savignyplatz; Kunsthalle Baden-Baden (Gruppenarbeiten); Kunstverein Vechta; Hamburg; Berlin

AUSZEICHNUNGEN:

	Staatspreis des Landes Baden-Württemberg (Goldmedaille für Schmuck)
1966	Preis des Landes Berlin für Schmuck
1967	Kunstpreis der Stadt Wolfsburg
1968	Reise-Stipendium der französischen Regierung
1969	Europa-Preis der Stadt Ostende Bronze-Medaille für Malerei
1971	Preis des Landes Berlin für Glasobjekte

MUSEUMSANKÄUFE:
Schmuckmuseum Pforzheim,
drei Schmuckarbeiten

Georg Seibert, in Jugoslawien geboren, kam schon als Kind nach Pforzheim. Seine heutigen Arbeiten als Bildhauer und Schmuckgestalter lassen jedoch erkennen, wie stark das Erbe seiner Heimat im Unterbewußtsein wirksam ist. Die erst seit kurzem bekannt gewordenen Arbeiten gerade der jugoslawischen naiven Bildhauer werden in hohem Maße ausgezeichnet durch ihre starke Vitalität und die Tiefe ihrer poetischen Empfindungen. Diese Kräfte scheinen auch den so gegenwartsnahen und zukunftsbejahenden Georg Seibert zu tragen. Zunächst erleichterten ihm die Ausbildungsmöglichkeiten in Pforzheim die Berufswahl: Er wurde Goldschmied, mit ordnungsgemäßer Lehre, Gesellen- und später sogar Meisterprüfung.

Mit seinem Entschluß, nach einiger Zeit der praktischen Tätigkeit ein Studium an der Kunst- und Werkschule zu beginnen, zeigte Seibert, daß sein Anliegen als Goldschmied größer ist. Schon bald konzentriert er sich auf die beiden Studienfächer seiner gewählten Fachrichtung: Schmuckgestaltung und Metallplastik. Die Lehrauffassung von Professor Reiling ist bekannt. Sie gibt auch dem jungen Goldschmied Seibert die Möglichkeit, die Probleme des Neuen Schmucks zu erkennen, Formen unkonventionell, fundamental und als zeitnahe Aussage zu entwickeln und langsam zu einer eigenen Sprache zu finden. Wenige meiner Schüler haben das Gebiet der Metallplastik mit soviel elementarer Vehemenz angegangen wie er. Unser damaliges Anliegen, die Plastizität einer Form organisch zu entwickeln aus der Dreiheit Idee, Material und Werkzeug, führt bald zur Bestätigung seiner starken bildhauerischen Begabung. Das Problem der Verformung einer ebenen Fläche zu einem plastischen Gebilde überwindet er sowohl im Relief als auch im selbständigen, freien Raumkörper. Konsequent und mit Begeisterung wendet sich Seibert nach seinem Abschlußexamen in Pforzheim zunächst ganz der Plastik zu. Professor H. Uhlmann nimmt ihn als Schüler in seine Bildhauerklasse an der Hochschule für Bildende Künste in Berlin auf – eine neue Bestätigung seiner echten plastischen Begabung. Auch Uhlmann bevorzugt Metall. Aber hier dominieren Eisen und Stahl und der Grundgedanke seines Schaffens, die Bauplastik. Daraus erwachsen für Seibert neue, sein bisheriges Studium ergänzende Möglichkeiten, seine plastischen Vorstellungen zu realisieren: die monumentale Form und die konstruktive Konzeption.

So ausgerüstet – zuletzt als Meisterschüler der Hochschule in engstem Kontakt mit seinem Lehrer arbeitend – wird Seibert für einen Bildhauer schon recht früh eine sehr eigenwillige Persönlichkeit.

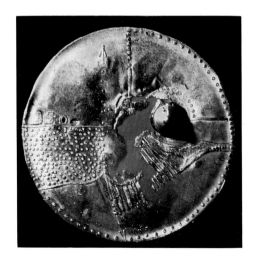

256 Ansteckschmuck. Gold angeschwärzt, Metallfarbe tantrarot, Durchmesser 8 cm, siehe auch Farbtafel XXIV 315

257 Objekt mit mobilem Element, das als Schmuck tragbar ist. Der Schmuck, in der rechten unteren Ecke, ist aus Gold, an einem Lederband befestigt, das schräg über das Objekt geführt ist. Das Objekt ist aus Stahl, Aluminium und schwarzem Kunststoff gearbeitet und trägt den Titel: Die eingezwängten Nieten in der Einbahnstraße zum verheißungsvollen goldenen Ende. Maße: 30 × 30 × 7 cm. 1970

258 Objekt mit mobilem Element, das als Schmuck tragbar ist. Der Schmuck, eine Brosche, in der Mitte unten ist aus Silber, Aluminium und rotem Leder, das Objekt aus Stahl und Aluminium gearbeitet. Es trägt den Titel: Die Drillspur der Nieten zum Ordenaltar. Maße: 30 × 30 × 7 cm, der Brosche: 7 × 5 cm. 1970, siehe auch Farbtafel XXIV 316

259 Wandobjekt mit mobilem Element, das als Ansteckschmuck tragbar ist. Der Schmuck, etwas unterhalb der Mitte des Objekts, ist aus Gold, das Objekt aus Stahl, Aluminium und schwarzem Kunststoff, tantrarote Metallfarbe in Siebdruck. Es trägt den Titel: Die Knüppeltulpe erhebt sich über die goldene Sonne am verschlossenen Horizont. 1971

Aus dem Goldschmied hat sich ein Bildhauer entwickelt und dieser wiederum wird zum Schmuckgestalter. Das Problem des Kontaktes des Neuen Schmucks mit der zeitgenössischen Kunst löst er deshalb in besonders prägnanter Weise: Die freie künstlerische Form und die in ihrer schmückenden Funktion gebundene des Schmuckgebildes entwickelt er miteinander. Dazu sagt er selbst: „Schmuck als künstlerische Aussage heutiger Miniatur ist für mich ein kultureller Beitrag wie z.B. Bildhauerei und Malerei in Verbindung mit der Architektur."

Als Merkmale des Neuen Schmucks überhaupt nennt er u.a. „das visuell Formale, das pluralistische Nebeneinander, die Wertnegierung der Werkstoffe". An den künstlerischen Schmuck stellt er kritisch folgende Fragen: „Enthält das Visuell-Formale Neuland? Stellt es direkte Zeitaussage dar? Beinhaltet es künstlerische Intension?"

Besonders in den hier vorgestellten „Objekten mit mobilem Element" und den „Wandobjekten" zeigt Seibert eine völlig neue Koordinierung von freien Kunstobjekten – in

136

Form von „heutigen Miniaturen" – und Schmuckobjekten. Beide, Kunst- und Schmuckobjekte, sind zusammen konzipiert und in einer aufeinander abgestimmten Gesamtform realisiert. Das Schmuckobjekt kann jeweils aus dieser Komposition herausgenommen und getragen werden; das verbleibende Kunstobjekt darf durch diese Herausnahme weder empfindlich entblößt noch als Formkomposition zerstört werden. Seibert kommt mit seinen „Kunst-mit-Schmuck-Objekten" einem Zeitbedürfnis auf die Spur. Durch die eigenständige Problematik der modernen Kunst hat das Kunstwerk im menschlichen Wohnbereich keinen Raum mehr, oder doch nur selten. Die Kunst ist zu stark befangen geworden in der Auseinandersetzung mit philosophischen, ästhetischen, politischen und gesellschaftskritischen Problemen. Seiberts – und anderer – „Objekte" sind nach seiner eigenen Meinung „heutige Miniaturen", wodurch sie die Heimatlosigkeit der freien Kunst überwinden und den menschlichen Kontakt ermöglichen.

Nicht nur die Gesamt-Objekte, auch der eigentliche Schmuck Seiberts ist weitgehend auf die Zukunft gerichtet. Als Zeitaussage ist er an seine Generation gebunden, an die Jungen also, denen er damit eine wirklich künstlerische Artikulierung ihres, der neuen Lebensform entsprechenden Schmuckbedürfnisses gibt. Das ist um so höher zu werten, als der entsprechende Bedarf ansonsten fast ausschließlich mit Produkten der Serienfertigung (maschineller oder betont handwerklich-folkloristischer Art) gedeckt wird.

Das alles formuliert Seibert in der Bemerkung zu seinen „Wandobjekten": „Darin hat mein Schmuck-Element die Funktion, eine künstlerische Aussage zu verbreiten. Durch das mobile Element Schmuck kann dieses an anderen Räumlichkeiten eine Gesellschaftskritik des Gesamtobjektes verbreiten, Schmuck wird dabei als gesellschaftskritisches, relevantes Mittel verwendet." Wer in dieser Weise Schmuck gestaltet, wird nicht damit rechnen dürfen, mit seinen Objekten eine große Gruppe von Menschen anzusprechen; wohl aber darf er überzeugt sein, bahnbrechend und richtungsweisend zu handeln. Formal betrachtet verwendet Seibert gern starke Kontraste, sowohl im Material (Farbfläche gegen Metallfläche) als auch in der Form (Fläche gegen Linien, Flächen

260 Wandobjekt mit mobilem Element, das als Ansteckschmuck tragbar ist. Der Schmuck, etwas unterhalb der Mitte des Objekts, ist aus Gold mit Brillanten gearbeitet, das Objekt aus Stahl, Aluminium und schwarzem Kunststoff, schwarze Metallfarbe in Siebdruck. Es trägt den Titel: Die Knüppeltulpe wuchert aus der Träne der eingeschlossenen Sonne. Maße: 72 × 51 × 4 cm, Durchmesser des Schmucks 8 cm. 1971, siehe auch Farbtafel XXV 317

261 Ansteckschmuck. Gold, Metallfarbe. 1968

262 Halsschmuck. Weißgold, Metallfarbe
tantrarot. 1968

gegen Punkte). Seine Formfindung ist phantasievoll und konstruktiv zugleich. In den
Details spielerisch, dynamisch und reich gegliedert, sind seine Gesamtformen mei-
stens ebenso streng wie die Materialkompositionen herb. Ein gewisser rustikaler Ton
ist bestimmend für alle seine Kreationen. In Berlin lebend und arbeitend liebt er die
heiße und strenge Provence. Wie sich in seiner Materialwahl weißes und gelbes Gold,
Silber und Steine („edle und unedle") fast immer in der Verbindung mit Aluminium,
Kunststoffen, Leder, die natürliche Farbe der Steine zusammen mit dem gefärbten
Metall finden, so sind seine Gebilde, seine Objekte bei aller Abstraktion und konkreten
Formisolierungen erfüllt mit poetischer Sinndeutung: „die Knüppeltulpe wuchert aus
der Träne der eingeschlossenen Sonne"; „die Knüppeltulpe erhebt sich über die gol-
dene Sonne am verschlossenen Horizont" – das sind Themen seiner „Wandobjekte".
Vitalität mit Intelligenz gepaart, ein untrügliches Merkmal seines Herkunftslandes.
Der Bildhauer und Schmuckgestalter Georg Seibert hat sich viel davon bewahrt.

Gisela Seibert-Philippen (signature)

Gisela Seibert-Philippen

1939	geboren in Düsseldorf
1956–60	Goldschmiede-Lehre im elterlichen Betrieb in Düsseldorf
1960	Gesellenprüfung
1960–62	Studium an der Kunst- und Werkschule Pforzheim, Schülerin von Professor Ullrich Tätigkeit in der Schweiz
1964	Meisterprüfung in Berlin
seit 1965	freischaffende Goldschmiedin mit Atelier in Berlin, verheiratet mit Georg Seibert, leben in Berlin Tätigkeitsbereich: Schmuck-Gestaltung

BETEILIGUNG AN AUSSTELLUNGEN:
an vielen in- und ausländischen Ausstellungen, u.a. in Hamburg, Kiel, Düsseldorf (Galerie orfèvre), Köln (Dom-Galerie), Pforzheim (Schmuckmuseum), Lyon, München (Internationale Handwerksmesse), Nürnberg (Gold und Silber, Schmuck und Gerät, Noris-Halle 1971)

AUSZEICHNUNGEN:

Anerkennung des Landes Berlin: Das gestaltende Handwerk, Schmuckgestaltung

1970   Erster Preis im Internationalen Schmuck-Wettbewerb in Idar-Oberstein

Auf die Frage, wen sie mit ihrem Schmuck besonders ansprechen wolle, antwortet Gisela Seibert-Philippen: „Ich habe mich nicht auf einen bestimmten Personenkreis festgelegt. Die Auseinandersetzung würde ich mit jedem führen."

Diese Antwort läßt nicht nur auf eine resolute Persönlichkeit schließen, sondern setzt auch ein klares Programm voraus, für das es sich lohnt, notfalls zu kämpfen.

Dies darf natürlich nicht falsch verstanden werden. Es ist damit keinesfalls gesagt, Gisela Philippen habe ihren Schmuck methodisch und systematisch nach vorher festgelegtem Plan entwickelt, sie sei einem selbst bestimmten, aber unabdingbaren Weg gefolgt. Ihre Arbeiten sind unmittelbar und vital; selten sind vorwiegend konstruktive Konzeptionen bei ihr zu erkennen. Wo sie aber auftreten, werden sie deutlich kontrastiert durch freie, phantasievolle und dynamische Formen oder Detail-Elemente.

Sie erlernt in Düsseldorf in der elterlichen Werkstatt ordnungsmäßig das Goldschmiede-Handwerk, das sie mit der Gesellenprüfung abschließt. Das zu erwähnen, scheint für ihren weiteren Weg und vor allem für ihre jetzigen Arbeiten nicht unwichtig. Die Vorstellungen, die man im allgemeinen in einer Stadt wie Düsseldorf mit Schmuck und der Tendenz eines Goldschmiedes, deutlicher gesagt eines Juweliers, verbindet, sind jene von Eleganz, Dokumentation kommerzieller Werte und modischer Form. Das dürften auch die Maßstäbe sein, die Gisela Philippen in ihrer Lehrzeit zu beachten kennenlernt. Nun ist es aber im Jahre 1960 noch keineswegs üblich, daß auch Lehrlinge, bzw. junge Gesellen aus dem Handwerk gegen das Überkommene revoltieren und versuchen, eigene, neue Wege zu gehen. Um so höher ist es zu werten, daß

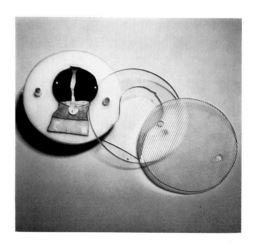

263 Objekt mit Schmuck, der als Ansteckschmuck zu tragen ist. Das Objekt besteh aus Acrylglas und hat 10 cm Durchmesser, der Schmuck ist aus Silber unc Acrylglas gearbeitet. 1971, siehe auch Farbtafel XXVI 318

264 Objekt mit Schmuck, der aus zwei Ringen besteht. Das Objekt ist aus Acrylglas und hat 10cm Durchmesser, die Ringe sind aus Silber und Acrylglas gearbeitet. 1971, siehe auch Farbtafel XXVI 319

65 Ansteckschmuck. Gold, Mondsteine,
Saphir, Rubin, Perlen. 1968, siehe auch
Farbtafel XXVII 320

66 Ansteckschmuck. Gold, Saphire und
Mondsteine. 1967

67 Ansteckschmuck. Gold, Rubine und
Mondsteine. 1968

sich Gisela Philippen gleich nach bestandener Gesellenprüfung entschließt, Schmuckgestaltung zu studieren. Sie wählt die Kunst- und Werkschule in Pforzheim und dort als Lehrer Klaus Ullrich. Das vertieft den Wert ihres Entschlusses; denn Ullrich ist in jenen Jahren schon lange einer der erklärten Repräsentanten des Neuen Schmucks. „Wenn man auf dem Schmuckgebiet aktiv und verändernd tätig sein will, kann man die Tendenzen der zeitgenössischen freien Kunst nicht unbeachtet lassen." An dieser Bemerkung von Gisela Philippen sind zunächst zwei Begriffe am wichtigsten: Aktivität und Veränderung. Die erste und entscheidende Sprosse auf der Leiter nach oben ist das Studium; sie gewinnt neue Maßstäbe und die Grundlage zu einer eigenen Formaussage. Die neuen Richtlinien von damals faßt sie heute so zusammen: Gemeinsame Merkmale des modernen Schmucks sind „die Loslösung von althergebrachten Techniken und Verarbeitungsweisen und eine zeitgemäße formale Aussage".
Nach Beendigung ihres Studiums geht sie für längere Zeit in die Schweiz. Sie will sehen und kennenlernen, ehe sie sich kritisch abwendet, um zu Eigenem zu kommen. Der zweite und endgültige Abschnitt ihrer Entwicklung wird markiert durch die Übersiedlung nach Berlin und die gemeinsame Arbeit mit Georg Seibert. Sie ist nun schon sicher genug, um dabei ihren eigenen Weg nicht aus dem Auge zu verlieren. Beide wollen sie selbst bleiben. Er formuliert das ganz klar: „Gilla und ich streben in unseren Arbeiten keine Auflösung des einzelnen im Sinne einer Gemeinschaftsarbeit an. Mag es auch Kontrapunkte geben, so liegen die Realitäten des einzelnen doch klar distanzierend nebeneinander."

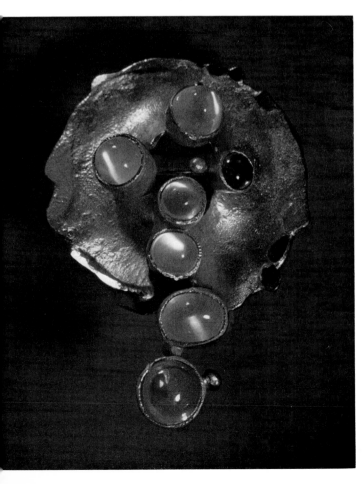

268 Objekt mit Gürtel und Brosche. Silber,
Feingold und Leder.
Maße: 25 × 25 × 25 cm. 1970

269 Objekt mit Brosche. Silber, Feingold,
Leder. Maße: 25 × 25 × 25 cm, der Brosch
6,5 × 6,5 cm. 1970, siehe auch Farbtafel
XXVIII 321

Der Schmuck von Gisela Philippen aus den Jahren 1967/68 zeigt noch die Nähe zu ihrem Studium. Sie bevorzugt das warme Gold, strebt die Vertiefung der Farbe durch die
Form an (Reflexion der sich hochkant gegenüber stehenden Goldbänder); bewegte
Windungen bestimmen die Komposition: Schmuckformen, die damals fast avant-
gardistisch, heute schon nahezu klassisch modern sind (Abb. 265–267). Mit den Arbeiten des Jahres 1969 bricht bereits etwas anderes durch. Flächen werden zu Flächen gesetzt, wenig übereinandergeschoben oder durch negative Flächen aktiv voneinander
getrennt. Aufgeschweißte Drähte, überschmiedet, werden zum tragenden Gerüst,
farblich abgestufte Bänder sind aufgenietet – wobei die Nietung rein formale und nicht
technische Funktion hat – und Steine kontrapunktisch gesetzt. Die Konturen sind gerissen und (besonders bei Abb. 271) nicht mehr Begrenzung im herkömmlichen Sinn.
Die Gesamtkonzeption ist rustikaler geworden, männlicher würde man sagen, wenn
nicht der Vergleich zu Georg Seiberts Arbeiten die weibliche Behauptung ihm gegenüber deutlich erkennen ließe.

270 Objekt mit Schmuck. Der variable Ansteckschmuck ist aus Gold, Acrylglas und
einem Brillanten gearbeitet, das Objekt
aus Acrylglas hat die Maße 24×26 cm.
1971, siehe auch Farbtafel XXVIII 322

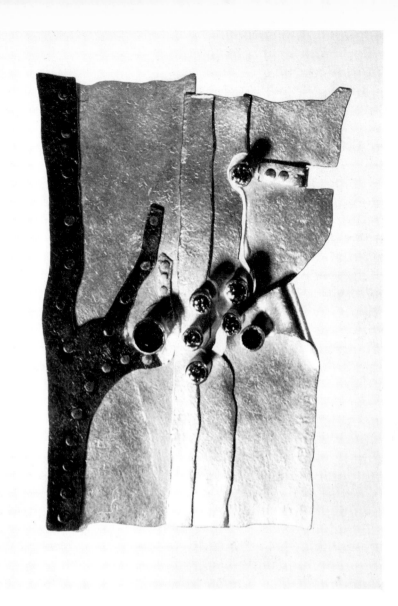

271 Ansteckschmuck. Gelb- und Weißgold,
zwei Saphire, sechs Brillanten. 1969

272 Ansteckschmuck. Gold mit Turmalin-
scheibe. 1969

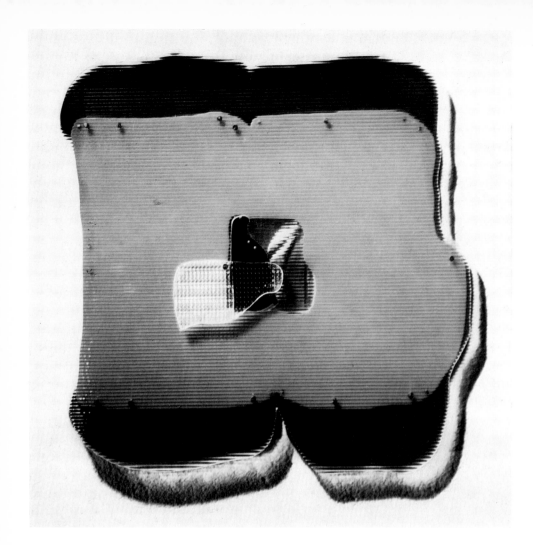

273 Objekt mit Schmuck. Der Ansteckschmuck ist aus Gold und Acrylglas
gearbeitet, das Objekt aus Acrylglas hat
die Maße 20,5 × 20,5 cm. 1971

Über die „Objekte", in denen die Kontakte zu ihrem Mann am engsten erscheinen,
kommt sie mit den „Objekten" des Jahres 1971 zu sehr eigenständigen und eigenwilligen Lösungen. Die Breite ihrer Aussage reicht von freien, organisch wirkenden Gebilden, bei denen Materialwirkung, -struktur und Farbgebung erheblich zur Bewegtheit der Komposition beitragen (Abb. 270 und 273), bis zu streng geometrischen Grundformen (Abb.263 und 264), bei denen zusätzlich zu den sonst verwendeten Mitteln die
Veränderlichkeit der Schichtungen zu einer sehr schmuckhaft wirkenden Verzaube-
rung führt.

„Die Bedeutung des Trägers ist im neuen Schmuckschaffen sekundär," bekennt
Gisela Philippen, denn ihre Bemühungen um den Schmuck sind – nun völlig losgelöst
von den Vorstellungen ihrer Lehrzeit – nicht auf die Unterstreichung der Person, ihrer
Schönheit, ihrer Eleganz und modischen Wünsche abgestellt; sie verfolgt echte künstlerische Probleme. Sie sucht die Aussage mit unverbrauchten, elementaren Mitteln
und erreicht sie kraft ihrer Phantasie und schöpferischen Persönlichkeit.

So ist es doch ein klares Programm, das sie in ihrem Schaffen schon jetzt mit überzeugenden Lösungen belegen kann.

Udo Ołckermann

Udo Ackermann

1939	geboren in Koblenz, lebt in Pforzheim
1953–57	Lehre als Edelsteingraveur, Gesellenprüfung
1960–62	Lehre als Goldschmied, Gesellenprüfung
1963–67	Studium an der Staatlichen Kunst- und Werkschule Pforzheim bei Professor Ullrich und Professor Schollmayer
1967	Abschlußexamen als Schmuck-gestalter
seit 1963	Lehrauftrag für Edelsteingestaltung an der Staatlichen Kunst- und Werkschule Pforzheim
1967–70	Assistent des Direktors Professor Schollmayer Tätigkeitsbereich: Schmuckge-staltung, Gestaltung von Münzen und Medaillen, Bauplastik, Industrie-Design

BETEILIGUNG AN AUSSTELLUNGEN:

1965, 1968, 1971	Internationale Schmuck-Ausstellung Jablonec (CSSR)
1969, 1970, 1971	Internationale Handwerks-messe München, Sonderschau Schmuck
1969	„Schmuck junger Gestalter" Hamburg, Kaufhaus Karstadt
1970	„Tendenzen 70" Pforzheim, Schmuckmuseum
1971	„Fédération des Médailles internationale" Köln

AUSZEICHNUNGEN:

1967	Erster und zweiter Preis im Wettbe-werb um die Jubiläums-Medaille zum 200jährigen Bestehen der Pforzheimer Schmuck-Industrie Dritter und vierter Preis im Münz-wettbewerb auf Einladung des Bundesfinanzministeriums Bonn

MUSEUMSANKÄUFE:

1968	Museum für Glas und Schmuck Jablonec (Schmuck)
1969	Schmuckmuseum Pforzheim (Schmuck)
1970	Kunsthistorisches Museum Wien (Medaillen)

Udo Ackermann lernte zuerst Edelsteingraveur und dann Goldschmied. Edelsteine werden noch heute vielfach nach jahrtausendealter Tradition geschliffen und graviert. Die formal besten Leistungen auf diesem Gebiet sind aus der frühen Antike, dem mittleren und fernen Osten bekannt, vorwiegend aus frühen Epochen, in denen Edelsteine noch magische Bedeutung hatten. Die Beschäftigung mit ihnen bedingt zwei meist entgegengesetzte Begabungen: präzise Formvorstellung auf kleinstem Raum und Phantasie, zusammen mit der Fähigkeit, die Konzeption unmittelbar und ohne Vorzeichnung im Stein festzulegen.

Präzision und Endgültigkeit verbunden mit Freizügigkeit in Idee und Entwurf finden sich heute sehr selten vereinigt. Das mag ein Grund dafür sein, daß die Edelsteingestaltung seit Jahrhunderten stagniert. Die Goldschmiede sind bis in unsere Tage gezwungen, traditionelle Steinformen zu neugestalteten Metallformen zu verwenden, wenn sie nicht das schwierige Experiment wagen, die Formen der Steine selbst zu entwerfen. Für Udo Ackermann besteht dies Problem nicht. Er besitzt die nötigen Fachkenntnisse und durch seine Begabung die erforderliche Grundlage. Mit diesem Rüstzeug begann er sein Studium an der Kunst- und Werkschule Pforzheim. Zusammen mit seinen Lehrern leistete er Pionierarbeit: Es gab noch kein Vorbild, keinen Plan und keine Erfahrungen für eine neuartige Gestaltung der Steine. Aus diesem Grunde wurde ihm, dem Studenten, die technische Leitung der neu einzurichtenden Edelsteinschleiferei anvertraut. Hier konnte er sofort seine dritte große Begabung beweisen: zu planen, zu organisieren und technologische Möglichkeiten zu entwickeln, bzw. ihre Realisierung zu erfinden. In dieser Weise sozusagen auf Mehrgleisigkeit programmiert, zeigt Ackermann in seinem Schaffen stets ein produktives Nebeneinander auf verschiedenen Gebieten und ein seltenes Miteinander von künstlerischer Konzeption und technischer Ausführung. Sein Tätigkeitsbereich umfaßt demgemäß: die Gestaltung von Geräten und Gefäßen mit strenger Zweckgebundenheit oder auch in freier Ornamentik; die Gestaltung von sehr eigenwilligem Schmuck, dessen Form, Material und Entwurf sich kontinuierlich wandeln und logisch entwickeln; Objekte im Bereich der Architektur, wie z. B. Brunnen, Swimming pools und dgl.

Den ersten Niederschlag seiner Bemühungen um Wesen und Gliederung einfacher, besonders rechteckiger Flächen bildet eine Reihe von Schmuckstücken aus Gold und Schmucksteinen. Die Steine sind in der Form präzis geometrisch, symmetrisch angeordnet, und, da die Konzeption ganz auf der Fläche basiert, aus sehr dünn geschliffenen Plättchen zusammengefügt. Auf diese Weise wird z. B. milchig-weißer Achat so durchscheinend, daß das darunter liegende Gold spürbar wird und dem Stein eine imaginäre Farbigkeit verleiht. Die Komposition beruht bei diesen einfachen, sehr gut proportionierten Schmuckobjekten auf den Form- und Materialkontrasten: Rechteck-Quadrat oder Quadrat-Kreis, bzw. Ellipse und Gold und Silber-farbiger Stein.

Die Begegnung mit den Glasgestaltern der Tschechoslowakei führt Ackermann in eine neue Epoche seiner Schmuckschöpfungen. Er geht dabei den umgekehrten Weg wie die meisten seiner Kollegen dieser Generation: Er beginnt mit Formen, die fast klassisch zu nennen wären, und wechselt dann zu freieren Konzeptionen über. Denn für ihn, den Edelsteingraveur, ist Glas ein neues Material. Angeregt durch die tschechischen Glasspinner kommt er sehr schnell dazu, diesem neuen Werkstoff durch Schmelzen ganz freie plastische Gestalt zu verleihen. Er bezieht die Brillanz des dicken Glases, in dessen rundlichen Tropfformen sich das Licht in so eigenartiger Weise spiegelt, in seine nunmehr vordringlich informellen Vorstellungen ein und erzielt kleine Glaskörper von imaginärer Wirkung. Konsequenterweise kontrastiert er dieses Glas mit Eisen, das er ebenso im Schweißprozeß zusammentropft. Aber Eisen ist undurchsichtig, matt und hat eine graue, mild strukturierte Oberfläche. Es ist in diesem Zustand der nahezu ideale Gegenpol zum vibrierendem Glas.

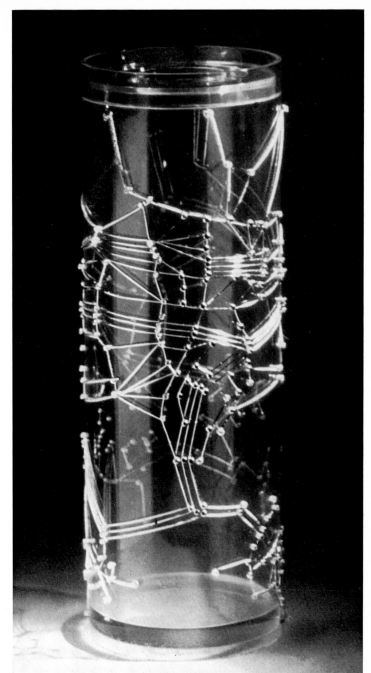

274 „Goldstadtpokal". Plexiglas, vergoldetes
  Silber. In dem Behälter mit quadratischer
  Grundfläche zwei Goldbecher

275 Urkundenbehälter. Plexiglas mit vergol-
  deten Drähten. Die ornamentalen Drähte
  stellen einen abstrahierten Stadtplan
  von Pforzheim dar

276 Ring. Gold mit Brillanten und Smaragd

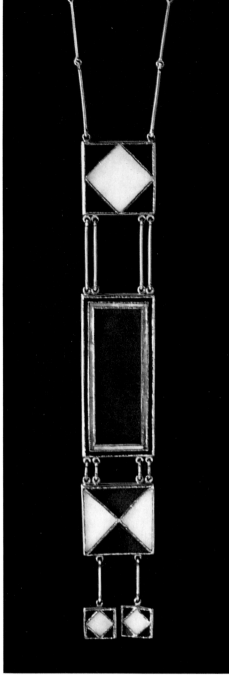

277 Halsschmuck. Gold, weißer Achat, Jade

278 Halsschmuck. Gold, opake und transparente Achatscheiben

279 Manschettenknöpfe. Gold, Elfenbein, Lapislazuli

280 Halsschmuck. Eisen geschweißt, farbloses und rotes Glas, in der Flamme
modelliert, siehe auch Farbtafel XXIX 323

281 Ansteckschmuck. Eisen geschweißt,
rosafarbiges Glas

282 Herrenring. Eisen geschmiedet und geschweißt, farbloser Glastropfen im Feuer
gestaltet

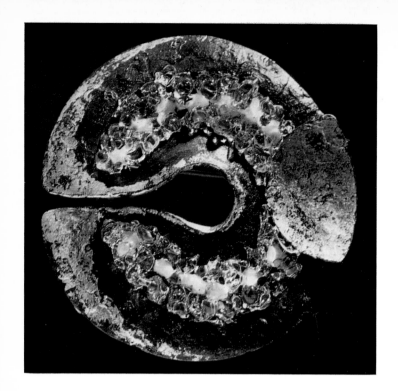 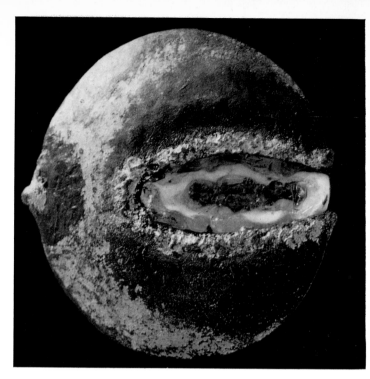

Schon durch diese Materialkombination wird Ackermanns Schmuck in dieser Gestaltungsepoche sehr viel rustikaler und elementarer. Er vereinigt in sich das weibliche (blinkendes Glas) und das männliche (geschweißtes Eisen) Element unter Verzicht auf traditionelle Eleganz, jedoch mit großem Einfühlungsvermögen in die Lebendigkeit des menschlichen Körpers.

In einem reizvollen Zwischenspiel bestätigt Ackermann sich selbst auch in der Verwendung „edler" Materialien. Gold und edle Steine können ihn nie dazu verführen, seine Grundeinstellung zu den wirklichen Werten des Schmuckes zu ändern. In einer dritten Epoche seines Schaffens, die bis in die Gegenwart anhält, dokumentiert Ackermann diese Einstellung, indem er nun wieder Eisen zu Schmuck verwendet. Seine Formen werden dabei bewegter, fast fließend und gleichzeitig äußerst konzentriert. Es sind meist Kreisformen, die sich öffnen, um negative, immaterielle Flächen aktivierend einzubeziehen, oder aus sich herausquellen, in einer Art Zellteilung eingeschnürt, ohne sich jedoch in Details zu verlieren. Auch jetzt verwendet er Glas als „Beigabe". Er nimmt nun öfter opake, milchig-weiße Töne, die er zusammen mit transparenten Tropfen auf das Eisen aufschmilzt. Das Eisen selbst ist kaum mehr geschweißt, sondern in dünne Platten geschnitten, die sehr vorsichtig plastisch bearbeitet sind. Zarteste Differenzierung von Kontur und Oberfläche bereichert die einfachen Formen in ausgesprochen schmuckhafter Weise. Eine Steigerung der Schmuckwirkung erzielt er durch teilweise Vergoldung. Die Goldflächen scheinen über das Eisen zu fließen; sie sind so eigenständig konzipiert, daß ein bewegtes Spiel der verschiedenen Metallflächen entsteht, Wasserwirbeln verwandt, in dem das aufgetropfte Glas kontrapunktische Bedeutung erhält. Farbig ist dieser Schmuck durch die Grundtöne des Eisens und des Goldes bestimmt. Auch hier wird mit zarten Glasfarben – opakes Weiß und transparentes Rosa – ein unerhörter Zauber erreicht.

283 Brosche. Eisen, teilweise vergoldet, mit verschiedenfarbigem Glas überschmolzen

284 Brosche. Eisen, teilweise vergoldet, mit verschiedenfarbigem Glas überschmolzen

285 Brosche mit beweglichem Anhänger.
Eisen geschmiedet und geschweißt, teilweise vergoldet, mit aufgeschmolzenem
roten Glas, siehe auch Farbtafel XXX 326

286 Brosche. Eisen, teilweise vergoldet, mit
verschiedenfarbigem Glas überschmolzen

Da Ackermann seine schöpferische Tätigkeit auf vielen Gebieten ausübt, ist seine
Schmuckproduktion verhältnismäßig gering. Das jedoch kommt ihm nur zugut. Seine
Schmuckobjekte sind in der Regel so sehr von der Handschrift geprägt, daß ein Mehr
leicht die Gefahr der Verflachung nach sich ziehen könnte. Er ist bis heute davor bewahrt worden. Ackermanns Beitrag zum Problem des Neuen Schmucks liegt in seinen
ursprünglichen, elementaren Formen mit sehr eigenwilliger Aussage und im Aufzei-
gen vieler neuer und wertvoller schmuckhafter Wirkungen und Elemente, die um so
wichtiger sind, als sie eigenständig entwickelt werden und zukunftsweisend sein
können.

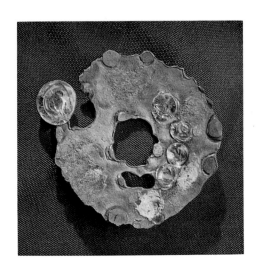

287 Brosche. Eisen geschmiedet und geschweißt, teilweise vergoldet, mit verschiedenfarbigem Glasschmelz, im
Feuer aufgetropft, siehe auch Farbtafel
XXX 325

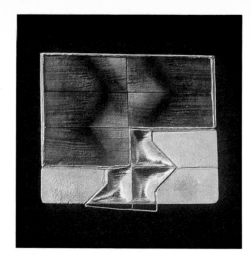

288 Anhänger. Silber mit grauem Achat, der mit Flußsäure geätzt ist

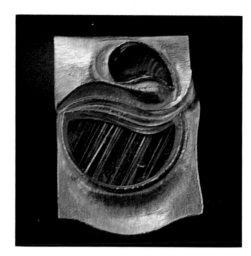

289 Brosche. Versteinertes Holz, Feingold, Lapis. 1972, siehe auch Farbtafel XXIX 324

290 Brosche. Feingold, Rauchquarz, Bergkristall mit strukturierter und oxydierter Silberunterlage. 1972

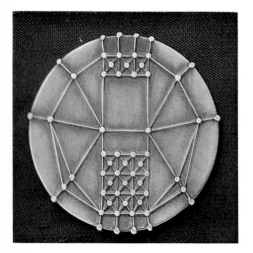

291 Medaille zum 200jährigen Bestehen der Pforzheimer Uhren- und Schmuckindustrie. Wird in Gold und Silber hergestellt, abgebildet ist die Rückseite. Entwurf 1966

292 Medaille. Feingold, abgebildet ist die Rückseite. 1968

Elisabeth Kodré-Defner

1937   geboren in Innsbruck
1957–61 Ausbildung als Goldschmiedin in
        der Akademie für Angewandte
        Kunst Wien
1961   Diplom bei Professor Mayer
seit 1962 selbständig, eigenes Atelier mit
        ihrem Mann Helfried Kodré

Helfried Kodré

1940   geboren in Graz
        Zehn Semester Kunstgeschichte in
        Wien studiert
seit 1962 selbständig als Goldschmied,
        eigenes Atelier mit seiner Frau

BETEILIGUNG AN AUSSTELLUNGEN:
1964   Triennale Mailand
1966   Internationales Kunsthandwerk
        Stuttgart
1967   „Schmuck 67 – Tendenzen"
        Schmuckmuseum Pforzheim
        „Form und Qualität", Internationale
        Handwerksmesse München
        „600 Jahre Wiener Goldschmiede-
        kunst" Wien
        Weltausstellung Montreal
1968   „Form und Qualität", Internationale
        Handwerksmesse München
        Galerii na Betlemsken namesti Prag
1969   „Form und Qualität", Internationale
        Handwerksmesse München
1970   International Jewelry Arts Exhibi-
        tion Tokyo
        „Schmuck 70 – Tendenzen"
        Schmuckmuseum Pforzheim
        Zweite Biennale Internazionale del
        Gioiello d'Arte Carrara
        „Form und Qualität", Internationale
        Handwerksmesse München
        Galerie „Orfèvre" Düsseldorf
1971   „Form und Qualität", Internationale
        Handwerksmesse München
        „Gold und Silber – Schmuck und
        Gerät" Nürnberg (Dürerjahr)

EIGENE AUSSTELLUNGEN:
1964   Österreichisches Museum
        für Angewandte Kunst Wien
        Galerie „Kontakt" Linz
        Joanneum Graz
1967   Kunsthaus am Museum Köln
1969   Galerie Welz Salzburg
        Galerie Ina Broerse Amsterdam
1971   Galerie Fath Göppingen
        Kunsthaus am Museum Köln
        Österreichisches Kulturinstitut
        Warschau

AUSZEICHNUNGEN:
1967   Bayerischer Staatspreis
        (Goldmedaille)
        Preis der Wiener Goldschmiede-
        Innung
        Förderungspreis des Bundes-
        ministeriums für Handel Wien
1968   Preis des Wiener Kunstfonds
        Einladung und Teilnahme am ersten
        Internationalen Symposium für
        Silberschmuck in Jablonec (CSSR)
1970   Diamonds International Awards

MUSEUMSANKÄUFE:
Österreichisches Museum für Angewandte
Kunst Wien
Joanneum Graz
Schmuckmuseum Pforzheim
Kunstgewerbe-Museum Köln
Nationalgalerie Prag

Österreich und besonders Wien schien in den frühen Jahren des Neuen Schmucks geradezu der ideale Boden für schmuckhafte Kreationen zu sein: Raffinesse schillernder Oberflächen mit dem Charme liebenswürdiger Verbindlichkeit. Die Künstler der Sezession und etwas später der Wiener Werkstätten, Architekten und Maler wie Klimt, Josef Hoffmann, Kolo Moser und Dagobert Pesche, haben Entscheidendes zur Entwicklung der neuen Form beigetragen. Der Grundton ihres Beitrages war, wenn auch in sehr differenzierter Auswirkung, der gleiche: Reichtum subtiler Erfindungen, immer neuer Sinnenreiz, äußerste Sensibilität in der Behandlung der Flächen, Farben und Formen und in der Auswahl ungewöhnlicher und prachtvoller Materialien. Aber die Konzentration auf das im besten Sinne „Oberflächliche" und Ornamentale war wohl zu stark, um eine schöpferische Weiterentwicklung zu gestatten. In den eigenen Reihen erhob sich Adolf Loos als Vorkämpfer für die reine Form, der Ornament ein Verbrechen nannte. Österreich hat seitdem auf dem Gebiete des Schmuckhaften keine vergleichbaren Leistungen hervorgebracht.

Mit Elisabeth und Helfried Kodré-Defner jedoch hat Österreich zwei Schmuckgestalter aufzuweisen, deren Arbeiten den besten der Sezession und der Wiener Werkstätten nicht nur gleichzusetzen sind, sondern diese übertreffen. Fast unerwartet trat das Ehepaar schon 1964 mit bemerkenswerten Ergebnissen an die Öffentlichkeit, als ihr Atelier erst zwei Jahre bestand. Seitdem haben Elisabeth und Helfried Kodré-Defner eine kontinuierliche Entwicklung der eigenen Formensprache aufzuweisen. „Wenn man heute Einzelstücke herstellt," schreiben sie, „so ist dies nur dann sinnvoll, wenn sie unverwechselbar sind. Das ist eine Frage der Persönlichkeit, der künstlerischen Potenz ihres Schöpfers."

Die Arbeiten der Kodré-Defner sind – wenigstens bis heute – ausschließlich Unikate. Der Widerhall und die Anerkennung, die ihre Arbeiten von der ersten Ausstellung an fanden, und die hohen Auszeichnungen und Preise sind zugleich ihre beste Bestätigung. Doch dazu noch einmal ihre eigene Aussage: „Unser Weg, Schmuck zu machen, hat sich relativ langsam entwickelt."

Von außen gesehen, scheint das Gegenteil der Fall zu sein. Aber bereits hier wird deutlich, daß die eigenen Vorstellungen dem bereits Realisierten weit vorauseilen. „Wenn ich unsere Arbeiten von vor drei oder vier Jahren mit den heutigen vergleiche, so ist da einerseits ein ganz beträchtlicher Unterschied, andererseits sind die Dinge trotz ihrer Unterschiede als die unseren zu erkennen. In der Entwicklung gibt es, wenn man alle Arbeiten kennt, keine Sprünge." In der Selbstanalyse führt der Kunsthistoriker und Goldschmied Kodré dann weiter aus, beide, Elisabeth und Helfried, suchen und bevorzugen nach anfänglicher völliger Zusammenarbeit, meist sogar an einem Schmuckstück, nun vielmehr eigene Wege. Wie noch darzulegen ist, kommt diese „Rivalität" ihrem Schmuck zugute.

Im Gegensatz zu den meisten, deren Porträt wir in dieser Gruppe der „Heutigen" bringen, haben die Kodrés zwar eine künstlerische Ausbildung an einer Hochschule absolviert, bezeichnen sich jedoch beide „eigentlich als Autodidakten". Obwohl beide bewußt einen persönlichen Stil anstreben, wie vor allem die jüngsten Arbeiten zeigen, gibt es natürlich viel Gemeinsames, zumal ja die meisten der früheren Arbeiten zusammen geschaffen wurden. Beide bekennen sich vornehmlich zum Metall, zum Gold und zum Silber, ohne eine Abneigung gegen Kunststoffe zu haben, deren Bedeutung für den Schmuck sie ausdrücklich anerkennen. Damit ist zugleich festgelegt, daß jegliches Material bei ihnen ausschließlich bildnerischen Wert hat. Das erweist sich besonders dann, wenn sie, was häufig und in jeder Entwicklungsstufe vorkommt, objets trouvés (im besonderen Mineralien und Petrefakten) zum Metall hinzunehmen. Die Loslösung des Schmucks von überkommenen Vorstellungen, auch kommerziellen, bewirkt die Entdeckung des Schmuckhaften in diesen Objekten.

293 Skizzenblatt. Elisabeth Defner 1957

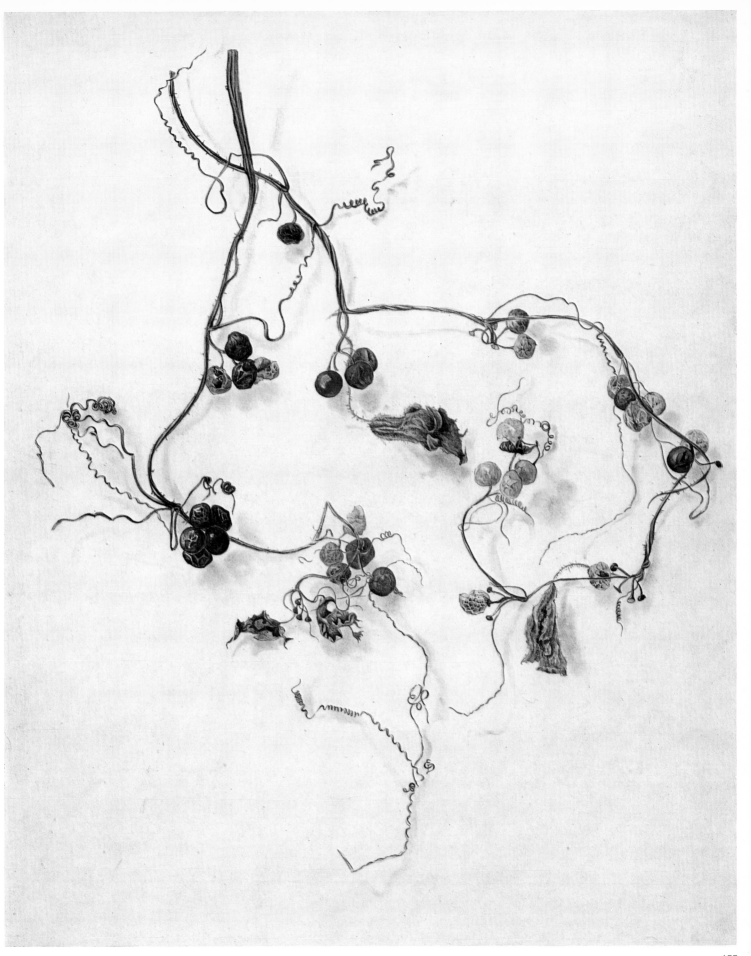

294 Damenring. Weißgold, schwarzer Opal, Brillanten. Elisabeth Kodré 1969, siehe auch Farbtafel XXXI 328

295 Collier. Weißgold, Mondstein, Rubine, Saphire, Perlen und Brillanten. Elisabeth Kodré 1970, siehe auch Farbtafel XXXI 327

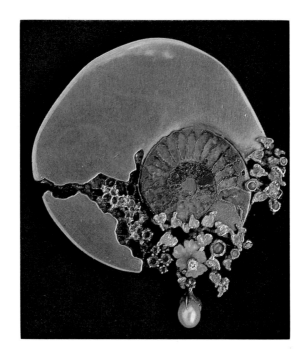

296 Brosche. Feingold auf Silber, Ammonit, Opale, Rubine, Perle und Brillant. Elisabeth und Helfried Kodré 1967/68, siehe auch Farbtafel XXXII 330

297 Brosche. Feingold, Weißgold, Palladium,
Gold auf Silber, Turmalin, Saphir,
Rubine. Helfried Kodré 1970/71

298 Brosche. Silber, Gold, Opal, Brillant,
Rubine. Helfried Kodré 1970/71, siehe
auch Farbtafel XXXII 329

Die Verwendung von ungeschliffenen Steinen als bildnerischer Einsatz in die Komposition des Gesamtschmuckstücks ist keinem gelungen wie den Kodrés. Wie sehr die eigenartige Schönheit der Ammoniten sie fesselt, bezeugt ihre Wahl einer abstrakten Schneckenform als ihr Meisterzeichen.

Die Naturobjekte fügen sich problemlos in die Gestaltung eines Schmuckstücks ein, ja, sie werden manchmal sogar zum Ausgangspunkt für die Komposition. Die vielfältigen Elemente stehen jedoch immer unter einer einheitlichen Konzeption: Vieles wird nicht zum Vielerlei, sondern zu einer Einheit. Schon die gleichzeitige Verwendung zweier Metalle, Gold und Silber, setzt großes Können voraus. Dabei werden die Metalle vielfach in der verschiedensten Form verwendet: als Flächen wie als Punkte, in der Ebene wie im Relief oder auch frei im Raum. Hinzu kommen geschliffene Steine der unterschiedlichsten Form und Farbe und zu den Steinen endlich noch Perlen. Gemeinsam ist beiden auch der Vorrang des Organischen; obwohl hier die Kreationen von Elisabeth Kodré-Defner sich von denen ihres Mannes zu unterscheiden beginnen. Während ihre Kompositionen mehr zum Vegetativen neigen, werden seine Arbeiten in zunehmendem Maße konstruktiver. Wird hier Weibliches und Männliches in spezifischem Charakter sichtbar? Bei den gemeinsamen Arbeiten scheinen beide Richtungen als Kontraststeigerungen wirksam. Große, ruhige Metallflächen, oft mit noch eben erkennbarer geometrischer Grundform, werden aufgebrochen und wie aus einem Füllhorn ergießt sich eine Summe von in Farbe und Form sehr differenzierten Details, die oft in einer Perle oder einem beweglich konzipierten Stein austropfen.

Elisabeths Vorliebe zum Organischen zeigt sich dann deutlich – z. B. bei Ringen und Colliers – in fließenden Formen voller plastisch-linearer Bewegung. Die feine Durchmodellierung der Oberflächen, in die kleine, stark farbige Steine eingestreut sind, fördert die differenzierte Wirkung des Edelmetalls und die Körperfreundlichkeit des Schmucks. Nach eigener Aussage erstrebt sie – wie auch er – eine „Schmuckgestaltung in selbständigen und eigenen, typischen Formen" und beide sehen das Hauptmerkmal ihres persönlichen Stils darin, daß sie „Schmuck, und nicht Kleinplastik" machen. Die Bestätigung guten Schmucks liegt, so sagen beide, im Tragen: „Schmuck ist nicht eigentlich für Vitrinen gedacht." Das Vibrieren im Licht und in der Bewegung kommt besonders bei Elisabeth Kodré-Defners Schmuck im Tragen zum Zuge. Helfrieds zeigt eine deutlicher werdende flächige Gliederung der Gesamtkomposition. Die bewegten Konturen schließen sich allmählich zu strengerer Geometrie. Kreise und Quadrate werden betonter. Die zunächst noch gerissen oder geschnitten wirkenden Einzelflächen werden eben, ohne Modellierung. Ihre Reliefwirkung liegt in der Schichtung, nicht mehr in der Behandlung der Fläche selbst. Naturobjekte treten zurück, werden durch großflächige Steinplatten ersetzt oder durch naturalistisch geschnittene kleine farbige Steinblümchen verdrängt. Die anfänglich noch vom inneren Aufbau der Komposition bedingten, bewegten Konturen bestimmen in den letzten Arbeiten nun ihrerseits als Rahmen die Gliederung im Inneren. Helfrieds Schmuck ist kühler, objektiver geworden. Die Unverwechselbarkeit äußert sich nun weniger handschriftlich als in der Differenzierung der Kontraste.

Das von ihm selbst geforderte Kriterium des Unikats wird auf diesem Wege gewiß nicht leichter zu erreichen sein. Jedoch bürgt die bisherige Entwicklung beider Kodrés dafür, daß ihr großer und ebenso wichtiger wie erfreulicher Beitrag zum Neuen Schmuck überhaupt und dem Österreichs im besonderen auch weiterhin wirksam bleiben wird.

299 Brosche. Gold, Silber, Edelstahl, Weißgold, Brillanten. Helfried Kodré 1971

300 Halsschmuck. Silber, Gold, Opal,
Rubine. Helfried Kodré, siehe auch Farbtafel XXXII 331

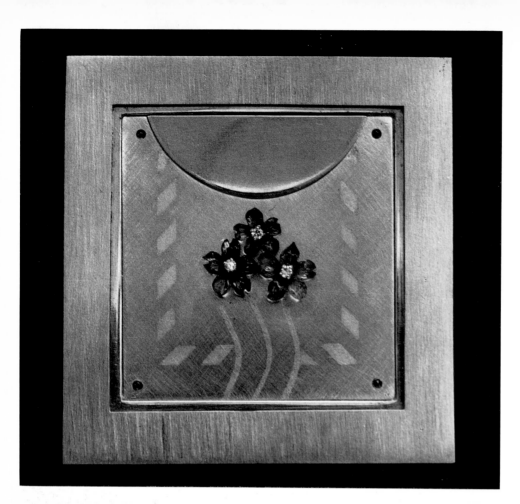

301 Brosche. Weißgold, Silber, Feingold,
Turmaline, Rubine, Brillanten. Helfried
Kodré 1971

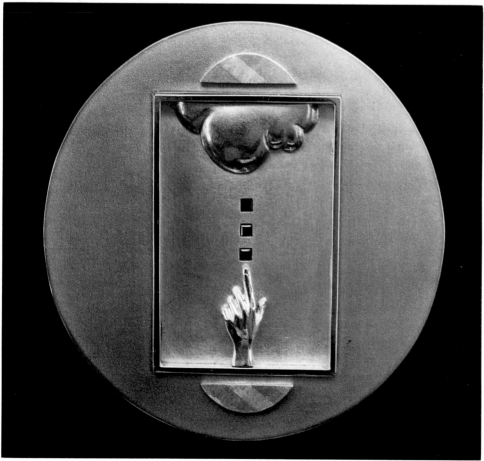

302 Brosche. Edelstahl, Weißgold, Gold,
Silber, Saphire. Helfried Kodré 1971

303 Bianca Eshel-Gershuni. Armreif, Gold,
   Perlen und Korallen

304 Bianca Eshel-Gershuni. Armreif, Gold,
Jade, Türkise und geschnittene weiße
Koralle

305 Bianca Eshel-Gershuni. Anhänger, Gold,
Perlen, geschnittene Lapislazuli

306 Björn Weckström. Anhänger, Gold,
    gegossen, mit Turmalin-Kristallen

307 Björn Weckström. Halsschmuck, Gold
    mit Turmalinscheiben

308 Björn Weckström. Anhänger
„Eistropfen", Sterling Silber, Acrylglas

309 Björn Weckström. Anhänger „Eisherz",
Sterling Silber, Acrylglas

310 Stanley Lechtzin. Ansteckschmuck,
Silber vergoldet mit Quarz-Kristallen und
Turmalinscheiben

311 Anton Cepka. Brosche, Silber gerastert,
zwei Bergkristalle

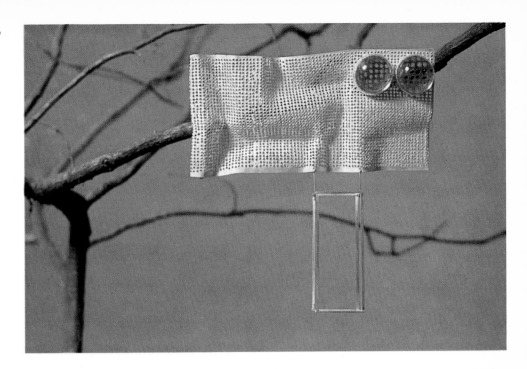

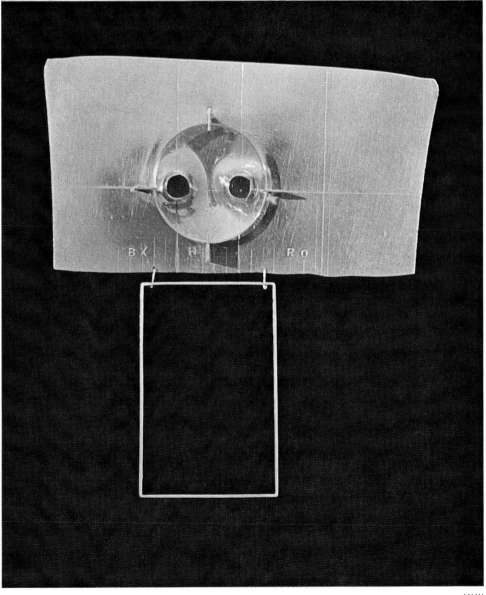

312 Anton Cepka. Brosche, Silber

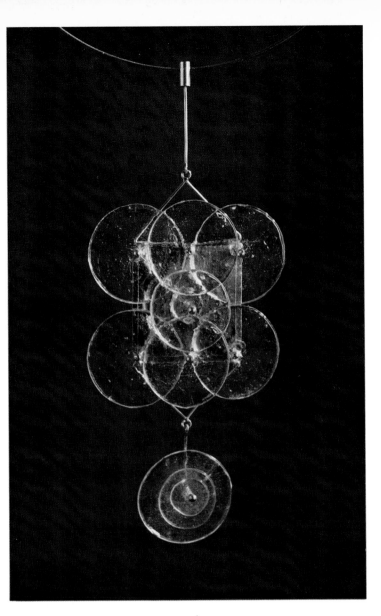

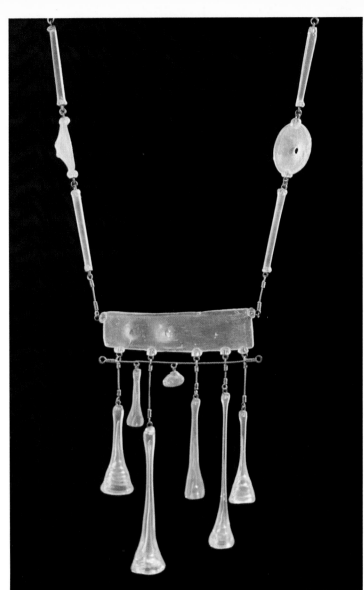

313 Jaroslav Kodejs. Anhänger, Silber, farbloses Glas

314 Jaroslav Kodejs. Halsschmuck, Glas

315 Georg Seibert. Ansteckschmuck, Gold

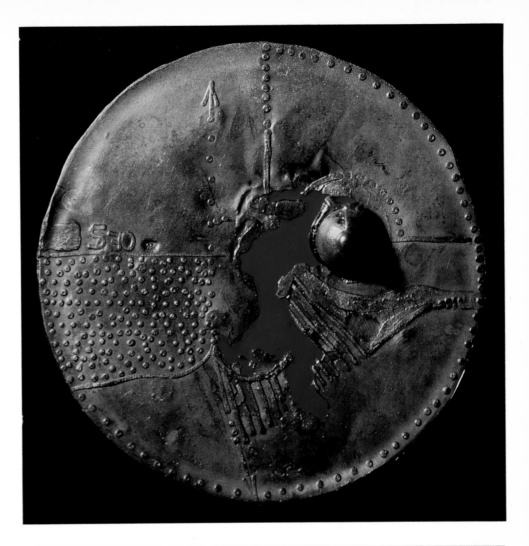

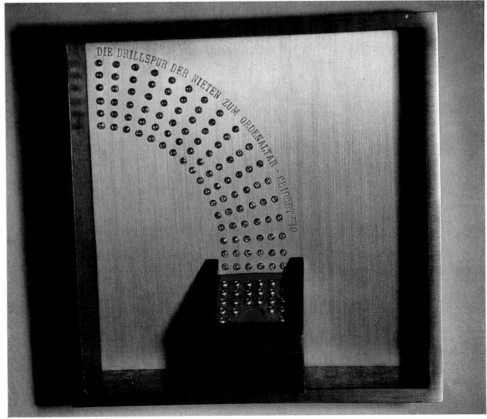

316 Georg Seibert. Objekt mit mobilem
    Schmuckelement (Beschreibung bei
    Abb. 258)

317 Georg Seibert. Wandobjekt mit mobilem
Schmuckelement (Beschreibung bei
Abb. 260)

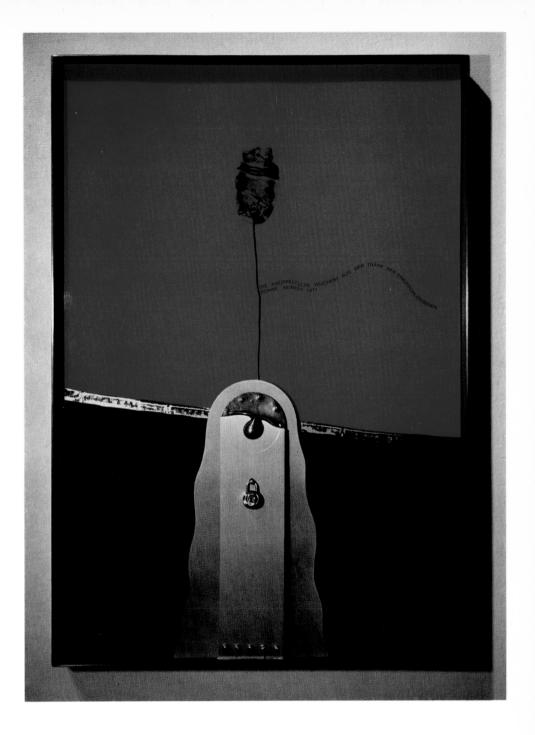

318 Gisela Seibert-Philippen. Objekt mit
Schmuck

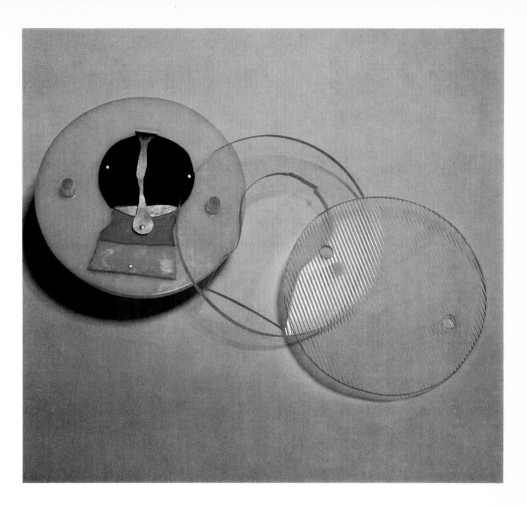

319 Gisela Seibert-Philippen. Objekt mit
Schmuck

320 Gisela Seibert-Philippen. Ansteckschmuck, Gold, Mondsteine, Saphir,
Rubin, Perlen

321 Gisela Seibert-Philippen. Objekt mit
Brosche

322 Gisela Seibert-Philippen. Objekt mit
Schmuck

323 Udo Ackermann. Halsschmuck, Eisen
und Glas

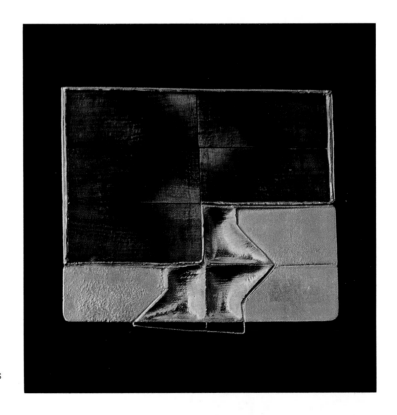

324 Udo Ackermann. Brosche, versteinertes
Holz, Feingold, Lapis

325 Udo Ackermann. Brosche, Eisen und
   Glasschmelz

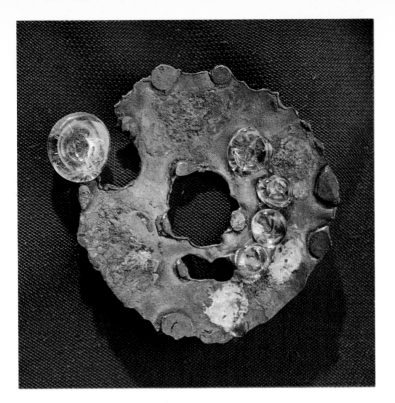

326 Udo Ackermann. Brosche mit beweglichem Anhänger, Eisen und Glas

327 Elisabeth Kodré-Defner. Collier,
Weißgold, Mondstein, Rubine, Saphire,
Perlen und Brillanten

328 Elisabeth Kodré-Defner. Damenring,
Weißgold, schwarzer Opal, Brillanten

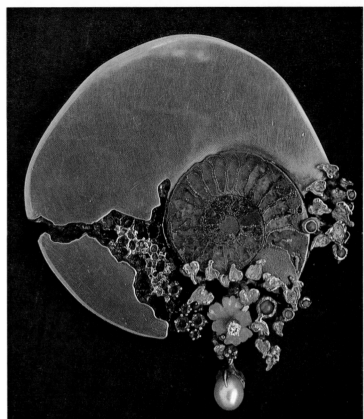

329 Helfried Kodré. Brosche, Silber, Gold,
Opal, Brillant, Rubine

330 Elisabeth und Helfried Kodré. Brosche,
Feingold auf Silber, Ammonit, Opale,
Rubine, Perle und Brillant

331 Helfried Kodré. Halsschmuck, Silber,
Gold, Opal, Rubine

Karl-Heinz Reister

1941	geboren in Arnbach bei Pforzheim lebt in Mailand seit 1966
1956–60	Lehre als Stahlgraveur, Gesellenprüfung
1960–64	Studium an der Staatlichen Kunst- und Werkschule Pforzheim, Schüler von Professor Klaus Ullrich; zwischendurch Gesellenprüfung als Goldschmied
1964–66	Mitarbeit bei M. Capdevila, Barcelona
seit 1966	als freischaffender Schmuck- gestalter in Mailand tätig Tätigkeitsbereich: Schmuck- gestaltung

BETEILIGUNG AN AUSSTELLUNGEN:
1965	Galerie „Il Sestante" Mailand
seit 1965	jährlich Galerie-Ausstellungen in Heidelberg, Freiburg i. Br., Berlin, Konstanz, Köln
seit 1966	jährlich Internationale Handwerks- messe München, Sonderschau „Form und Qualität"
1968 und 1971	Internationale Schmuck- Ausstellung Jablonec (CSSR)
1970	„Schmuck 70 – Tendenzen" Schmuckmuseum Pforzheim „Neuer Schmuck" Kunstverein Hameln
1971	„Strukturen in Gold und Silber" Landesmuseum Oldenburg

EINZELAUSSTELLUNGEN:
1966	Galerie „Il Sestante" Mailand
1968	Galerie „Arte al Borgo" Palermo
1969	Galerie „Indica" Sondrio

AUSZEICHNUNG:
| 1968 | Silbermedaille für Schmuck Jablonec 68 |

Die Gruppe der jungen Schmuckgestalter wird mit Karl-Heinz Reister eingeleitet, bedingt durch seinen Jahrgang. Von seinen Arbeiten her ist es wesentlich schwieriger, ihn überhaupt in eine Gruppe einzuordnen. Dieser Eindruck verstärkt sich noch, wenn man ihn persönlich kennt. Er ist ein stiller und bescheidener Mensch, der sich erst in längerem Gespräch dem anderen öffnet, dann aber eine erstaunliche Reife des Denkens erkennen läßt. Diese Reife stützt sich auf eine große Sicherheit und eine in seinem Alter – besonders heute – sehr selten zu findende Beschaulichkeit. In seinem Atelier umgibt er sich mit merkwürdig geformten Steinen, ausgewaschenen Holzstücken, kernigen Früchten und getrockneten Blüten- und Pflanzengebilden. Mit Picasso könnte er von sich sagen: ich suche nicht, ich finde.

Von sich selbst gesteht Reister, er sei ein „schlechter Schreiber". Er ist auch ein schlechter Zeichner, in dem Sinne, wenig Wert auf die zeichnerische Klärung seiner eigenwilligen Formvorstellungen zu legen. Eine routinierte Zeichnung hat er nicht nötig.

Die Tätigkeit eines Stahlgraveurs verlangt besondere Empfindsamkeit für feine Differenzierungen und für Plastizität. Mag sein, daß dies den jungen Reister dazu trieb, diesen Beruf zu wählen. Aber es war, das merkte er bald, nicht sein Anliegen, Werkzeuge für die serielle Schmuckproduktion herzustellen und die betriebliche Produktionsstätte war auch nicht seine Welt.

Er hatte das große Glück, auf der Kunst- und Werkschule Pforzheim an Klaus Ullrich zu geraten. Sein Studium bei ihm gestaltet sich bald zu einem Meister-Schülerverhältnis von fast mittelalterlicher Prägung. In der Unmittelbarkeit, mit welcher der Schüler am Werk des Meisters teilhaben darf, blüht jene Kreativität auf, für die Reister prädestiniert scheint. In den Jahren seines Studiums ist es besonders Ullrich, der dem Goldschmuck durch eine neue Auffassung von Material und Technik im strukturellen Aufbau der Form ein völlig anderes Gesicht verleiht. Das Gold, immer als edel bezeichnet und meist zum Vulgären verdammt, in seinem ästhetischen Wert zu ergründen und ihm die ihm gemäße Form und – was noch wichtiger erschien – die ihm adäquate Oberfläche zu geben, erfüllte den jungen Studenten in hohem Maße. Die Arbeiten seiner ersten selbständigen Werkperiode geben deutlich davon Kenntnis. Jedoch, je bedeutender der Lehrer ist, desto schwerer ist es für den Schüler, sich von ihm zu lösen. Reister gelang es. Er geht nach Spanien, dann nach Italien, das ihm zur zweiten Heimat wird. Auf sich allein gestellt findet er, wie der Ring aus dem Jahre 1968 deutlich zeigt, soviel Eigenes, daß er bei der Internationalen Schmuckausstellung in Jablonec sofort auffällt und sich eine Silbermedaille holt. Worin besteht das damals so Neue? Es sind zwei Momente: das Material und die Plastik. Reister verwendet auf seinem neuen Wege Eisen und Stahl. Heute ist das nichts Ungewöhnliches mehr. Aber er greift nicht zu diesen Werkstoffen, weil er sich besondere Effekte verspricht oder auf Modernität spekuliert. Eher liegt eine gewisse Absage an die überperfektionierte Zivilisation in seinen Entscheidungen, die sich vor allem in der Behandlung des Eisens zeigt. Er oxydiert es, oder, um es deutlich zu sagen, er verwandelt Rost in eine edle Patina und funktioniert technische Vorgänge in bildnerische Wirkung um. Ebenso eigenständig wie sein Materialgefühl ist die plastische Modellierung von Elfenbein- und Holzstücken oder auch von anderem Material, die er als Kernpunkt in seinen Schmuck einfügt. Es ist die Zeit, in der manche Schmuckgestalter, und nicht einmal die schlechtesten, ihr Heil in der Übernahme der Probleme und oft sogar der Lösungen der großen Plastik in Miniaturform sehen. Reister fügt plastische Gebilde in seinen Schmuck ein, indem er sie aus der Gesamtkonzeption entwickelt. So kann er auch zum Gold zurückkehren, ohne Gefahr zu laufen, seinen eigenen „Stil" dabei zu verlieren. Kommerzielle Bewertung kann bei solchen Formvorstellungen niemals ausschlaggebend sein. „Ich habe keinen Laden," sagt Reister, „ich verkaufe über Galerien, fast immer über Freunde. So habe ich kaum direkten Kontakt mit dem ‚Kunden'. Dies mag in gewisser Hinsicht ein Nachteil sein; ich halte es eher für einen Vorteil: Ich kann so ziemlich machen, was ich will." Vielleicht hätte er besser gesagt, so könne er machen, was er muß! Seine weitgehende Unabhängigkeit vom „Kunden" ist nämlich nur eine kommerzielle Isolierung. Sein inniger Kontakt zur Natur, zum Organischen verbindet seinen Schmuck mit dem Menschen, der ihn tragen soll. Seine Hoffnung, daß „jemand das Gemachte versteht und Gefallen daran findet (und natürlich auch kauft)", ist sicher begründet, so lange es noch Menschen gibt, die sich an der Schönheit der Stille freuen können. Wie es scheint, wächst der Kreis dieser Menschen ständig.

Karl-Heinz Reister, ein Deutscher in Italien, ist, wie so viele seiner Vorläufer in der Verbindung von Nord und Süd, empfindsam und klar zugleich, ein Romantiker im besten Sinne, für den Schmuck-Machen „die sinnvollste Weise ist, zu leben".

332 Brosche. Gold, Granulation, Elfenbein, Ebenholz. 1969, siehe auch Farbtafel XXXIV 436

333 Ring. Gold, Beryll, Elfenbein. 1969

334 Ring. Edelstahl, oxydiertes Eisen. 1968, siehe auch Farbtafel XXXIII 435

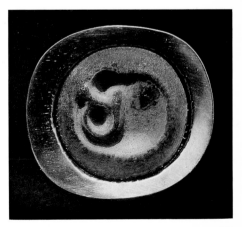

335 Brosche. Gold, Granulation, Turmalin, Elfenbein. 1969

336 Brosche. Gold, Granulation, Edelstahl, Brillant. 1970

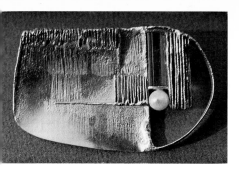

37 Brosche. Gold geschweißt, Turmalin,
   Perle. 1968, siehe auch Farbtafel XXXIV
   437

38 Brosche. Silber, Edelstahl, Elfenbein.
   1969

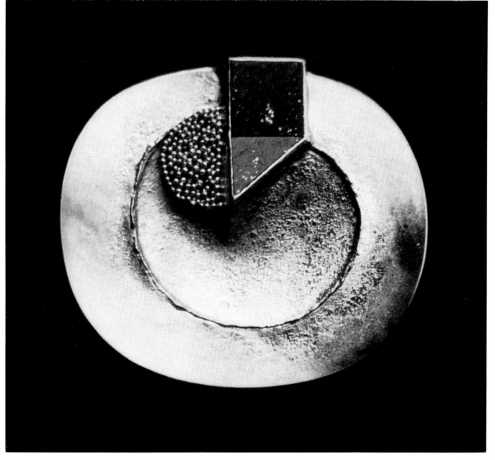

39 Brosche. Gold, Granulation, Lapislazuli

340 Halskette. Gold und Perlen. 1968

341 Ring. Edelstahl, Ebenholz, Plexiglas. 1970

Robert Smit

1941	geboren in Delft, lebt in Delft
1963–66	Studium an der Staatlichen Kunst- und Werkschule Pforzheim, Schüler von Professor Klaus Ullrich
1966	Staatliche Abschlußprüfung als Schmuckgestalter

BETEILIGUNG AN AUSSTELLUNGEN:
an vielen in- und ausländischen Ausstellungen, u.a. Den Haag, Rotterdam, Schiedam, Amsterdam, Utrecht, London, Paris, Berlin, München, Köln, Pforzheim, Nürnberg, Curaçao

AUSZEICHNUNG:
1967	Bayerischer Staatspreis (Goldmedaille)

Die Einordnung Robert Smits in die Gruppe der Jungen ist nicht nur eine Angelegenheit des Jahrgangs. Ganz im Gegenteil: Nicht nur seine künstlerische Auffassung, wie sie sich in seinen Arbeiten äußert, zwingt dazu, ihn als einen besonderen Typus in der Reihe der Schmuckgestalter überhaupt und selbst innerhalb der Gruppe der Jungen herauszuheben. Sein Verhältnis zum Schmuck beruht auf einer radikalen Abkehr von überkommenen Vorstellungen. So überzeugt seine – heute häufig anzutreffende – Bezeichnung eines Schmuckstücks als „Objekt" (im Gegensatz zu manchen anderen). Smit betont damit die Loslösung seiner Gestaltungsabsicht von den Gesetzen der Ästhetik und seinen Willen, seine Objekte dem Bereich des Schönen im herkömmlichen Sinne zu entziehen.

Aus einem mehr oder weniger engen Kontakt mit den Sero-Leuten kommend, war der Zugang zum Studium an der Kunst- und Werkschule für ihn nicht ganz einfach. Seine damals sicher noch nebulösen Vorstellungen von Form und Gestaltung waren bereits von Ideologien getragen, wie sie sich dann viel später verdeutlichten und in seiner Arbeit niederschlagen. Das Studium bei einem so entschiedenen Lehrer wie Ullrich brachte zunächst die Erlösung aus dem Ungewissen. Das Glück, an einen bedeutenden Lehrer zu geraten, schließt für die wirklichen Begabungen eine Herausforderung zum Widerspruch ein. Robert Smit jedoch hat seinen Lehrer dankbar anerkannt und sich mit Fleiß bemüht, eine gültige Grundlage zu erarbeiten. Die Faszination des Goldes und die großartigen Möglichkeiten, sie durch den technischen Vorgang des Schweißens in der rechten Weise zu realisieren, bewirken, daß Smit bereits am Ende seiner Studienzeit Arbeiten vorlegt, die sich durch eigene Ideen und wohldurchdachte Konzeptionen auszeichnen. Hier sind vor allem jene Schmuckstücke zu nennen, deren Komposition aus kleinen, auf der Spitze stehenden Pyramiden besteht, in die man also hineinsehen kann, wodurch sowohl eine umgekehrte plastische Wirkung als auch eine erhebliche visuelle Täuschung zugunsten der optischen Erscheinung des Goldes erreicht wird.

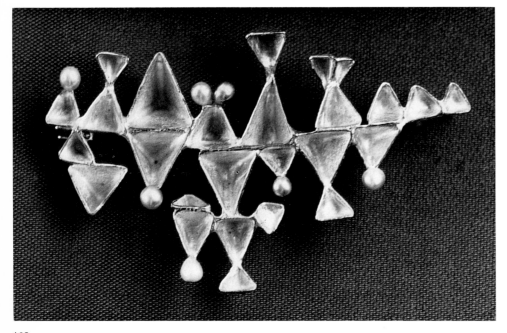

342 Brosche. Gold mit Perlen, Formelelement: hohle, offene, auf der Spitze stehende Pyramiden

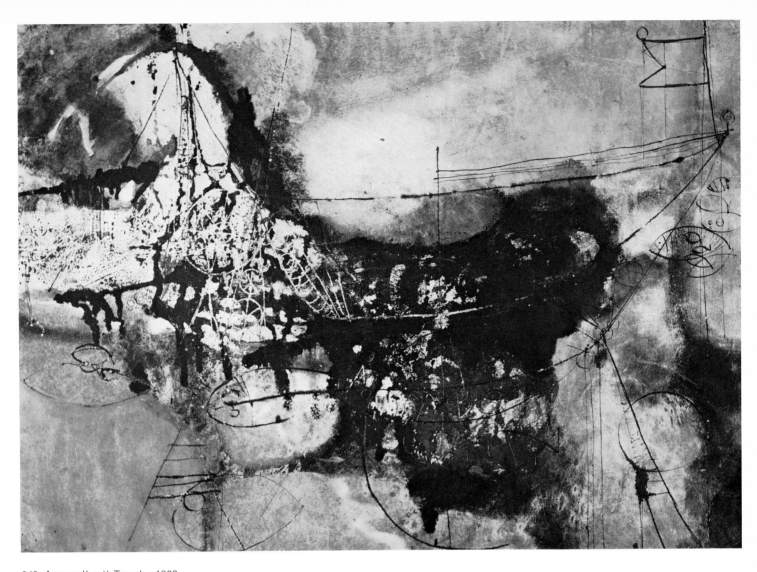

343 Aquarell mit Tusche 1966

344 Armreif. Gold geschweißt, Turmaline.
1966

345 Kupferrelief, dreiteilig.
Etwa 100 × 75 cm. 1966

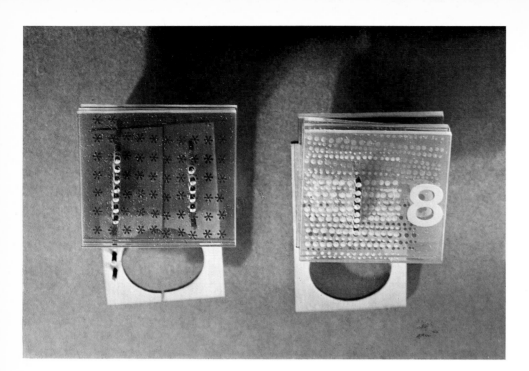

346 Zwei Ringe. Edelstahl, farbige Plexischeiben. 1970

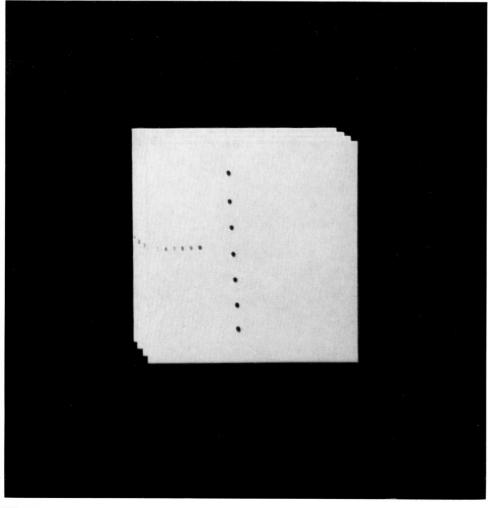

347 Objekt. Weiße Plexischeiben mit schwarzen und roten Punkten. 1970

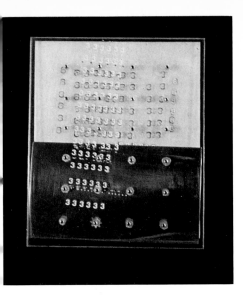

348 Objekt. Rote Plexischeiben, Weißgold.
1970, siehe auch Farbtafel XXXV 438

349 Objekt. Grüne und rosa Plexischeiben,
Gold. 1970, siehe auch Farbtafel XXXVI
439

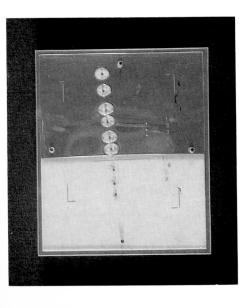

Seine Examensarbeiten erstreckten sich gleichermaßen auf Schmuck-Gestaltung wie auf räumliche und farbige Kompositionen. Hier bewies Smit schöpferische Phantasie und Eigenwilligkeit der Formensprache. Aber er blieb noch eindeutig bei Auffassungen, die auf einer subtilen Form- und Farbempfindung gründen. Der wirkliche Bruch mit der herkömmlichen Ästhetik vollzieht sich erst später.

„Wenn man," so sagt Smit, „eine gute Schule besucht hat und weiß, daß man etwas begriffen hat, so ist es sicher, daß man weitersucht. Bei mir hat sich alles so entwickelt, daß ich heute keinen Schmuck mehr für eine bürgerliche Gesellschaft mache. Es ist mir unmöglich, Schmuck zu gestalten, der in diesem Bereich als ‚schön' empfunden wird. Ich möchte auch nicht in eine Lage geraten, aus der heraus ich das machen müßte. Das alles hängt zusammen mit meiner Auffassung von meiner Stellung in der heutigen Gesellschaftsstruktur und mit meiner Mentalität. Die Alternative für Schmuck ist nach meiner Meinung das Schmuck-Environment."

Ohne es sich selbst einzugestehen, hat Smit in der neuen Schaffensperiode konsequent eine neue Schmuck-Ästhetik entwickelt. Seine Ergebnisse erregten auf mehreren großen und bedeutenden Ausstellungen nicht nur Aufsehen, sondern fanden auch Anerkennung (so z.B. auf der großen Internationalen Schmuck-Ausstellung anläßlich des Dürer-Jahres in Nürnberg). Er hat die wertvollen Werkstoffe wie Gold und edle Steine verlassen und sich einer völlig neuen Faszination erschlossen: Objekte zu gestalten, die wie Signale einer neuen Welt wirken sollen.

Kunststoff ist sein Grundmaterial geworden. Er verwendet ihn in Plattenform in opakem Weiß und, wenn farbig, meistens in transparenten, leuchtenden Signalfarben, wobei ein besonderes Rot vorherrscht. Die Objekte bestehen in der Regel aus mehreren Schichten in diesem Material, von gleicher Form, mit Vorliebe in großen Quadraten, etwas verschoben mit sehr geringen Zwischenräumen angeordnet. Die oberste Schicht ist bedeckt mit geheimnisvollen Zeichen, Kompositionen aus Punkten und Linien, wie von einem außerweltlichen Computer notiert, und mit unverständlichen Zahlen, die einem Count-down entnommen sein könnten, der zum Null-Punkt und zur Zündung einer Weltraumrakete führt – oder zu einer Weltkatastrophe? Inhaltlich sind das kaum Bekenntnisse zu Wohlstand und Fortschritt, thematisch ist das gewiß kein Schmuck für eine überlebte bürgerliche Gesellschaft. Erregend ist besonders der unheimliche Kontrast zwischen den klaren, geometrischen Kunststoffplatten – schon leicht verschoben wie durch ein fernes Erdbeben, aber doch noch Zeichen einer gesicherten Existenz – und den „Ornamenten", den Punkten und Strichen, die in die Flächen gebohrt oder graviert sind und im Material merkwürdige Leuchteffekte hervorrufen. Ihr Ordnungsprinzip ist verschlüsselt.

Aber eben damit hat Smit eine neue ästhetische Wirkung im Schmuck entdeckt: die Erregung in der Lautlosigkeit, die Erregung in der unendlichen Weite des Weltraumes ist für ihn das „Environment" eines Schmuckobjekts für eine neue Gesellschaft geworden.

Er hat sich gründlich entfernt von seinen Studienergebnissen; trotzdem sind sie ihm auch heute noch nicht gleichgültig. Er kann, wenn er will, die Welt des Schönen in der Sprache überkommener Zeiten beschwören und in Formen bannen. Aber er fand sich selbst auf einem anderen Weg, auf dem er Signale setzen kann, die ihn wichtiger dünken für die Zukunft. Er hat damit das Recht erlangt, seine Gebilde „Objekte" zu nennen. Sicher wird er auch Subjekte finden, die diese zu tragen gewillt sind.

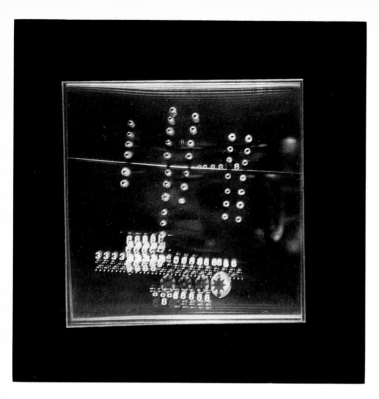

350 Objekt. Rote Plexischeiben, Weißgold.
1970

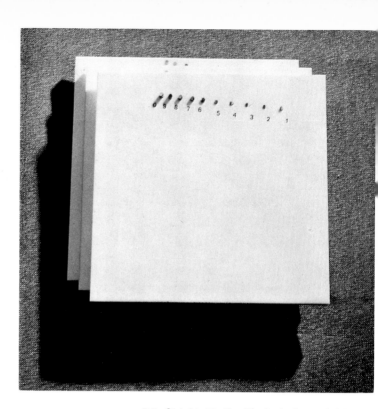

351 Objekt. Weiße Plexischeiben, Gold, rote
Ziffern. 1970

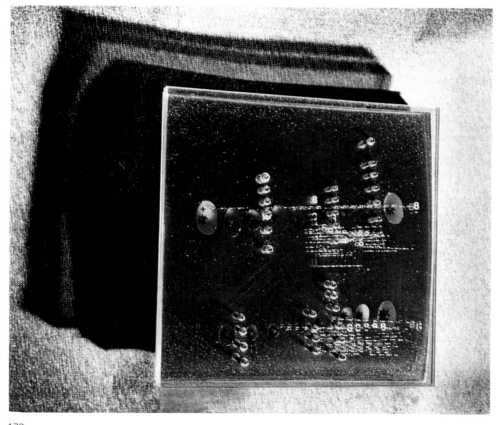

352 Objekt. Rote Plexischeiben, Weißgold.
1970

172

Jens-Rüdiger Lorenzen

1942	geboren in Hagen/Westf.
1961–64	Goldschmiedelehre
1965–68	Studium an der Staatlichen Kunst- und Werkschule Pforzheim, Schüler von Professor R. Reiling
1968	März Meisterprüfung als Gold- schmied; Juli Examen als Schmuck- gestalter
seit 1968	Oktober freischaffend in Wuppertal; Arbeitsbereich hauptsächlich Schmuckgestaltung
1974	Lehrauftrag an der Zeichenakademie Hanau

BETEILIGUNG AN AUSSTELLUNGEN:

1969–71	jährlich an der Sonderschau „Schmuck" der Internationalen Handwerksmesse München
1970	Internationale Schmuck-Aus- stellung „Tendenzen" im Schmuckmuseum Pforzheim
1970/71	Skandinavische Wanderausstellung der Gesellschaft für Goldschmiede- kunst
1971	Ausstellung zum Dürer-Jahr in Nürnberg „Gold und Silber, Schmuck und Gerät"
seit 1968	an Schmuck-Ausstellungen in London, Toulouse, Pforzheim, Hanau, Düsseldorf, Köln, Hameln, Münster, Bochum, Duisburg, Wuppertal, Wesel, Hannover

EIGENE AUSSTELLUNGEN:

1968	„Galerie Porta" Düsseldorf
1970	Karl-Ernst-Osthaus-Museum Hagen Galerie „Map" Köln, Galerie T. Fath Göppingen
1972	Schmuckmuseum Pforzheim, Deutsches Goldschmiede-Haus Hanau

AUSZEICHNUNGEN:

1966	Erster Preis Internationaler Uhren- Wettbewerb Pforzheim
1967	Anerkennung und Ankauf Inter- nationaler Halsschmuck-Wett- bewerb, Schmuckmuseum Pforz- heim
1968	Erster und zweiter Preis Brunnen- Wettbewerb Speidel-Pforzheim (Zusammenarbeit mit Wolfgang Kirchmayr)
1969	Dritter Preis und Ankauf Internatio- naler Armschmuck-Wettbewerb Schmuckmuseum Pforzheim

„Augenblickstendenzen, obwohl sie genau beobachtet werden, nehmen bei den Realisierungsversuchen meiner Vorstellungen keinen Raum ein. Sie sind mir vor allem zu ‚laut'".

Mit diesem Bekenntnis legt J.R. Lorenzen zugleich die Grundeinstellung zu seinem Schaffen dar. Sie ist für einen jungen Künstler in unserer Zeit durchaus nicht selbstverständlich.

Wie ernsthaft der aus dem Goldschmiedehandwerk Kommende sein Studium aufgefaßt hat, wie gründlich er alle Strömungen und geistigen Aktionen seiner Schule beobachtete und für seine künstlerische Meinungsbildung nutzbar machte, beweisen seine eigenen Darstellungen:

„Grundvoraussetzung war für mich, das rechte Material zu finden, das meinen Vorstellungen von plastischer Verformbarkeit und kontrollierbarer Farbigkeit entsprach. Ich glaube nämlich, daß schon die Wahl eines bestimmten Materials eine ganz bestimmte Bedeutung hat. Das Ergebnis meines Suchens war das Silber. Die eigentliche ‚Gestaltungsart' ergab sich dann aus dem Experimentieren mit diesem Material. Silber hat sehr viel ‚Tiefe' und diese wiederum bedeutet für mich, mit möglichst wenigen Mitteln so zu gestalten, daß mit der ‚Tiefe' zugleich die ‚Stille' erhalten bleibt. Diese wiederum muß jedoch zugleich so erregend sein, daß sie formal beeindruckend erscheint – und es hoffentlich auch ist. Als Beleg dafür, was mich zu manchem anregte, möchte ich ein Beispiel anführen (und hoffe, daß dies legitim ist). Ich meine die Stein- und Sandgärten der japanischen Zen-Klöster. Die Intensität, die dort mit einfachen, wenigen Mitteln erzielt wird, ist für mich stets faszinierend. Statt ‚Effekte' werden nur einfache, natürliche, ‚banale' Dinge benutzt, die nur durch das Herausstellen aus gewohnten Sehvorstellungen und Umgebungen wertvoll werden und damit zeigen, wie schön sie sind."

Es steckt viel charaktervolle Bescheidenheit eines jungen Menschen in dieser Definition seiner Gestaltungsprinzipien, zugleich auch der lebendige Beleg für die Entwicklung des Neuen Schmucks, die nun ein solches Studienergebnis verzeichnen kann.

Aus der vielgepriesenen Material- und Wertgerechtigkeit der frühen Jahre wuchs die Erkenntnis, Materialwahl und -behandlung müssen inneren Vorstellungen entsprechen, nicht umgekehrt. Aus romantischen Schwärmereien entstand ein aus geistiger Selbstzucht erwachsener Formwille, der das Wagnis des Experimentierens unternehmen darf.

Daß Lorenzens Studium in diese Situation der allgemeinen Entwicklung fällt, ist sein Glück, zu welchem der bedeutende Lehrer ebenso gehört wie der Kreis seiner Kommilitonen.

An Lorenzens Schmuck ist sein eigener, nun auf sich selbst gestellter Realisierungswille deutlich ablesbar. Seine Objekte sind weder Anwendung erlernter oder erarbeiteter ästhetischer Regeln, noch Fortführung des einmal Gelernten.

Der Halsschmuck und die Brosche, beide aus den letzten Semestern seines Studiums (1967), zeigen seine Ausgangsposition: Den Hals will er nicht länger als „Träger" eines mehr oder weniger kostbaren Schmuckobjektes sehen, sondern als das Fundament für ein „kalligraphisches Liniengefüge"; und bei der Brosche sucht er „ohne zusätzliche Metall- oder Steinbeigaben" die Goldfläche von der Mitte her zu aktivieren. Schon hier spürt er, wie so die gewählte „objektive Außenform" vom individuellen, „subjektiven" Gestaltungsprozeß auf der Goldplatte nicht unberührt bleibt. Diese entscheidende Erkenntnis realisiert er in stufenweiser Entwicklung bei den hier vorgestellten Broschen besonders deutlich: von der mit „bildnerischen Mitteln" gestalteten Silberfläche, die nur an zwei Punkten in den fast quadratischen Rahmen gehängt ist (1968), über die Einbeziehung des Rahmens in die Broschenmitte (und die damit erzielte Statik inmitten der noch durch einen Pfeil besonders markierten Dynamik der Flächengestaltung) zu den zweischichtigen Silberbroschen von 1970 und 1971 ist ein konsequenter Weg erkennbar. Der Kontrast „objektive Außenform" zu „subjektiver Innenform" wird nicht nur beibehalten, sondern gefestigt, indem der individuelle Gestaltungswille sich auch auf die Objektivität der Ausgangsformen erstreckt.

In der Gestaltung eines Armreifs läßt Lorenzen das Rund des Bandes ein „Rundherum-Sehen" provozieren. Es gibt deshalb nicht unbedingt ein Vorne oder einen von allen Seiten angestrebten Höhepunkt an einer Stelle. Der Reif soll am sich bewegenden Arm ein immer neues Bild bieten, getragen von „bildnerischen Zeichen", die ineinander übergehen, ohne zu zerfließen, den Blick weiterleiten, ohne zu verschwimmen. Deutlich wird seine Entwicklung auch in den vier Ringen, die zwischen 1967 und 1972 entstanden. Aus dem runden, durch Stein und Perlen asymmetrisch gegliederten Ringkopf an der offenen Schiene (1967) bricht eine „zeichenhafte" Form aus (1968),

353 Miniatur. Kupferplatte, grün gefärbt, Silber poliert und schwarz gefärbt, Gold, Kunststoff, Stahl. Maße ca. 11 × 13 cm. 1972, siehe auch Farbtafel XXXVII 440

354 Halsschmuck. Silber matt und poliert, weiß und schwarz, Gold, Einzelteile verschraubt. 1971, siehe auch Farbtafel XXXVII 441

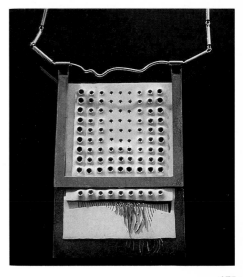

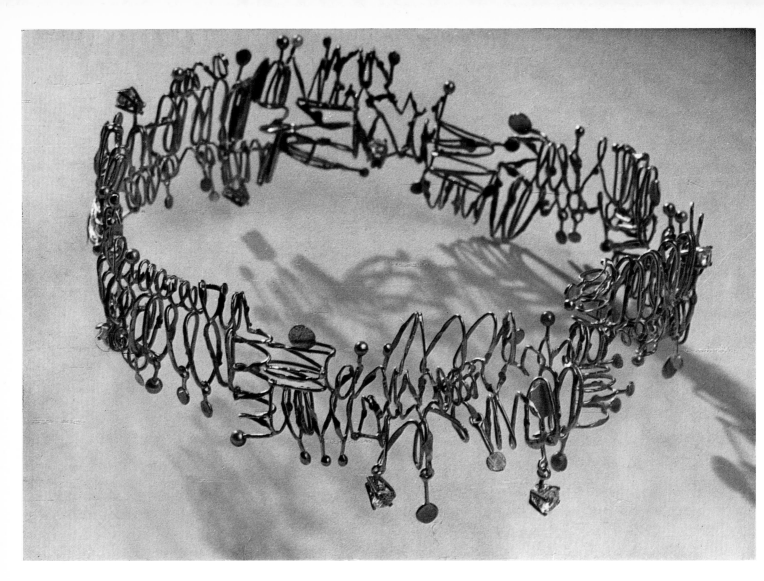

355 Halsschmuck. Gold, weiße Zirkone,
Orientperlen. 1967

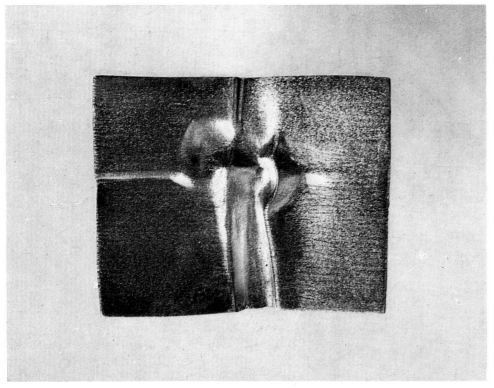

356 Brosche. Gold. 1967

57 Brosche. Silber, teilweise vergoldet. 1968

58 Brosche. Silber, teilweise mattiert, teilweise grau gefärbt, rote Lackfarbe. 1968

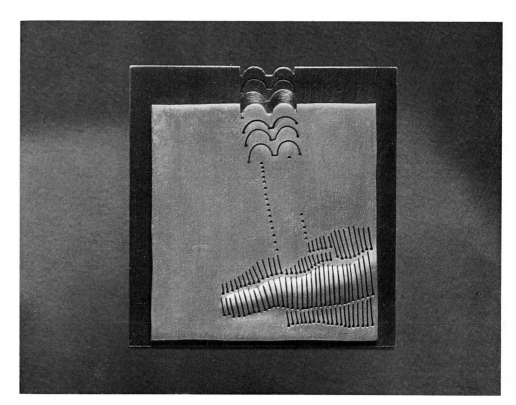

59 Brosche. Silber, matt und geschwärzt, Gold. 1971

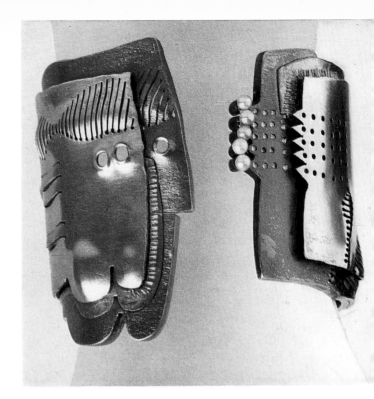

360 Armreif. Silber, matt, poliert und
    geschwärzt, Gold, Lackfarbe. 1969

361 Armreif. Silber, matt und geschwärzt,
    Gold, Zuchtperlen. 1970

362 Brosche. Silber, matt und poliert,
    geschwärzt, Gold, Lackfarbe. 1971

363 Brosche. Silber, matt und poliert,
    geschwärzt, Gold. 1970

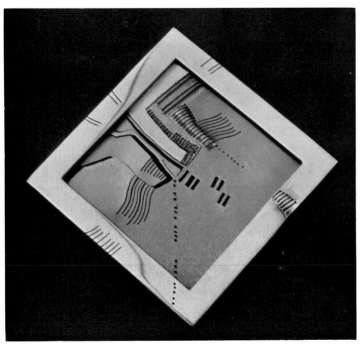

364 Brosche. Silber, weiß und poliert, Gold.
1972

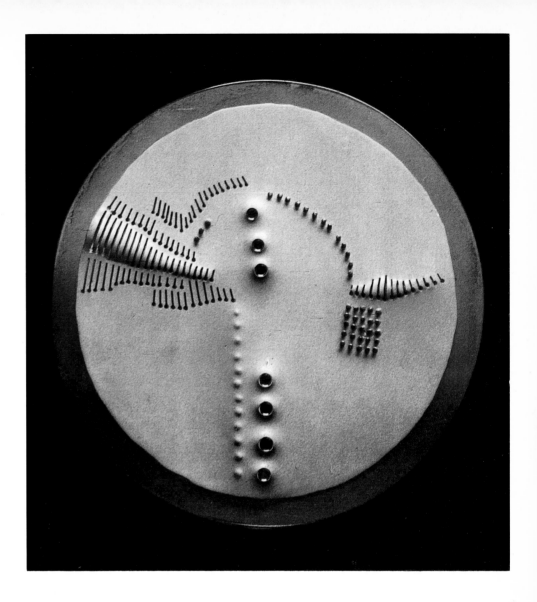

bis endlich der Gedanke des dreidimensionalen, aus Flächen und Linien gestalteten Ringgebildes von 1972 zu völlig neuen Formen führt, die „den Finger nicht nur als Träger, sondern als Gestaltungselement direkt einbeziehen".

Große Bedeutung hat für Lorenzen neben der Form auch die Farbe. Er löst sich ganz von den traditionellen Vorstellungen und verwendet immer seltener vorgegebene Farbträger (Steine und Perlen). Die Färbung des verwendeten Arbeitsmaterials (vor allem also des Silbers) muß differenziert und kontrollierbar sein. Schließlich bezieht er auch einen bestimmbaren Farbauftrag in seine Gestaltung ein.

Bei aller Aufmerksamkeit, die er jedem gestalteten Objekt widmet, sieht er selbst seinen „bevorzugten Anwendungsbereich im Ansteckschmuck wegen seiner fast universellen Tragbarkeit". Hier entwickelt er auch „Grenzwerte", d.h. „Miniaturen", deren Größe und Gewicht sich den Forderungen der Tragbarkeit entziehen. Obwohl er sich hier aller Bindungen entledigt, können seine Miniaturen doch in ihren Dimensionen auch als Schmuckobjekte dienen. „Ob es Schmuck wird und als solcher getragen wird, entscheide (dann) nicht ich, sondern (es entscheidet) die Einstellung und der Wille des Betrachters oder der Trägerin."

Der die Stille liebende Lorenzen schließt seine Bemerkungen über sich selbst mit den Worten: „Ich glaube, mir bleibt noch viel zu tun, bis ich ans Ziel gelange."

365 Ring. Gold, Amethyst, Zuchtperlen. 1967

366 Ring. Silber, geschwärzt, matt und
poliert, Gold, Mondstein, Lapislazuli-
Kugeln, Perle. 1969

367 Ring. Silber, matt und geschwärzt, Gold
grüne Lackfarbe. 1971

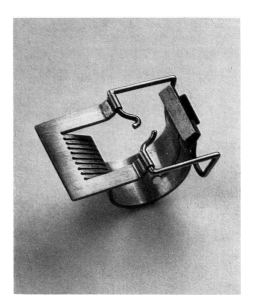

368 und 369. Ring. Silber, matt und
geschwärzt, Gold, grüne Lackfarbe. 197?

Reinhold Krause

1942	geboren in Löbau/Westpreußen lebt in Pforzheim
1956–60	Lehre als Silberschmied, Gesellenprüfung
1963–68	Studium an der Staatlichen Kunst- und Werkschule Pforzheim, Schüler von Professor Schollmayer und Professor Seidel (10 Semester)
1966	Staatliches Abschlußexamen in der Fachrichtung Gerätgestaltung
1968	Assistent des Direktors Professor Schollmayer (1 Semester)
seit 1969	eigenes Atelier für Schmuckgestaltung und Design in Pforzheim Tätigkeitsbereich: Schmuckgestaltung, Metallplastik, Gestaltung von sakralem und profanem Gerät, Industrie-Design

BETEILIGUNG AN AUSSTELLUNGEN:

1967	Baden-Württembergisches Kunsthandwerk Stuttgart Internationale Handwerksmesse München, „Form und Qualität" „Tendenzen" Schmuckmuseum Pforzheim
1968	Internationale Handwerksmesse München, „Form und Qualität" Internationale Schmuck-Ausstellung „Jablonec 68" (CSSR) New York, Tokyo, Hongkong, Singapur, Genf
1970	„Tendenzen 70" Schmuckmuseum Pforzheim
1971	Internationale Schmuck-Ausstellung „Jablonec 71" (CSSR)

AUSZEICHNUNGEN:

1967	Dritter Preis beim Wettbewerb „Halsschmuck in Gold" Pforzheim Auszeichnungen bei der Internationalen Kunsthandwerk-Ausstellung in Stuttgart
1968	Bronzemedaille bei der Internationalen Schmuck-Ausstellung in Jablonec International Diamonds-Award, New York

MUSEUMSANKÄUFE UND ARBEITEN IN DER ÖFFENTLICHKEIT:

1963	Ehrenpreis der Stadt Pforzheim (Sportpreis)
1964	Ehrenpreis für den Hamburger Fußballverband
1965	Gedenktafel für Deutsche Lufthansa Flughafen Stuttgart-Echterdingen Ehrengabe für Bayer-Leverkusen
1966	Goldstadtpokal (Preis der Stadt Pforzheim)
seit 1966	Sakrales und profanes Gerät Schmuck im Schmuckmuseum Pforzheim

Wie viele Jugendstilkünstler betätigen sich auch manche heutigen Gestalter auf mehreren Gebieten gleichzeitig. Damals war die „Mehrgleisigkeit" begründet in dem bewußten Streben nach einer Gesamtkunst mit einheitlichem Stil und der Tatsache, daß die meisten Formgeber freie Künstler waren, die, aus welchen Erwägungen auch immer, bevorzugt angewandte Kunst betrieben. Als Philipp Webb ein Haus für William Morris baute, entwarf er nicht nur das Gebäude und die Inneneinrichtung, sondern auch die Kleidung der Bewohner. Im genial-tragischen Gesamtplan seines Lebenswerkes, der Kirche „Familia Sagrada" in Barcelona, ließ der Spanier A. Gaudi weder das Altargerät, noch die Gitter, nicht einmal die Bänke der Gläubigen aus.

Die Illusion von einer einheitlich geformten Umwelt ist längst dahin. Wenn trotzdem auch heute noch manche Künstler sich nicht auf ein bestimmtes Schaffensgebiet festlegen, so hat das häufig ganz andere Gründe als damals und muß nicht zwangsläufig aus dem gleichen Stilwillen erklärt werden.

Reinhold Krause gehört zu jenen jungen Gestaltern, die sich den Anforderungen, denen sie begegnen, selten entziehen, auch wenn sie aus verschiedenartiger, manchmal sogar gegensätzlicher Richtung kommen. So gestaltet Krause kirchliche Kultgeräte und Industrieprodukte, geht Problemen der Plastik, besonders der Metallplastik, nach und kommt immer wieder zum Schmuck, der dann über längere Zeiträume hinweg sein ganzes Interesse und seine ganze Kraft in Anspruch nimmt. Er tut dies meistens periodisch und so lange, bis bestimmte Formprobleme gelöst sind; er tut es aus Verantwortungsbewußtsein wie aus innerer Neigung, die das Schöne unbedingt bejaht. Nicht illusionistisches Streben nach stileinheitlicher Gesamtkunst steckt dahinter, sondern eine ganz normale organische Ausweitung seiner Schaffensmöglichkeiten. An den gelernten Silberschmied, der noch dazu aus einer Werkstatt für kirchliche Kunst kommt, stellen Geräte und Gefäße so hohe Anforderungen, daß er sie ohne gründliche formale Ausbildung nicht zu bewältigen wagte. Sein freiwillig über das bereits bestandene Examen hinaus verlängertes Studium beweist, wie ernsthaft er sich den Anforderungen stellt, die sich aus dem tieferen Eindringen in die Formprobleme ergeben.

Von den eigentlichen Aufgaben der Gefäßgestaltung, die Funktion und Plastik gleichermaßen beinhalten, kommt er zu grundsätzlichen Fragen der Oberflächenbehandlung. Sie müssen ihn, da sie in seinem selbst gewählten Gebiet der Sakralgestaltung jenseits von Handhabe, Zweckmäßigkeit und Funktion liegen, folgerichtig zu den Problemen des Schmuckhaften führen. Er, der von sich selbst sagt, für ihn wäre „eine umfangreichere Grundschulung von Vorteil gewesen", ist ein schwieriger Schüler, weil er von Anfang an bestrebt ist, eigene Wege zu gehen, die er grundsätzlich nur vor sich selbst verantworten will. Das klingt vielleicht hochmütig, ist aber in Wirklichkeit ein Zeichen unerbittlicher Ehrlichkeit.

Korrekturen seiner Lehrer bewegt er lange in sich, ehe er für seine Arbeit Konsequenzen zieht. Diese aber sind dann meistens so positiv, daß seine Lehrer dem eigenwilligen Studenten bald immer größere Freiheit gewähren. Grundlegende technische Experimente und Lösungen, die er im metallurgischen Laboratorium der Kunst- und Werkschule vorfindet, regen ihn auf und an: Er entdeckt einen Weg, durch den eine schmuckhafte Oberflächengestaltung möglich wird. Die Ergebnisse schlagen sich in der Gestaltung vor allem sakraler Geräte (Monstranzen, Kelche, Altarkreuze) nieder, die sowohl Resultat seines langen Studiums als auch Beginn seiner durch ihn selbst immer wieder verunsicherten Selbständigkeit darstellen. (Über dies Verfahren der technologisch bedingten schmuckhaften Gestaltung wurde an anderer Stelle eingehend berichtet.) Der Eindruck der auf diesem neuen Weg gefundenen Schmuckhaftigkeit ist für Krause selbst so groß, daß er sie von der Oberflächengestaltung, ja vom Gefäß überhaupt löst und zum Anlaß und zur Grundlage seines Schmucks macht.

182

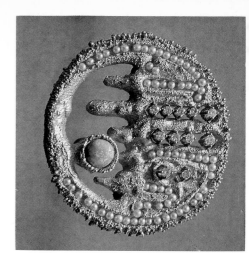

370 Brosche. Silber vergoldet, Electroforming, Opal, Brillanten, Perlen, siehe auch Farbtafel XXXVIII 442

371 Meßkelch. Cuppa vergoldet mit galvanischem Niederschlag, Fuß Marmor

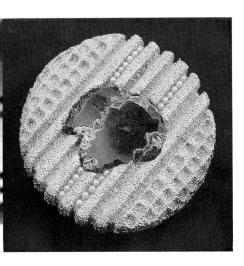

372 Brosche. 66 Brillanten, Electroforming

373 Brosche. Silber vergoldet, Electroforming, Malachit, Perlen, siehe auch Farbtafel XXXVIII 443

374 Monstranz. Plexiglas, Stahl, vergoldeter galvanischer Niederschlag

Die „Mehrgleisigkeit" seines Schaffens hat also doch ein einheitliches Fundament, das jedoch nicht nur formal-ästhetischer Natur, sondern ein Teil seiner selbst ist. Sein Schmuck soll gesellschaftliche Reservate durchbrechen und dem allgemein menschlichen Bedürfnis nach Schönheit dienen. „Es wird notwendig sein, den Schmuck von seinen bisherigen gesellschaftlichen Bindungen zu lösen, um ihn mehr der persönlichen Freude des Schmückens oder der Befriedigung individueller Bedürfnisse zuzuführen. Formale Äußerungen dürfen keinesfalls Zeichen eines gesellschaftlichen Standes sein. Dies und sich ständig mehrende internationale Anfragen veranlassen mich, meinen individuellen Unikatschmuck durch die Gestaltung von Serienschmuck zu erweitern."

Der so entschiedene junge Gestalter erhielt 1968 als einziger Nicht-Goldschmied die höchste Ehrung für die Gestaltung von Brillantschmuck, den de Beers Diamond-Award. Unterzieht man den bisher vorliegenden Schmuck (und nur um diesen kann es sich hier handeln) einer eingehenden Analyse, so sind zunächst zwei Werkperioden sichtbar. Die erste Epoche seines Schmuckschaffens zeigt Krause vordringlich als Metallgestalter. Seine Schmuckgebilde zeichnen sich in dieser Zeit durch die Alleinherrschaft des galvanisch niedergeschlagenen Metalls aus. Perlen und Schmucksteine fügen sich als Mittel schmuckhafter Steigerung sinnvoll der Gesamtkomposition ein. Abgesehen von dem großen Halskragen sind es zumeist plastische

376 Brosche. Silber vergoldet, weiß-graue Achate

377 Brosche. Gold, Perlen, Electroforming

375 Armreif. Silber vergoldet, Türkis, Electroforming

378 Armreif. Plexi, weiß und rot, galvanischer Niederschlag, vergoldet, siehe auch Farbtafel XXXIX 444

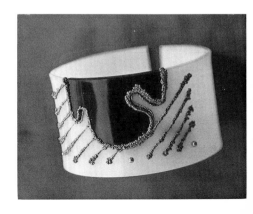

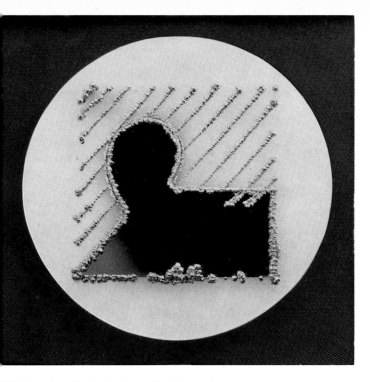

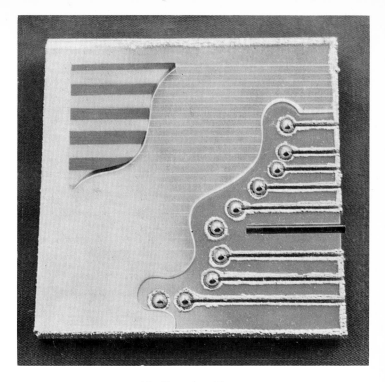

379 Brosche. Plexi, Platte weiß, Schmuckform rot, Ornamentierung in Electroforming, vergoldet

380 Brosche. Plexi verschiedenfarbig (weiß,
gelb, grau, rot), galvanischer Niederschlag vergoldet

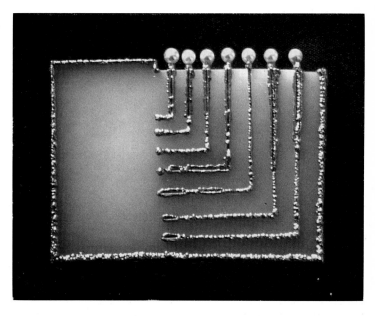

381 Brosche. Rotes Plexi, vergoldetes Metall,
vergoldeter galvanischer Niederschlag

382 Brosche. Weißliches Plexi, Perlen,
vergoldeter galvanischer Niederschlag

Konzeptionen, die er vornehmlich als Broschen und Armreifen ausführt. Die Grundformen sind einfach, bei noch spürbarer geometrischer Ausgangsform plastisch-weich
modelliert und ornamental reich gegliedert. Diese Gliederung bevorzugt entweder
eine lebendige Variation eines einzigen Elementes über die ganze Fläche (wie bei
der Brillantbrosche, die ihm den Award einbrachte), wobei das ornamentale Element im
Kontrast der äußerst empfindsamen Stempelung der metallischen Fläche zu den
Fassungen der 66 Brillanten gleicher Form entscheidendes Moment der Gesamtkomposition wird. Oder die Gesamtform wird so weit durchbrochen, daß die positiven
und negativen Formteile tragende Bedeutung im Sinne der Transparenz und der Einbeziehung des Hohlraumes erhalten. Bei dem großen Halskragen verzichtet Krause
auf beide Möglichkeiten der Formgliederung. Die einfache gebogene Bandform kommt
durch die Ordnung der Körnung und die dazu im Kontrast stehende Profilbetonung zu
besonderer Wirkung. Insgesamt sind alle Arbeiten von Krause aus dieser Epoche mehr
oder weniger archaisch, selbstverständlich ohne jegliche stilistische Bindung. Sie
entstammen Formvorstellungen, die organischen Bildungen näher stehen als konstruktiven Gesetzmäßigkeiten.
Die zweite und noch andauernde Schaffensperiode unterscheidet sich deutlich von
den Merkmalen seines früheren Schmucks. Zweierlei ist neu: das Zurücktreten des

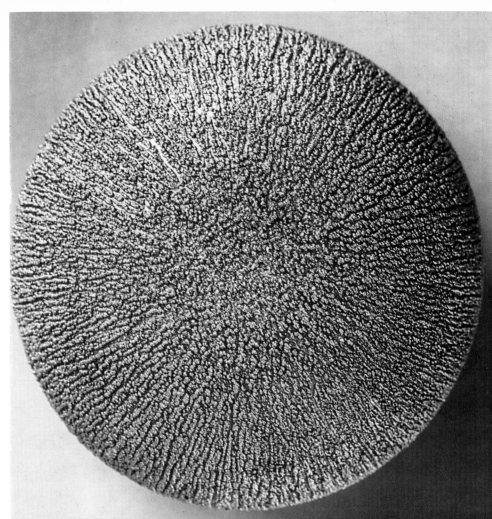

384 Runddraht. Aufbau in Kupfer. 1969
(stark vergrößert)

385 Hohlkörper-Kugel. Aufbau in Silber. 1969

Metalls zugunsten farbiger Kunststoffteile und die damit in Verbindung stehende Verringerung der Plastizität zugunsten des Flächigen. Folgerichtig sind diese geometrisch klaren Schmuckformen konstruktiven Charakters. Rechtecke, Quadrate und Kreise bei Ansteck-Schmuck und einfache Bänder bei Armschmuck werden nun – immer unter strikter Wahrung des Flächigen – entweder durch eingesetzte Flächen von meist stark kontrastierender Farbigkeit oder durch Linienbilder gegliedert, die durch die zarte Körnung des Metalls besondere schmuckhafte Bedeutung erhalten. Diese Entwicklung in Krauses Schmuck ist vielleicht bedingt durch seine vermehrte Beschäftigung mit Industrieprodukten, die ihn zu rationaleren, konstruktiveren Vorstellungen zwingen. Vielleicht kündigt sich durch die stärkere Betonung des Flächigen und Graphischen sein Bekenntnis zum seriellen, überindividuellen Schmuck an.

Krauses Beitrag zum Neuen Schmuck zeichnet sich durch Originalität, großen Einfallsreichtum und durch stete Beachtung des Schmuckhaften aus. Das Schmuckhafte, sei es nun in der üppigen Plastizität oder in der farbig-linearen Flächigkeit realisiert, hat bei ihm eine manchmal zwar eigenwillige, immer aber eigenständige Aussage gefunden. Zusammenhänge zwischen Schmuckgestaltung und Bildender Kunst lehnt er ab: „Eine direkte Verbindung sehe ich nicht, eine bewußte Anlehnung lehne ich ab, da ich Schmuck in einer eigenen Entwicklung sehe."

386 Aufbau von Kupfer und Nickel auf
    Acryl. 1969

387 Strukturbildung von Silber und
    Gold. 1969

388 Aufbau von Kupfer und Nickel auf
    Acryl. 1969 (stark vergrößert)

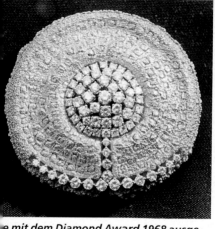

e mit dem Diamond Award 1968 ausge-
ichnete Arbeit von Reinhold Krause

Referenz 5004 (hier in Platin) ein solches kompliziertes Stoppwerk. Doppelchronograph, 30-Minuten-Zähler, ewiger Kalender und Mondphasenanzeige sind außergewöhnlich miteinander kombinier Der Preis liegt bei 211 400 Mark

Französische Uhrenindustrie

Erste Schätzzahlen für das Jahr 1995

Paris – Nach den neuesten Schätzungen hat der konsolidierte Umsatz der französischen Uhrenindustrie im vergangenen Jahr 1995 gegenüber dem Vorjahr um fast 10 % auf

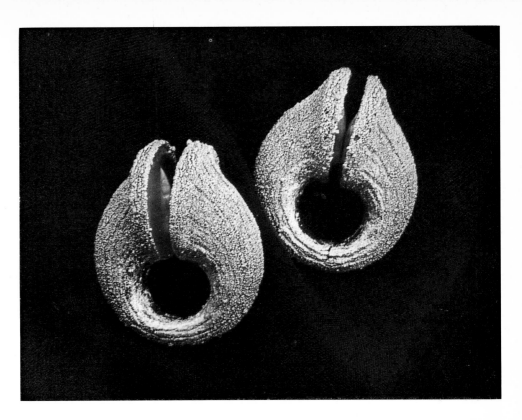

390 Halskragen. Silber vergoldet, Struktur im
galvanischen Bad gelenkt gestaltet

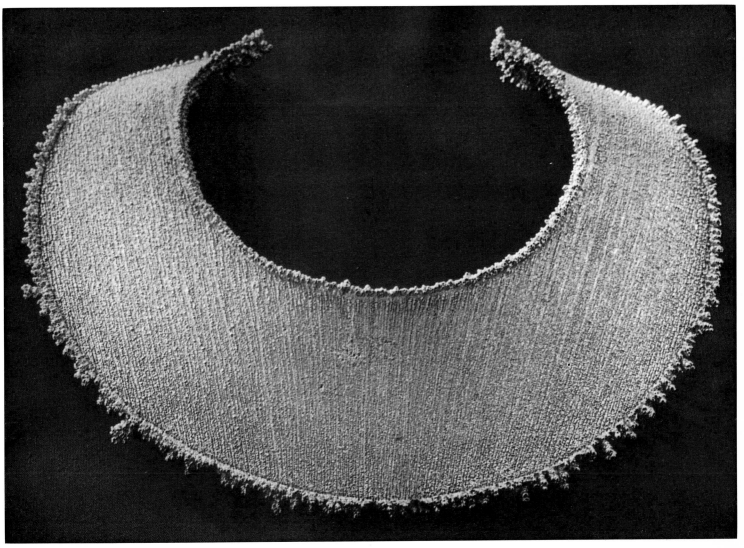

391 Brosche. Silber-Gold mit Enhydros und
Perle. 1968

392 Brosche. Silber-Gold mit Perlen. 1966

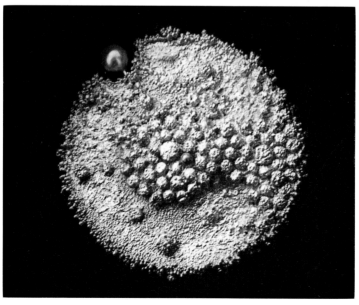

393 Brosche. Silber-Gold mit Perle. 1967

Uwe Böttinger

1942	geboren in Hildesheim
1957–60	Berufsausbildung als Goldschmied in Hildesheim, Gesellenprüfung
1965	Meisterprüfung als Goldschmied
1964–67	Studium an der Staatlichen Kunst- und Werkschule Pforzheim bei Professor Klaus Ullrich
1967	Staatliche Abschlußprüfung als Schmuckgestalter
seit 1968	eigenes Atelier für Schmuck in Hannover

BETEILIGUNG AN AUSSTELLUNGEN:
u.a. in Berlin, Braunschweig, Hannover, Hildesheim, Pforzheim, Hameln, Bremen, Lüneburg, Frankfurt, Angoulême, London

1969–71	Internationale Handwerksmesse München, Sonderschau Schmuck
1970/71	Wanderausstellung Skandinavien

AUSZEICHNUNGEN:

1965	Anerkennung und Ankauf beim Internationalen Ohrschmuck-Wettbewerb Pforzheim
1969	Bayerischer Staatspreis (Goldmedaille) Internationale Handwerksmesse München

MUSEUMSANKÄUFE:
Schmuckmuseum Pforzheim, Goldschmiede-Arbeiten

Je bedeutender der Lehrer ist, um so schwerer haben es die Schüler, von ihm loszukommen. Oft gelingt die Trennung nur, indem der Jüngere sich in bewußten Gegensatz zum Älteren stellt. Dies mag heute mehr denn je die Regel sein, da die Generationsunterschiede und -widersprüche sich in immer engeren Zeiträumen bemerkbar machen.

Böttinger hatte eine Lehre in der üblichen Weise absolviert und sie mit der Gesellenprüfung abgeschlossen. 1964 kam er zur Kunst- und Werkschule in Pforzheim und wurde dort Schüler von Klaus Ullrich. Gerade in den Jahren 1964–67 sind Ullrichs Bemühungen um einen neuen Weg in der Schmuckgestaltung nicht nur in seinen eigenen Arbeiten, sondern auch in den Studienergebnissen vieler seiner Studenten sichtbar. Es ist die Blütezeit der strukturierten Form im Schmuck, deren überzeugendste gestalterische Grundlage Ullrich besonders durch seine Schweißtechnik schuf. Damit beginnt Böttingers Suchen nach einer zunächst subjektiv neuen Möglichkeit seiner Schmuckgestaltung. So wichtig und notwendig eine handwerkliche Ausbildung als Meister auch sein mag, sie ist für die Begabten, die zu schöpferischer Leistung drängen, oft deshalb ein nicht unbedeutender Hemmschuh, weil mit der Erlernung der technischen Fertigkeiten eine Verhärtung formaler Vorstellungen verbunden ist, die in der Regel entweder rein konservativ oder modernistisch sind. (Was dabei das Gefährlichere ist, sei dahingestellt.) Böttinger hat also, wie fast jeder junge Gestalter, zunächst genug damit zu tun, zu vergessen, was er – in formaler Beziehung – gelernt hat. Wieviel fruchtbarer könnte ein gestalterisches Studium sein, wenn nicht erst ein Semester damit verbracht wird, abzubauen, was nicht brauchbar ist. Böttingers bescheidene und stille Art macht ihm dies leichter als manchem revolutionären Mitstudenten. Er erweist sich bereits zu Beginn des gestalterischen Studiums als ein Suchender, dem Evolution adäquater ist als Revolution. Er wendet sich – gestalterisch – nicht gegen seinen früheren Lehrer, er wendet sich nicht einmal von ihm ab. Aber es gelingt ihm doch, für seinen Schmuck eine eigene Note zu erarbeiten. Er ist sehr konsequent und kann einer Grundidee lange nachgehen, so lange, wie sie ihm schöpferisch nützt. Trotzdem ist er kein intellektueller oder konstruktiver Grübler. Denn seine dritte Grundeigenschaft ist die Stärke der Emotion. Sensibilität im Bereich des Schmucks ist immer von Vorteil, sowohl beim Gestalter selbst als auch beim Träger.

Böttingers derzeitige Schmuckarbeiten zeichnen sich aus durch feinstes Empfinden für Proportionen und Dimensionen und (was noch wichtiger, weil seltener ist) für Nuancen von Akzenten und Kontrasten. Doch hören wir, was er selbst zu seiner Arbeit sagt:

„Meine Entwürfe und Arbeiten sind sehr intuitiv. Ich habe sie nicht vorher erdacht. Um die Frische einer Skizze im Metall zu erhalten, benutze ich folgende Methode: den ersten Entwurf zeichne ich nicht auf Papier, sondern mit einer Stahlspitze unmittelbar auf eine 0,06 mm starke Goldfolie auf weicher Unterlage. Auf diese Weise halte

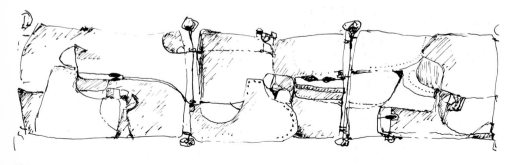

394 Skizze zu einem Gliederarmband 1969

192

395 Oberarmschmuck. Gold verschiedenfarbig, Stein. 1969, siehe auch Farbtafel
   XL 445

396 Halsschmuck. Feingold mit blauen
   Flächen aus Plastik. 1970, siehe auch
   Farbtafel XLI 446

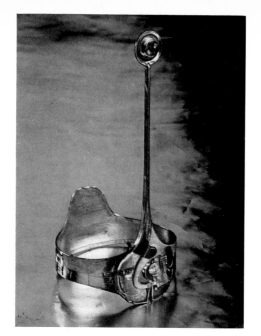

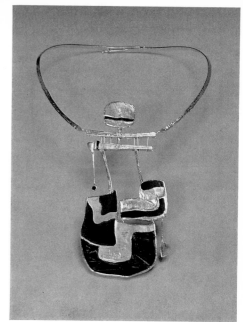

ich Charakter und Temperament einer Zeichnung fest, da das Gold die differenzierteste Druckstärke des Stifts annimmt. Die dünne Folie hinterlege ich dann mit 750/000
Gold und mache sie somit haltbar und gegen weitere Verformung, die nicht gewollt
ist, widerstandsfähig. Meine Schmuckkonzeption beruht im allgemeinen auf freien
Flächenkompositionen, die durch Liniengebilde oder auch durch plastische, bzw.
reliefmäßige Gestaltung bereichert werden. Ich strebe weiche Ausgewogenheit an
und bemühe mich, diese durch Spannung und Entspannung, aber auch durch Konzentration auf wenige Akzente zu erreichen.
Für die Bearbeitung des Metalls – ich liebe vor allem 750/000 Gold – verwende ich
häufig die Techniken des Ätzens, Schmiedens, Drückens und Prägens.
Ein Akzent besonderer Art ist für mich die Farbigkeit. Für das Metall nehme ich gerne
hellrot, tiefrot und schwarz. Ich erziele diese Farbtöne durch Oxydation auf nur kupfer-
haltigen Goldlegierungen. Kontrastierend dazu verwende ich als Blau kaltpolymeri-
sierten Kunststoff."
Die problemlose Kombination von Gold und Kunststoff wählt Böttinger ausschließlich um der gestalterischen Wirkung willen. Er nimmt die bildnerischen Mittel, die seinen Formvorstellungen entsprechen. Die Abwendung von der kommerziellen Bewertung der Mittel, die allem modernen Schmuck von schöpferischer Qualität eigen ist,
bedeutet für ihn nicht Abwendung vom Gold. Das muß betont werden, weil mit der
Entdeckung des Kunststoffs als Schmuck-Material bei manchen, vor allem jungen
Gestaltern eine gewisse Dogmatik entstanden ist, die nur noch dies neue Material zu-
lassen will.
„Ich verfolge einen persönlichen Stil." Das spricht von seinem ehrlichen Bemühen,
die Bedeutung seines Unikatschmucks mit eigenen Formvorstellungen zu begründen.
Das ist sein gutes Recht, ja eigentlich seine Aufgabe. Abgesehen von den ganz per-
sönlichen, sozusagen handschriftlichen Formäußerungen zeichnet sich Böttingers
Schmuck durch die ihm eigene Farbigkeit aus. Damit ist sein Beitrag zum Neuen
Schmuck als eine persönliche Leistung zu werten, hat er doch auch die dazu erforderliche Technik selbst entwickelt.

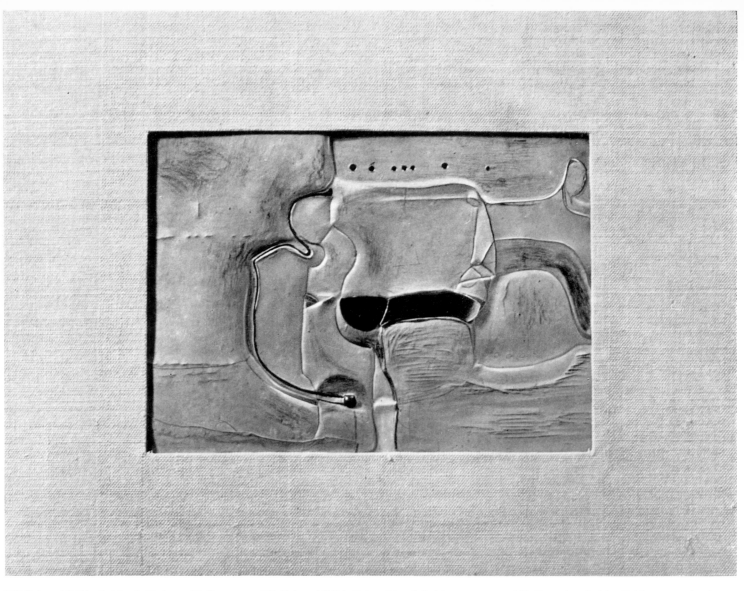

397 Feingoldbild. Gold mit Steinen, Maße
ohne Rahmen 82×59 mm. 1970

398 Feingoldbild. Feingold mit farbigen
Plastikflächen, Maße ohne Rahmen
79×115 mm. 1970

399 Brosche. Gold mit blauen und roten
Plastikflächen. 1970

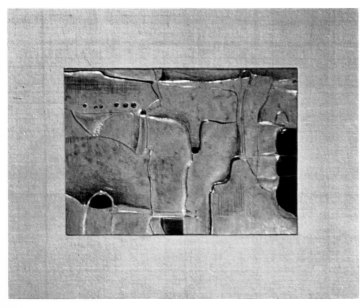

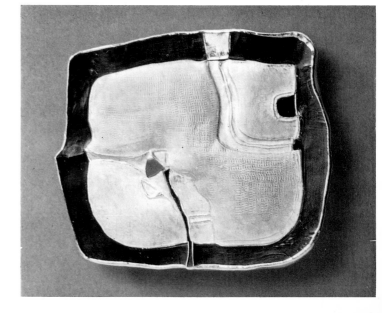

Barbara Gasch

Barbara Gasch

1942	geboren in Darmstadt
	Abitur; Goldschmiede-Lehre,
	2 Jahre in Darmstadt, 1 Jahr in
	Blaubeuren; Gesellenprüfung
1969	Meisterprüfung
1966/67	Hochschule für Bildende Künste
	Berlin
1967/68	Hochschule für Angewandte Kunst
	Prag
seit 1969	eigenes Atelier für Schmuck
seit 1970	Galerie für Neuen Schmuck
	in Darmstadt

BETEILIGUNG AN AUSSTELLUNGEN:
1970	Internationale Handwerksmesse,
	Sonderschau „Schmuck" München
1971	Museum Bellerive Zürich,
	Schmuck-Objekte

EIGENE AUSSTELLUNG:
1969	Prag

Über einige Stufen gelangt man von dem Werkstatt-Laden in einen kleinen Neben-raum. Schon beim Betreten des Ladens, der zugleich Atelier ist, spürt man einen un-gewöhnlichen Geist. Das Nebeneinander von etwas improvisierten Schaukästen und Werkbrett, Amboßstock und Kittkugel erinnert an mittelalterliche Darstellungen und ist doch so gegenwartsnah. In den Kästen hängt moderner Schmuck von anderen Künstlern, die Barbara Gasch zu temporären Ausstellungen in ihre Galerie eingeladen hat. Im Schaufenster bietet sie schmuckhafte Elemente an, Glasperlen, Kunststoff-teilchen, Schnüre und all die vielen Dinge, denen junge Menschen so zugetan sind. Eines ist hier sofort klar: Barbara Gasch hat für sich und die anderen den Schmuck heruntergeholt vom Piedestal und ihn mitten hineingestellt in das Leben. Sie ermun-tert sogar „Kunden", junge Leute, die ihren Schmuck liebend gern kaufen würden, ihn aber nicht bezahlen können, sich selbst Schmuck zu machen, zu Hause oder in ihrem Atelier. Man glaubt ihr die Überlegung, ob sie das „Schmuck-Machen" als Beruf wohl aufgeben soll, weil sie gesellschaftliche Forderungen aus den Kreisen, mit denen sie sich identifiziert, auf sich zukommen sieht. Sie erscheinen ihr ver-pflichtender als Schmuck zu machen für ein Establishment, das sie ablehnt und des-sen Bedingungen ihre Auffassungen von Schmuck nur stören. Schmuck ist ihr ele-mentare menschliche Äußerung, die weit vor der Ästhetik beginnt und nichts mit kommerziellen Absichten zu tun hat.

Auf ihrem Ladentisch liegt ein Buch von Rosa Luxemburg. Gewiß zufällig, aber die Beziehung ist deutlich: Wer Rosa Luxemburgs „Briefe aus dem Gefängnis" liest, weiß, was gemeint ist. Denn die nüchtern erscheinende, sozialkritische Barbara Gasch hat einen ihr Schaffen stark beeinflussenden Bund mit der Magie geschlossen. Geht man mit ihr die wenigen Stufen zu jenem Nebenraum hinauf, gerät man schnell selbst in dessen Bann. Die Wände sind bedeckt mit Büchern, zwischen denen die zer-brochenen Puppen ihrer Kinder ein merkwürdiges Leben bekommen, weil Mutter Barbara sie in seltsamer Weise zusammengeflickt hat. In den Kästen dazwischen sieht man endlich „ihren" Schmuck.

„Ja," sagt sie, „das ist eine ganze Geschichte, wie ich dazu gekommen bin. Das letzte Jahr meiner Lehre habe ich in Blaubeuren bei Meister Rolf Dentler verbracht. Mich aus dessen bestimmender Individualität zu lösen, war sehr schwer, aber um so not-wendiger. Die beiden Jahre in Berlin brachten mich wenig weiter. Aber Prag! Die großartige Hochschule, an der ich bei Professor Nusl, dem guten alten Goldschmied eingeschrieben war, ist wie eine große Familie, in der sich jeder bemüht, aus der reichen Tradition, welche die Gebiete des Metalls, des Glases und des Textils dort haben, heraus und zu Neuem zu kommen. Da habe ich auch meinen eigenen Weg finden können."

Der Wunsch, Schmuck als Aussage ihrer selbst gestalten zu können, war schon in Berlin wach geworden; aber erst in Prag war der rechte Boden für sie. „Da kam mir der Gedanke, Augen in meine Schmuckgebilde einzufügen. Aber wie? Ich hatte keine Ahnung, bis mich eine Mitstudentin zum Optiker, Herrn Holub, brachte. (Herr Holub ist Spezialist für künstliche Augen, die er selbst herstellt.) Ich durfte in seinen Bestän-den kramen – während er in einem Nebenraum gerade einem Patienten das neue Glasauge einpaßte. Er schenkte mir so ein Glasding, das einen so unheimlich an-schaut – ich habe daraus diese erste Brosche gemacht." Dieser Schmuck ist wohl ihr Talisman, sie hält ihn in der Hand, das obere Lid bewegt sich, die Wimpern zittern: „Ja, der zwinkert mir zu."

So entstanden dann Ringe, Broschen, Ohrgehänge; meistens dominieren darin Glas-augen. Es liegt nahe, an eine raffinierte intellektuelle Eroberung des Surrealismus für die Schmuckgestaltung zu denken. „Aber ich hatte doch kaum eine Ahnung von Kunstgeschichte und gar keine von den Erscheinungen der surrealistischen Kunst.

196

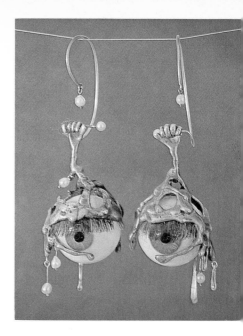

400 Ohrgehänge. Silber modelliert und
gegossen, Glasaugen, Perlen, siehe auch
Farbtafel XLII 447

401 Schlangenkette. Silber, Schlangenkopf
modelliert und gegossen

402 Schmuckdose. Silber mit vielen Steinen
und Perlen, Deckel rotes Plexi

197

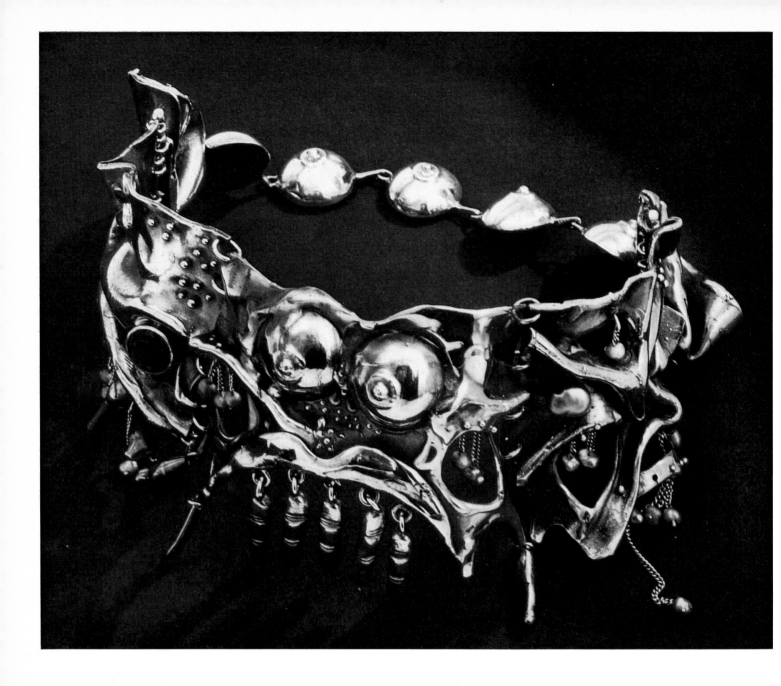

Aber sie ist der Gefahr entgangen, Nachahmungen primitiver Fetische zu schaffen, weil das, was sie macht, spontan und elementar sie selbst ist. Das steigert sich bis zu „Max Ernst und Salvador Dali waren mir damals völlig unbekannt. Was mich damals in Prag – und auch heute noch – dazu trieb, diese Augen aus Glas, aber auch winzige Hände und Beine aus Metall für meinen Schmuck zu verwenden, ist allein der Wunsch, mich selbst auszudrücken. Schmuck kann ich eigentlich nur für mich machen, zu meinem Lustgewinn." Erst Psychologen erklären ihr den Sinngehalt ihrer eigenen Arbeit. „Ja, und da plötzlich erkenne ich, daß dies alles ganz unbewußt meiner damaligen Situation besonders entspricht."

Das, so scheint es, ist das Wichtigste an Barbara Gaschs Schmuck: Er ist ein Beweis für die Wirksamkeit von Magie und Zauber bis in die heutige Zeit, die ursprünglicher sind als alle ästhetischen Bemühungen der gegenwärtigen Schmuckgestaltung um neue Formen und reichen bis zu jenen Quellen, aus denen sich die Menschheit nährt.

403 Halsschmuck. Als Hochrelief modelliert und gegossen, beweglich, aufgesetzte Steine, angehängte Perlen und Korallen

198

404 Halsschmuck. Silber vergoldet, beweglich angehängte vollplastische Finger

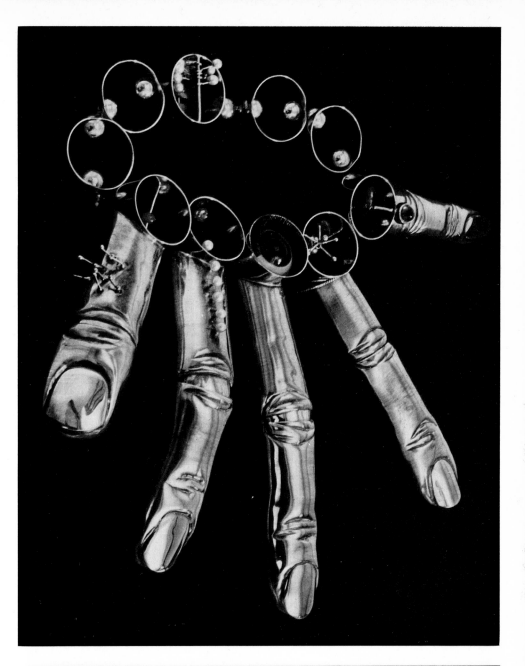

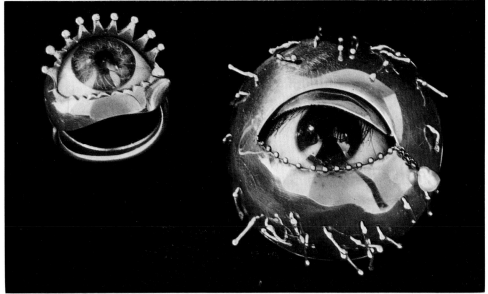

405 Ring und Brosche mit Glasaugen. Augen-
lid der Brosche beweglich

der mit Augen und Steinen besetzten Dose, an der Perlen und metallene Schmelz-
formen hängen und die auf drei naturalistischen Menschenfüßen steht. Das Innere
ist mit kurzem Pelz ausgeschlagen und birgt ein kleines Herz aus Bergkristall. Oder im
Schmuck bis zu dem Gürtel aus Pelz mit dem silbernen Ohr (ihrem eigenen Ohr, das
sie abgegossen hat) als Verschluß.
Der Beitrag Barbara Gaschs zum Neuen Schmuck ist wichtig; er ist es besonders deshalb, weil nach einer großartigen Eigenständigkeit der Schmuckgestaltung diese von
gewissen Seiten wieder in die Abhängigkeit von der sog. freien Kunst geführt werden
soll. Aber als Kunstwerk ist Schmuck mehr als die Anwendung fester ästhetischer
Regeln und schon gar als die Übertragung freikünstlerischer Probleme in die Bindungen des Schmuckhaften. Barbara Gaschs Schmuck ist eigenständig, er ist poetisch,
erotisch und surrealistisch.

406 Pelzgürtel mit Ohr als Verschluß. Silber
    gegossen mit anhängender Koralle

407 Ring. Fingerform hohl montiert, Finger-
    nagel aufklappbar, auf Innenseite Perlen

408 Ring. Eckige Ringscheibe in Form von
    zwei Armen mit Händen und zwei Füßen.
    Ring an der kleinen Hand mit Smaragd
    ist beweglich

Bernd Munsteiner

1943	geboren in Mörschied Kreis Birkenfeld
1957–60	Lehre als Edelsteinschleifer
1963–66	Studium an der Staatlichen Kunst- und Werkschule Pforzheim (7 Semester), Schüler von Professor Schollmayer und Professor Ullrich
1966	Abschlußexamen als Gestalter von Schmuck (mit Schwerpunkt Edelsteine)
seit 1967	eigenes Atelier für Edelstein- und Schmuckgestaltung in Stipshausen bei Idar-Oberstein

BETEILIGUNG AN AUSSTELLUNGEN:

1967–69	Frankfurter Messe Abteilung Kunsthandwerk
1968	Dortmund, Mainz, Handwerkskammer
1969	Internationale Handwerksmesse München, „Form und Qualität" Florenz Johannesburg (Südafrika) Mittelrhein-Museum Koblenz
1967	Schmuckmuseum Pforzheim „Gestalteter Stein"

EIGENE AUSSTELLUNGEN:

1969	Kopenhagen, Basel, Bozen

AUSZEICHNUNGEN:

1968	Förderpreis für junge Künstler Rheinland-Pfalz
1969	Bayerischer Staatspreis (Goldmedaille) Internationale Handwerksmesse München

Als sich Bernd Munsteiner entschloß, seine Ausbildung als Edelsteinschleifer mit dem Studium eines Gestalters fortzusetzen, wußte er bereits oder merkte doch sehr bald, daß er damit einem völlig neuen Anfang gegenüberstand. Was bei den Edelsteinschleifern seiner Heimat als Höhepunkt galt – und noch immer bei vielen als solcher gilt – ist technische Spitzfindigkeit und handwerkliche Akrobatik. Schöpferischen Ideen bot die jahrhunderte-, ja jahrtausendealte Technik des Edelsteinschliffs anscheinend keine Möglichkeiten. Die Formvorstellungen sind allein im Technischen verankert und mit dem Merkantilen verflochten. Für Neues gibt es wenig Verständnis und viel Widerstand. Die Ausbildung eines Edelsteinschleifers ist – abgesehen von ein wenig Kulturgeschichte und der Einführung in die Formenwelt der Vergangenheit zum Kennenlernen von nachzuahmenden Objekten – lediglich auf das Erlernen der Technik und der sicher oft sehr schwierigen Handgriffe abgestellt.

Was hat den jungen Edelsteinschleifer zu diesem Studium getrieben? Die Erkenntnis, daß Formen mehr sind als nur Nachahmungen, und der Drang, zu ergründen, ob – trotz aller gegenteiligen Meinungen – nicht doch auch der Stein, besonders der Edelstein, in die Gestaltungsproblematik unserer Zeit einzubeziehen sei. Seine Vorstellungen waren damals selbstverständlich sehr vage, und das um so mehr, als es keine Ausbildungsmöglichkeiten an einer der bestehenden Kunstschulen gab. Nur in Pforzheim, so hatte Munsteiner bei einem Besuch der Kunst- und Werkschule gehört, begann der Direktor eben, eine Klasse für Edelsteingestaltung einzurichten. Munsteiner hatte den Mut, sich als Studierender mitten in dieses Experiment zu begeben. Es war erstaunlich, den jungen Mann, der bisher nie etwas von Kunst oder Gestaltung gehört hatte, der nur besessen war von einem unbestimmten Wollen, in seiner ruhigen, fast bäuerlichen Art sich der ersten und heftigen Verunsicherung stellen zu sehen: Eine Schleiferei mit entsprechenden technologischen Voraussetzungen war erst in ihrem frühen Entwicklungsstadium. Erich Frey, aus Südafrika gekommen, war damit betraut; seine Erfahrungen erstreckten sich auf seine persönlichen Experimente als Goldschmied, der die Steine liebt und ihnen eine Form zu geben gewillt ist, die seinen Vorstellungen vom heutigen Schmuck entspricht. Das planmäßige Studienfach Plastik war auf die allgemeinen Probleme des Räumlichen und ihre Realisation mit heutigen Mitteln und in unserer Sprache abgestellt; für die spezielle Gestaltung des Steines im schöpferisch-schmuckhaften Sinn gab es nur Offenheit für das Experiment.

Es ist nicht leicht, sich die Verwirrung des Suchenden vorzustellen, der sein subjektiv großes Wagnis mit soviel Unvollkommenheit konfrontiert sehen mußte. Aber Bernd Munsteiner rebellierte nicht, sondern mühte sich redlich, mitzuhelfen. So ist er dann bald Lernender und Berater in einem. Er beteiligt sich an allen Experimenten, den technischen wie formalen, ohne den Mut zu verlieren, ohne Überheblichkeit ob seines besseren Wissens in technischen Fragen und ohne sich als Versuchskaninchen zu fühlen. Dazu hat er zuviel Substanz. Er erkennt auch, daß die Gestaltungsprobleme für Edelstein nicht isoliert betrachtet werden können und im innigen Zusammenhang mit denen des heutigen Schmucks überhaupt gesehen werden müssen.

Bei Klaus Ullrich hat er dann für sich selbst fundamentale Lösungen entwickeln können. Diese wiederum auf die Steingestaltung angewendet und mit der Erkenntnis vereinigt, daß auch die Beachtung der optischen Gesetze von größter Wichtigkeit sind, führen Munsteiner auf seinem eigentlichen Gebiet zu Ergebnissen, die nun nicht nur neuartig sind, sondern auch formal und technisch absolut stimmen.

Er ist mit seinen Steingestaltungen längstens der beste Freund aller Schmuckkünstler geworden, die sich seit Jahren vergeblich mühten, für ihre Schmuckkonzeptionen die adäquaten Steinformen zu finden. Nun hat er ein eigenes Atelier, ist anerkannt im Inund Ausland. Auf Fragen der Gestaltung äußert er sich „lapidar" (wie treffend für sein Metier!):

409 Edeltopas. Blau, freie Schliff-Form

410 Bergkristall. Freie Schliff-Form

411 Citrin. Freie Schliff-Form, siehe auch Farbtafel XLIII 449

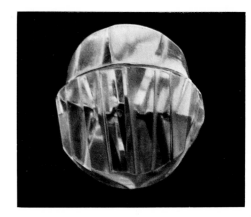

412–414. Ring. Gold mit rotem Turmalin in freier Schliff-Form, siehe auch Farbtafel XLIII 448

Was halten Sie von „unechtem" Schmuck? – „Schmuck ist Schmuck!"
Was bedeutet für Sie Schmuck? – „Schmuck ist für mich eine Art Sprache ... ein Mittel zur Verständigung."
Welche Materialien bevorzugen Sie und warum? – „Im Moment bevorzuge ich Achat. Ich habe ein besonderes Verfahren entwickelt (Korundstrahlgebläse), ihn zu bearbeiten. Dies gibt mir die Möglichkeit, freie dreidimensionale Reliefs für Schmuckzwecke zu gestalten."
Welche Zusammenhänge sehen Sie zwischen Schmuckgestaltung und Bildender Kunst? – „Für mich hat die heutige Schmuckgestaltung ihren Ursprung in der Bildenden Kunst, mit der sie vergleichbar ist."
So entschieden und unproblematisch sich Munsteiner hier äußert, so phantasievoll gestaltet er den Stein. Nach anfänglichen Versuchen während des Studiums, die ihm grundlegende Erfahrung mit Reliefs im kleinen Format vermittelten, ging er daran, das schier unerschütterliche Gesetz der Facettierung durch freie und völlig neue Kompositionen geschichteter und gewinkelter Flächen zu beleben. Munsteiners Facettenschliff läßt Steine zu einer neuen Wirkung kommen, wie es die gewohnten regelmäßigen Facettenformen nicht mehr vermögen. Die scheinbar spielerischen Kompositionen sind dabei so gründlich durchdacht, daß auch die optischen Gesetzmäßigkeiten Beachtung finden und die optimale Verwertbarkeit des Steinmaterials berücksichtigt wird.
Sein Kontakt mit der heutigen Schmuckgestaltung ist am unmittelbarsten dort, wo er Schichtsteine, vornehmlich Achate, als Reliefs arbeitet. Seine intensive Kenntnis des Steines ermöglicht es ihm, in abstrakten Kompositionen Wirkungen hervorzuzaubern, deren Schönheit an die Gemmen aus früheren Epochen erinnert.

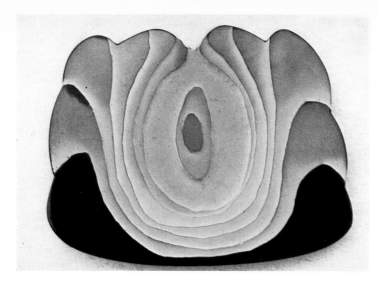

415 Reliefplatte. Achat

416 Brosche. Achat, geätzt, Gold, siehe auch
Farbtafel XLIV 450

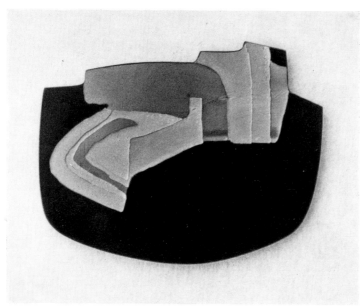

417 Reliefplatte. Achat

418 Manschettenknöpfe. Achat, reliefmäßig
geätzt, Weißgold

419 Reliefplatte. Achat

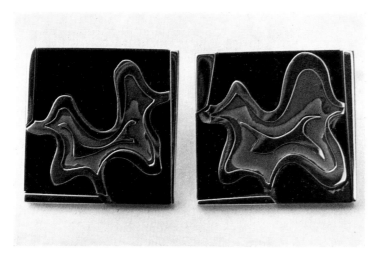

Claus Bury

Claus Bury

1946 geboren in Meerholz
1962–65 Ausbildung an der Staatlichen
Zeichenakademie Hanau; Gesellenprüfung als Goldschmied
1965–69 Studium an der Staatlichen Kunst-
und Werkschule Pforzheim
bei Professor Reiling
1968 Staatliche Abschlußprüfung
als Schmuckgestalter
1969/70 Aufenthalt in London
seit 1970 eigenes Atelier für Schmuckgestaltung und Großobjekte
in Acrylglas in Meerholz;
wohnt heute dort
1971 Lehrauftrag an der Staatlichen
Kunst- und Werkschule Pforzheim
1972–73 Lehrauftrag am Royal College of Art
und an der Middlesex Politechnic,
London

BETEILIGUNG AN AUSSTELLUNGEN:
1969 Galerie Stubhan Salzburg
1970 „Tendenzen" Schmuckmuseum
Pforzheim
Galerie Miniatur Hamburg
(Einzelausstellung)
10 Jaar „Nouvelles Images"
Den Haag
1971 Dürer-Ausstellung Nürnberg
Eröffnungsausstellung Electrum
Gallery London
Galerie Lalique Berlin
Internationale Frühjahrsmesse
Berliner Galerien, Galerie Springer
1972 Sieraad 1900–1972 Amersfort
Electrum Gallery London
Galerie „At Home" Toulouse
1973 Aberdeen Art Gallery

AUSZEICHNUNGEN:
1965 Jahresplakette der Zeichenakademie Hanau
Erster Preis im Broschen-Wett-
bewerb Hanau
1972 Preis beim Internationalen
Schmuckwettbewerb Schmuckmuseum Pforzheim

MUSEUMSANKÄUFE:
1965 Zeichenakademie Hanau
1967 Kunst- und Werkschule/
Schmuckmuseum Pforzheim
1970 Schmuckmuseum Pforzheim

Von den hier vorgestellten Schmuckgestaltern der Gegenwart ist Claus Bury der jüngste. In der Gruppe der Jungen nimmt er eine eigenständige Stellung ein. Die Worte seines Lehrers Reiling 1967 anläßlich einer Ausstellung von Arbeiten seiner Schüler treffen für Bury in ganz besonderer Weise zu: „Meine Schüler sollen sich ihre Formenwelt erarbeiten; sie sollen nicht auf das Nachempfundene angewiesen sein."

Schon in den Arbeiten seiner Studienzeit ist eine Entwicklung deutlich ablesbar, die sich etwa zwischen 1966 und 1967 in der Abkehr von mehr goldschmiedisch empfundenem Schmuck äußert. Trotz der bereits erkennbaren Eigenart und Unterscheidung zu den Arbeiten seiner Mitstudenten sind ihm offensichtlich selbst die verwendeten Formen und die Technologie der Gestaltung für seine Erkenntnisse zu sehr „nachempfunden". Er beginnt, seine „Formenwelt zu erarbeiten". Das geschieht aber nicht wie bisher am Werkbrett oder in der Untersuchung metallischer Wirkungen von Blechen und Drähten, in der Erprobung schmuckhafter Akzente durch Steine oder in der Entwicklung von Entwürfen auf der Basis werknaher Vorgänge. Jedoch ist diese Zeit, die er ziemlich abrupt verläßt, nicht umsonst gewesen. Er hat an einer wichtigen Epoche des Neuen Schmucks trotz seiner Jugend aktiv teilgenommen. Er kann „aus einem Licht fort in das andre gehen". Bereits in seiner Examensarbeit wird die neue Auffassung deutlich dokumentiert: Es sind Objekte der gegenständlichen Welt, die zeichnerisch ermittelt, nach ihrem bildhaften Gehalt untersucht und in neue Schmuckelemente umgesetzt werden. Es entstehen flächige Kompositionen, deren Spannung im Wechsel vom Positiven zum Negativen, vom Flächigen zum Linearen liegt. Schichtungen und Durchbrüche vermitteln den Eindruck einer hintergründigen Welt, hinter Gittern gefangen, als Schemen aus der Fläche tretend oder als Ornament in sie verstrickt. Die Zuwendung zum Gegenstand wird in diesen Jahren deutlich erkennbar. Sie ist zu verstehen als Gegenbewegung zur lange Zeit geübten Ablehnung jeglicher Gegenständlichkeit und bedeutet für Bury die erste Stufe einer eigenen Formaussage.

„Als wesentliches Charakteristikum im Schmuck sehe ich die Auseinandersetzung mit künstlerischen und gestalterischen Kriterien, deren Problematik in Form einer eigenständigen Handschrift zur Aussage kommen soll," sagt er selbst.

Sein Aufenthalt in London bedeutet für ihn wohl mehr als nur ein Auslandsaufenthalt. Es ist der Sprung auf die Insel des Alleinseins. In dieser Zeit reifen die Vorstellungen der neuen Formen. Das geht konform mit der radikalen Hinwendung zum neuen Schmuckmaterial Acrylglas. Mit äußerster Konzentration und Intensität verfolgt er den begonnenen Weg. Seine Kompositionen gewinnen an Klarheit. Er bevorzugt nun Symmetrie und eine der wirklichen Welt nur mehr in geheimnisvoller und merkwürdiger Weise verbundene Objektivität. Das Acrylglas gibt ihm die Möglichkeit, die Farbe als wichtiges Element seiner Konzeption zu verwenden, ohne dazu wie in längst vergangen erscheinender Zeit Schmucksteine oder andere goldschmiedisch erprobte Mittel verwenden zu müssen. Das farbige Acrylglas ist gleichzeitig bildnerisches Mittel, das die Komposition nachdrücklich unterstützt und begleitet, und Möglichkeit der Aussage; einer Aussage sehr poetischer Art. Im Anfang noch hart und kontrastreich, werden die Farbklänge mit der Zeit milder, die Töne zarter und die Übergänge weicher. Hinzu kommt sehr bald die Entdeckung der Perspektive in völlig neuer Weise. Die Verengung der Linien und Farbstreifen entspricht der überlieferten perspektivischen Konstruktion. Aber ihre Einfügung in die Bildkomposition hat ihren eigenen Wert. Sie wirkt erregend in einer absoluten Ruhe und dynamisch in der völligen Gelassenheit einer beherrschten Statik. Das ist eine konsequent „gemachte" Welt, das sind künstliche Gebilde von schöpferisch-künstlerischem Rang. Ist es die Vorahnung einer künstlichen Welt, der wir mit zunehmender Technokratie und Automatisierung entgegeneilen?

206

420 Objekt im Freien. Acrylglas, Höhe ca. 1,20 m, siehe auch Farbtafel XLV 451

421 Collier. Gold getrieben und montiert. 1967

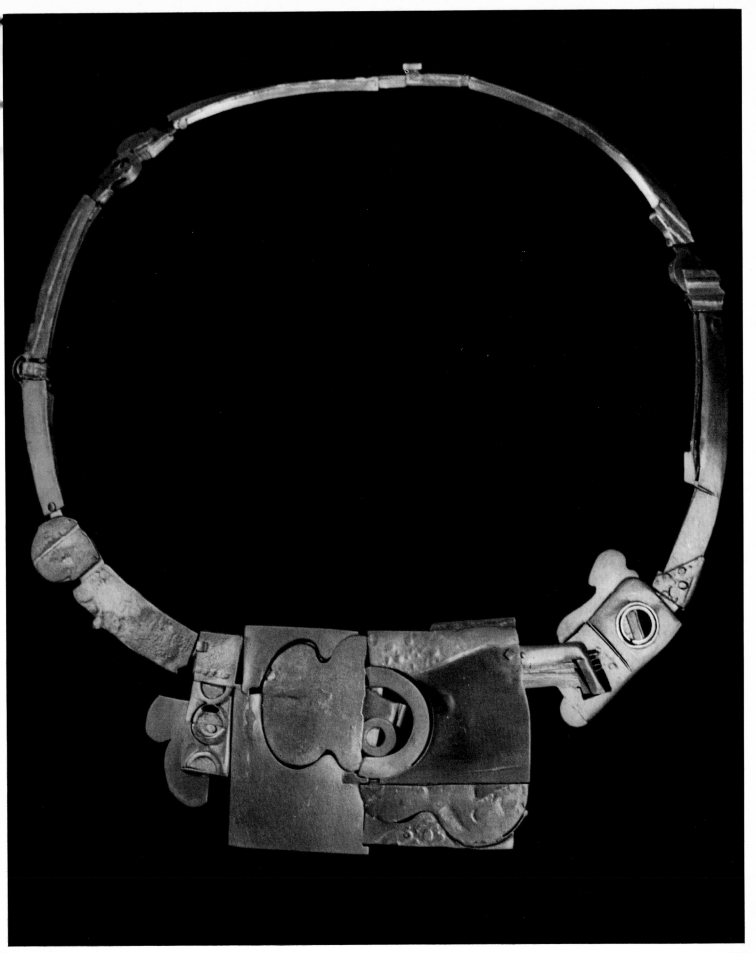

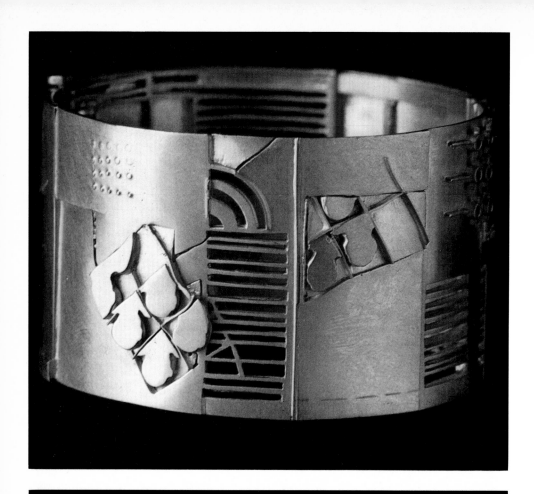

422 Armreif. Gold. 1968

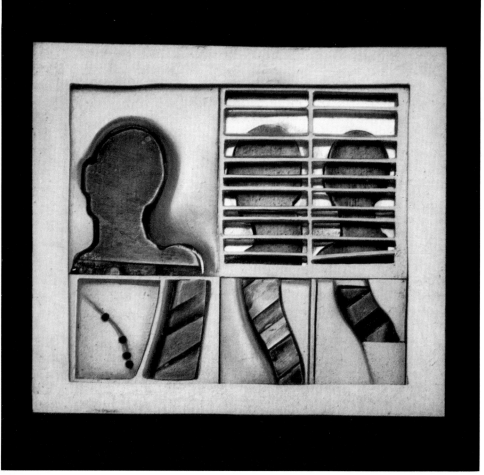

423 Brosche. Gold. 1968

Jedenfalls hat Bury die Forderung seines Lehrers Reiling sehr ernst genommen und mit aller Konsequenz verwirklicht. Seine Objekte, wie er sie folgerichtig nennt, dokumentieren das Konkrete seiner Bildgestaltung. Diese Bilder, die farbigen Flächen mit den nur geringen reliefmäßigen Erhebungen sind gebaut und gefügt wie eine Architektur. Sie sind gelassen, passiv, fast im wörtlichen Sinn leidend; sie sind leidenschaftslos komponiert aus dem Streben nach größtmöglicher Objektivität. Und doch besitzen sie alle einen Grad von Aktivität, der eine unheimliche Wirkung ausstrahlt. Sie sind starr und doch spannend wie ein makabrer Kriminalroman, sie sind realistisch und zugleich voller magisch wirkendem Symbolgehalt, sie sind gegenständlich und doch so abstrakt, als seien es Pläne von erdenfernen Wesen. Dieser Eindruck wird noch verstärkt durch das Fehlen jeglicher Vitalität, durch den Mangel an organischer Bewegtheit mit der Illusion des Wachstums oder der Veränderlichkeit. Und doch bezeugen Burys Objekte ein intensives Leben in sich selbst. Sie sind Gebilde einer Welt für sich, zugehörig nur dem Meister, der sie baute.

„Meine Arbeiten sind primär Versuche mit rein künstlerischen Intensionen, Formulierungen, die durch die Verwendung von Acrylglas und der damit verbundenen unbedingten Konsequenz des exakten, genau geplanten, durchdachten Prozesses völlig neue Möglichkeiten für die Verarbeitung erfahren haben. Diese erscheinen mir momentan gegenüber der früheren Beschäftigung im metallischen Bereich fast unbegrenzt. Waren die früheren Arbeiten noch stark und ganz bewußt funktionell ausge-

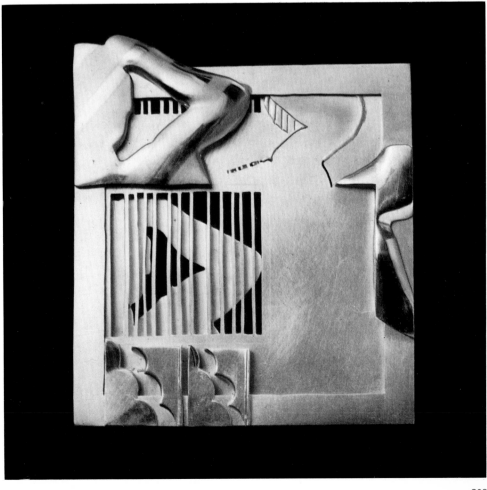

424 Brosche. Gold. 1968

richtet, so scheint mir die Vorstellung des ‚Schmuck-Machens' bei den heutigen Resultaten kaum relevant."

Mit diesen Ausführungen lenkt Bury selbst die Aufmerksamkeit auf die in unserem Zusammenhang wichtige Frage nach der Wertung seiner Objekte als Schmuck. Es ist selbstverständlich und notwendig, daß die Erarbeitung einer neuen und eigenen Formenwelt nicht von vornherein auf bestimmte Funktionen oder Zweckbindungen ausgerichtet sein kann. Darin erweist sich häufig der Mitläufer, daß er der Sache nicht auf den Grund geht, sondern immer bestrebt ist, aus dem von anderen bereits Erprobten seinen Nutzen zu ziehen. Dies ist ein entscheidendes Dilemma seit dem Jugendstil. Deshalb ist Burys unbekümmerte Haltung – unbekümmert in bezug auf die Anerkennung seiner Objekte als Schmuck – durchaus richtig und lobenswert; denn er selbst ist noch nicht zu einer klaren und eindeutigen Definition des modernen Schmucks gekommen. „Ich sehe mich außerstande, bei der Vielschichtigkeit heute produzierten Schmucks trotz einiger offensichtlicher Konzessionen hinsichtlich Konvention, Marktsituation und modischer Tendenz, eine genaue Definition des Begriffes Schmuck zu finden, die dem Betrachter gegenüber, bezogen auf meine Arbeiten, als einleuchtendes Charakteristikum verständlich werden könnte. Für mich ist die subjektive Entscheidung jedes Einzelnen zu beachten. In welcher Form und welcher Art von Gegenständen er seiner Persönlichkeit gemäß Objekte auswählt, die in seinen Augen schmückend wirken und in diesem Sinne ihre Berechtigung erhalten, liegt ganz bei ihm selbst." Beziehungen des Schmucks zur Person oder gar zum Kleid der Träger erscheinen ihm unwichtig. Und auch „die Funktion des Getragenwerdens und damit die wesentliche Aufgabe des Schmucks kann nur subjektiven Aspekten unterliegen. Sie erscheint mir als selbstverständlich und daher sekundär."

Die Offenheit und Unbekümmertheit ist hier ebenso erfrischend wie die Toleranz. Da ja nie jemand gezwungen sein wird, einen bestimmten Schmuck zu tragen, kann es natürlich, außer der effektiven Unmöglichkeit diese Funktion zu erfüllen, keine Einschränkungen hinsichtlich der Tragbarkeit geben. Ähnlich liegt das Problem der Placierung eines modernen Kunstwerks. Der letzte und vielleicht wichtigste Ort wird hier immer mehr das Museum sein. Auch Schmuck kann seinen Sinn durchaus im Museum erfüllen. Es scheint, daß Bury selbst einverstanden wäre, wenn viele seiner Schmuckstücke in wichtigen öffentlichen Sammlungen gezeigt würden. Damit könnte sein jetzt schon wichtiger Beitrag zur Entwicklung des gegenwärtigen Schmucks dokumentiert werden. Denn dieser Beitrag liegt ja nicht nur in der meisterhaften Verwendung des Acrylglases, selbst nicht einmal in seinen stets von großer Empfindsamkeit und immer spürbarem Sinn für Harmonien getragenen Kompositionen, auch nicht nur in der reichen Phantasie seiner Erfindungen und Motivationen, sondern in der Hauptsache wohl darin, daß er wie jeder freie Künstler seinen eigenen Weg sucht. Welches dabei seine wesentlichen Anliegen sind, wurde versucht, darzulegen. „Die geistige Auseinandersetzung mit künstlerischen Problemen ist somit eine fundamentale Voraussetzung (für die Schmuckgestaltung). Die Ergebnisse der Bildenden Kunst sollen nicht plagiathaft übernommen werden. Sie sind nur anregendes und beeinflussendes Element; erst die eigenwillige Übersetzung in das Gebiet der Schmuckgestaltung kann eigenständigen Schmuck bewirken."

Hier, so scheint es, liegt die wirkliche Bedeutung des Beitrages Burys zum Neuen Schmuck: daß er nicht auf das „anregende und beeinflussende Element" wartet, um es „nachempfindend" für seine Schmuckgestaltung zu verwenden, sondern daß er selbst es ist, der sich seine Elemente erarbeitet. Seine Bedeutung liegt ganz in seinen Objekten, wobei es gleichgültig ist, welche Dimensionen sie haben, ob sie als Schmuck getragen werden oder als freie Arbeit in einem Park oder Museum stehen. Er ist noch so wunderbar jung, daß hier sicher noch Entscheidendes zu erwarten ist.

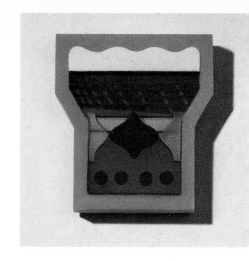

425 Brosche. Acrylglas, siehe auch Farbtafel XLVI 452

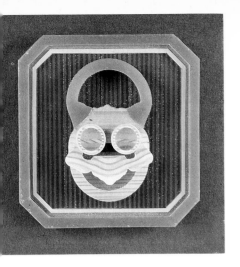

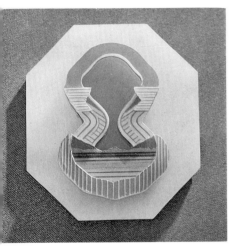

426 Brosche. Acrylglas. 1969, siehe auch
     Farbtafel XLVIII 455

427 Brosche. Acrylglas, siehe auch Farb-
     tafel XLVII 453

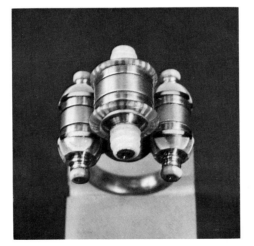

428–430. Ring. Gold und Acrylglas

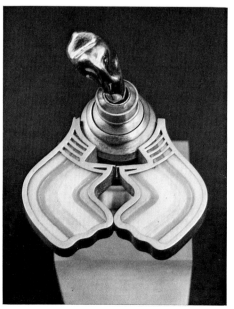

433 und 434. Ring. Gold und Acrylglas

435 Karl-Heinz Reister. Ring, Edelstahl und
oxydiertes Eisen

436 Karl-Heinz Reister. Brosche, Gold,
Granulation, Elfenbein und Ebenholz

437 Karl-Heinz Reister. Brosche, Gold
geschweißt, Turmalin und Perle

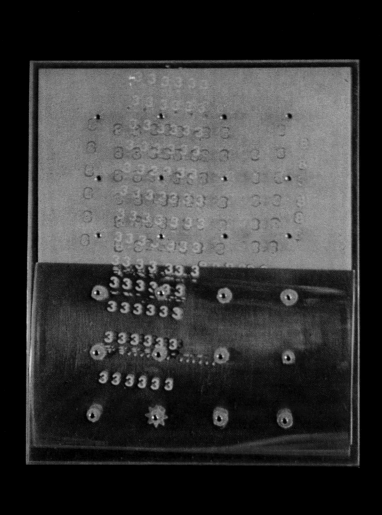

438 Robert Smit. Objekt, rote Plexischeiben,
Weißgold

439 Robert Smit. Objekt, grüne und rosa
Plexischeiben, Gold

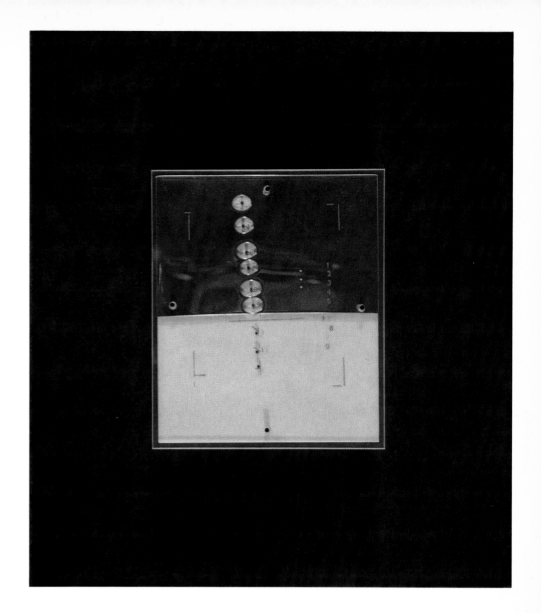

440 Jens-Rüdiger Lorenzen. Miniatur,
Kupferplatte grün gefärbt, Silber poliert
und schwarz gefärbt, Gold, Kunststoff,
Stahl

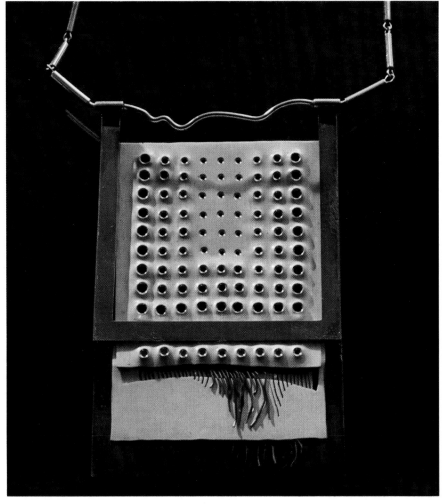

441 Jens-Rüdiger Lorenzen. Halsschmuck,
Silber matt und poliert, weiß und
schwarz, Gold

442 Reinhold Krause. Brosche, Silber vergoldet, Electroforming, Opal, Brillanten
und Perlen

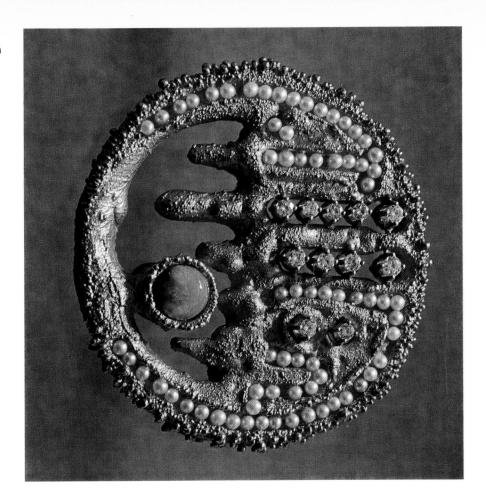

443 Reinhold Krause. Brosche, Silber
vergoldet, Electroforming, Malachit und
Perlen

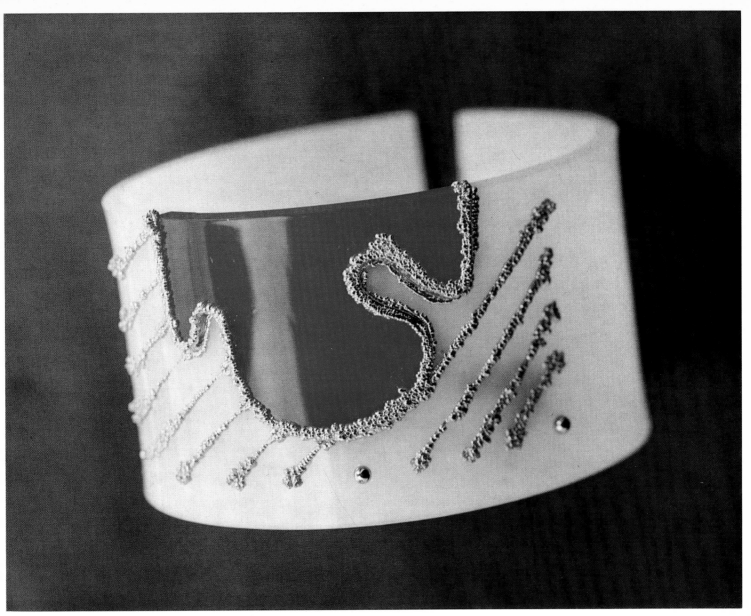

444 Reinhold Krause. Armreif, weißes und
rotes Plexi, vergoldet

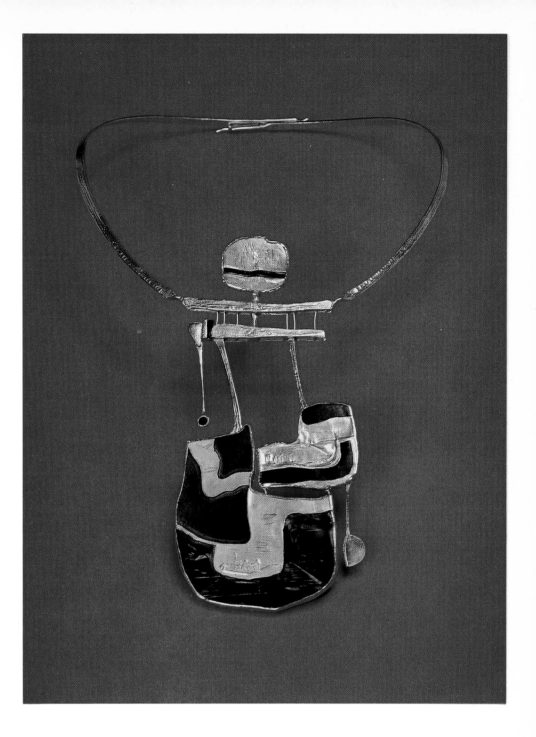

447 Barbara Gasch. Ohrgehänge, Silber,
Glasaugen und Perlen

448 Bernd Munsteiner. Ring, Gold mit
Turmalin

449 Bernd Munsteiner. Citrin

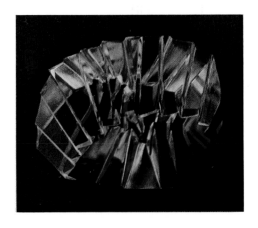

450 Bernd Munsteiner. Brosche, Achat und
Gold

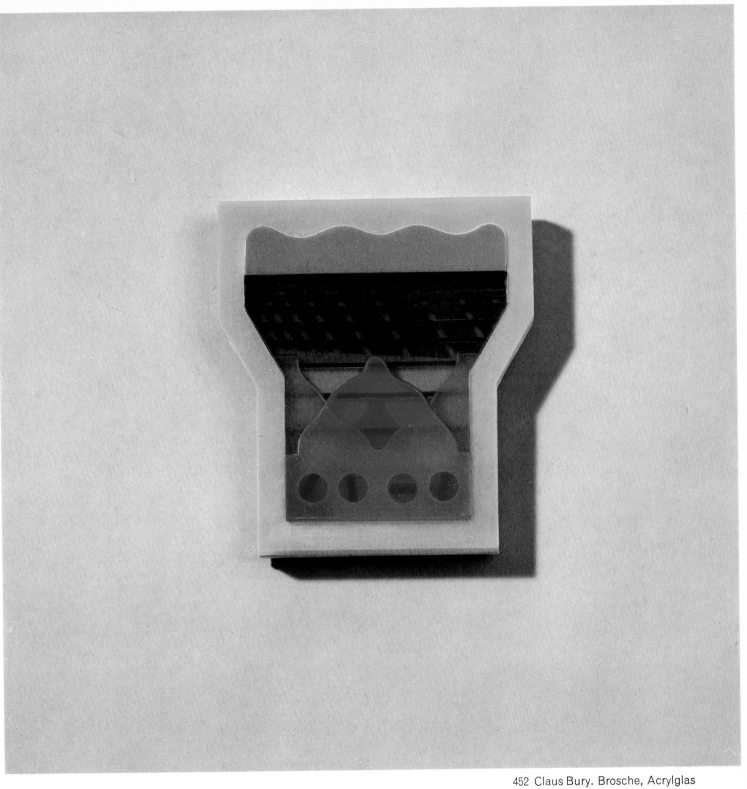

452 Claus Bury. Brosche, Acrylglas

453 Claus Bury. Brosche, Acrylglas

454 Claus Bury. Brosche, Acrylglas

ABBILDUNGSNACHWEIS

Aschieri, Turin: 116, 117; Egon Augenstein, Kieselbronn: 85–90, 93, 94, 423, 424; Foto Belling, Bonn: Porträt Risch; Jürg Bernhardt, Bern: Porträt Zschaler; Foto-Bischoff, Pforzheim: Porträt Ullrich; Walter Fischer, Düsseldorf: 106–108; Bianca Eshel-Gershuni: 201, 205–212, 305; Nach „gold+silber – uhren+schmuck": 21–32, 70–75, 183; Grauel, Hannover: 395–399, 445, 446; Renate Gruber, Darmstadt: 123; Pavel Janek, Bratislava: 233–242, 311, 312; Lechtzin: 224, 226; Pressefoto Makovec, Lüneburg: 1–12; Munsteiner, Stipshausen: Porträt Munsteiner, 409–411, 415, 417–419, 449; Muzeum ckla a bizuterie, Jablonec: 243–247, 250, 251, 255; Pontis-Pfältzer: 158, 198; Pucci Giardina, Rom: Porträt Martinazzi, 118–122; Rampazzi, Turin: 115; Reister, Mailand: 335–337, 339–341, 435, 437; Risch: 13–17; Margery Smith, Philadelphia: Porträt Lechtzin, 225, 227–232, 310; Chris-Paul Stapels, Voorschoten: Porträt Smit, 347–350, 438, 439; Sune Sundahl, Saltsjöduvnäs: 41–54, 79; Ruth Supper, Lüneburg: Porträt Zeitner; Frauke Theunissen, Berlin: 261, 262, 271, 272; Ullrich: 142–157, 195, 196; Gunnar Wahlen, Stockholm: Porträt Persson; Helmut Wegener, Pforzheim: 18–20, 33–40, 76–78, 82–84, 91, 114, 127, 140, 141, 160, 180, 181, 184, 193, 194, 197, 200, 202–204, 248, 249, 252–254, 274, 292, 300, 303, 304, 313, 314, 323–326, 332, 338, 370–393, 400–408, 412–414, 416, 442–444, 447, 450–455; Foto Weila, München: 96, 97; Dr. Weingart, Salem: 124–126, 128–139, 185–192, Abb. S III; Winfried Zakowski, Helsinki: 213–223, 306–309.

Alle übrigen Abbildungsvorlagen stammen aus dem Archiv des Verfassers.